LA MARQUISE DE POMPADOUR

DE POMPADOUR

Michel Zévaco

Copyright pour le texte et la couverture © 2023 Culturea
Edition : Culturea (culurea.fr), 34 Hérault
Contact : infos@culturea.fr
Impression : BOD, Norderstedt (Allemagne)
ISBN : 9791041836956
Date de publication : juillet 2023
Mise en page et maquettage : https://reedsy.com/
Cet ouvrage a été composé avec la police Bauer Bodoni
Tous droits réservés pour tous pays.

I

Nous n'irons plus au bois...

Lumineuse et claire, cet après-midi d'octobre 1744 semblait une fête du ciel, avec ses vols d'oiseaux au long des haies, ses légers nuages blancs voguant dans l'immensité bleuâtre, son joli poudroiement de rayons d'or dans l'air pur où se balançaient des parfums et des frissons d'automne.

Sur le chemin de mousses et de feuilles qui allait de l'Ermitage à Versailles, – des humbles chaumières au majestueux colosse de pierre, – un cavalier s'en venait au petit pas, rênes flottantes au caprice de son alezan nerveux et souple.

Le chapeau crânement posé de côté sur le catogan, la fine rapière aux flancs de sa bête, svelte, élégant, tout jeune, vingt ans à peine, la figure empreinte d'une insouciante audace, la lèvre malicieuse et l'œil ardent, il souriait au soleil qui, par delà les frondaisons empourprées, descendait vers des horizons d'azur soyeux ; il souriait à la belle forêt vêtue de son automnale magnificence ; il souriait à la fille qui passait, accorte, au paysan qui fredonnait ; il se souriait à lui-même, à la vie, à ses rêves...

Devant lui, à un millier de pas, cheminait un piéton, son bâton d'épine à la main.

L'homme était poudreux, déchiré. Il marchait depuis le matin, venant on ne sait d'où – de très loin, sans doute – allant peut-être vers de redoutables destinées...

Près de l'étang, le piéton s'arrêta soudain... C'était, sous ses yeux, dans le rayonnement de la clairière, dans le prestigieux décor de ce coin de forêt, une vision de charme et de grâce :

Une jeune fille... une exquise merveille... mince, flexible, harmonieuse, teint de nacre et de rose, opulente chevelure nuageuse... suprêmement jolie dans sa robe à paniers de satin rose broché de fleurettes roses, le gros bouquet de roses fixé au corsage... un vivant pastel...

Elle riait aux éclats, penchée vers une dizaine de fillettes qui, tabliers en désordre, frimousses ébouriffées, l'entouraient, tapageuses, fringantes... et elle disait :

– Oh ! les insatiables gamines ! Déjà le démon de la danse les mène ! Comment, mesdemoiselles, vous voulez encore une ronde ?...

– Oui, oui... Jeanne, chère Jeanne... encore une ronde !...

– Soit donc ! En voici une que, pour vous, j'ai composée hier sur mon chemin.

Et tandis que les petites se prenaient par la main, elle, d'une voix mélodique et pénétrante, chanta ceci :

Nous n'irons plus au bois, les lauriers sont coupés
La belle que voilà, la lairons-nous danser ?

Alors, sur la tant jolie ritournelle dont cent cinquante années n'ont pas épuisé la vogue enfantine, la ronde, parmi des rires cristallins, se développa au bord de l'étang moiré...

Là-bas, sur le chemin feuilli, moussu, venait insoucieusement le jeune cavalier...

La lairons-nous danser ?
Entrez dans la danse
Voyez comme on danse...

La ronde, tout à coup, s'effaroucha. Les rires se glacèrent sur les lèvres mutines.

Le piéton poudreux sortait de son fourré, lui ; il s'approchait à pas lents et s'arrêtait, énigmatique silhouette silencieuse, près de celle que les gamines appelaient Jeanne... chère Jeanne...

Souriante, sans peur devant l'imprévue apparition, elle demanda doucement :

– Que voulez-vous ?...

L'homme s'éveilla de son extase admirative. Il balbutia :

– Pardon... excusez... où est-on ici ?

– Vous êtes sur le terroir de l'Ermitage ; voici la clairière, et voilà l'étang ; ici finit le parc royal de Versailles, et là commencent les bois...

– Le château... est-ce loin ?

– Par là... voyez-vous ? dit-elle, le bras étendu dans un geste de nymphe sylvestre.

Dans le lointain des sous-bois, le cor se fit entendre, une meute donna de la voix.

– Qu'elle est belle ! murmurait le piéton... Excusez encore... pouvez-vous me dire ?... Le roi... est-il au château ?

Elle demeura interdite, pâlissante. Et pensive, dans un souffle de rêve, elle répéta :

– Le roi !...

– Oui... Louis XV... savez-vous s'il est au château ?

– Non... je ne sais pas... Pauvre homme, comme vous avez l'air malheureux... et si fatigué !

– Fatigué, oui... et malheureux... réellement malheureux...

– Oh ! attendez !... Il faut que je vous porte bonheur !

Légère comme une biche, elle s'élança. À vingt pas, sous un hêtre, deux femmes se reposaient ; l'une blonde et frêle ; l'autre vigoureuse, plantureuse, couperosée, qui se mit à crier :

– Jeanne ! Jeanne !... Pourquoi courir ainsi, mon enfant ? Te voilà en nage... tu t'abîmes le teint... et tu te décoiffes.

Sans répondre, Jeanne s'empara d'une aumônière, jetée sur l'herbe près des écharpes ; elle y puisa un louis et, toujours courant, revint au piéton.

À ce moment, le son du cor se rapprocha, sonnant la *vue* et le *bien aller*.

À ce moment aussi, débouchait sur la clairière le jeune cavalier à la fine rapière, tandis qu'un chasseur, trompe en sautoir, couteau à la ceinture, contournait l'étang au galop de son cheval blanc d'écume...

– Tenez... prenez... dit Jeanne, câline et douce.

– Je ne demande pas l'aumône, répondit le piéton sourdement.

– Oh ! fit-elle, la voix émue, vous voulez donc me faire de la peine ?...

L'homme, farouche, hésita, trembla...

Puis, lentement, sa main s'ouvrit...

Jeanne y glissa la pièce d'or !

Alors, elle battit des mains gaiement.

Mais comme l'inconnu demeurait immobile et sombre, elle reprit gravement :

– Je crois que je pourrais vous être utile... si vous vouliez me confier votre nom ?

L'homme eut un sursaut, un étrange regard... puis il murmura :

– Je m'appelle François Damiens...

Le chasseur, à cet instant, arrivait sur le groupe, arrêtait son cheval, d'une secousse, et, le ton bref, la voix dure, il laissait tomber cet ordre :

– Holà ! manant ! il faut t'en aller d'ici !... vous aussi, petites !... vous aussi, madame !

Jeanne se retourna, toisa le chasseur avec une moue d'exquise impertinence, et partit d'un rire clair :

– Monsieur, vous tenez mal votre trompe de chasse ; c'est une faute, cela, elle me prouverait que vous n'êtes pas gentilhomme, s'il était besoin de le prouver !

– Madame ! gronda le chasseur, devenu blanc de colère.

– Allez, monsieur, allez demander à M. de Dampierre une leçon de vénerie, et à tout Français que vous rencontrerez une leçon de politesse... cela fait, vous reviendrez.

Elle pirouetta sur les hauts talons de ses souliers de satin rose.

Livide, le chasseur poussa son cheval. Il allait l'atteindre... la renverser...

Les enfants crièrent. Le chemineau serra son bâton d'épine dans sa main. Il eut un grondement, leva sa trique... mais avant qu'elle se fût abattue, le cheval du chasseur reculait soudain...

Le jeune cavalier, qui venait d'entrer dans la clairière, d'un bond furieux s'était placé entre la jeune fille et le chasseur, et avait saisi la bride qu'il secoua violemment ; en même temps, sa voix éclatait, vibrante :

– Par la mort-dieu, monsieur, êtes-vous donc enragé ?...

Poitrail contre poitrail, les deux bêtes piaffaient, hennissaient... Regard contre regard, les deux hommes se menaçaient.

– Ah çà ! continuait le jeune inconnu, on insulte donc les femmes, par ici !

Le chasseur jeta un juron ; mais, se calmant aussitôt :

– Prenez garde, monsieur, dit-il avec une glaciale politesse, prenez garde ! Je fais ici mon service qui est de déblayer le chemin de la chasse...

– Et moi, je fais le mien qui est de courir sus au malotru !

– Prenez garde, vous dis-je !

– Quand vous seriez le grand veneur en personne, arrière, monsieur, arrière !

Le chasseur porta violemment la main à son côté, et s'apercevant alors qu'un couteau remplaçait son épée absente :

– C'est bon ! gronda-t-il, la moustache hérissée. Nous nous retrouverons, mon jeune don Quichotte... si toutefois on vous trouve !

– Vous allez vous faire couper les oreilles, monsieur l'écraseur de femmes. On me trouve toujours quand on me cherche ! Et même quand on ne me cherche pas !

– Votre nom, alors ! rugit le chasseur.

– Le vôtre, s'il vous plaît ?

– Comte du Barry, écuyer servant de Sa Majesté.

– Et moi, chevalier d'Assas, cornette au régiment d'Auvergne, en congé régulier, se rendant à Paris, rue Saint-Honoré, à l'enseigne des Trois-Dauphins, où il sera demain et les jours suivants pour y attendre d'être pourfendu par monsieur le comte du Barry !

– C'est bon, chevalier d'Assas ! Vous n'attendrez pas longtemps ! bégaya le chasseur, ivre de rage. Et vous, madame, vous aurez de mes nouvelles !

– Ce me sera grand honneur, dit-elle en éclatant de son rire clair, d'une si jolie impertinence.

Le comte esquissa un geste de menace, tourna bride, et, à fond de train, s'enfonça dans le sous-bois, vers le son des cors...

Pendant cette algarade, le chemineau poudreux, l'homme qui avait dit s'appeler François Damiens, s'était écarté sous une hêtraie. Là, il s'arrêtait, contemplant de loin la jeune fille en rose, et murmurait encore :

– Qu'elle est belle !...

Le chevalier d'Assas mit pied à terre et s'inclina devant Jeanne.

– Madame, dit-il, je vous supplie de faire état de moi ; quoi qu'il advienne, soyez rassurée ; cet insolent gentilhomme sera châtié, je vous le jure.

Et comme il se redressait, il demeura frappé d'admiration, comme si, à cet instant seulement, il eût bien vu quelle adorable créature se trouvait devant lui.

Il fut troublé jusqu'au fond de l'être, et son jeune cœur se mit à battre plus fort.

Et il semblait qu'un génial artiste les eût ainsi campés l'un devant l'autre, si beaux tous les deux, si parfaitement gracieux, pareils à deux biscuits de Saxe, se souriant et s'admirant, lui enivré, elle ingénument coquette, doucement remuée par ce naïf et pur hommage d'un amour qui éclatait avec la fougue imprévue, foudroyante, irrésistible des grandes passions.

Promptement, elle se remit et gazouilla :

– Ah ! chevalier... comment vous remercier ?...

– Je suis trop remercié, madame... Bénie à jamais est cette minute où je vous ai vue...

– Vous ne vous battrez pas... dites... oh ! dites...

– Ah ! madame, que me demandez-vous là !... Dussé-je affronter mille morts...

– Oh ! si vous alliez être blessé !... Blessé pour moi !...

Et il y avait plus de curiosité gentille que de réelle inquiétude dans son regard pur et moqueur. Mais lui, ah ! lui tremblait légèrement. Il était pâle. Des choses inconnues se heurtaient violemment au fond de son cœur. L'amour l'envahissait.

Sincère ?... Ah ! certes. Sincère jusqu'au plus secret de ses fibres !...

Quoi !... Une passion si rapide !... Le savait-il, seulement ! Savait-il ce qui se passait dans son âme ardente, fougueuse, prompte à se donner... sans calcul, sans réflexion, sans restriction !...

Il bégaya, mesurant à peine ce qu'il disait, étonné de sa propre audace :

– Blessé pour vous !... Que serait une blessure quand mon rêve maintenant sera de mourir pour vous, avec l'intense volupté de savoir... ou d'espérer... que peut-être vous me pleurerez !...

– Taisez-vous ! oh ! taisez-vous ! sourit-elle, émue pourtant...

– Me taire ! Lorsqu'une céleste harmonie monte à mes lèvres, lorsque tout chante en moi, que ma tête s'embrase... Oh ! pardonnez, pardonnez un pauvre fou... pardonnez... vous que je ne connais pas et qu'il me semble connaître depuis des siècles...

– Taisez-vous, reprit-elle rapidement. Voici qu'on vient... Écoutez, chevalier... nous demeurons, ma mère et moi, à Paris, rue des Bons-Enfants, en face l'hôtel d'Argenson. Et maintenant, partez, de grâce, partez !...

Elle tendit sa main gantée de blanc. Le chevalier la saisit, appuya ses lèvres sur le bout des doigts effilés, et la sensation de ce baiser fut une sensation de vertige.

Lorsqu'il se redressa, il vit Jeanne qui s'élançait au-devant des deux femmes.

Alors il sauta en selle et rendant la main, bouleversé par l'immense et soudain événement qui venait de se produire dans sa vie, – divin bonheur... ou suprême catastrophe ! – il se rua dans un galop insensé, avec l'envie folle de crier, de pleurer, de rire, de chanter...

Jeanne, déjà, pour cacher son trouble, peut-être... ou peut-être parce que cet incident avait glissé sur elle sans la toucher au cœur... Jeanne, souriante comme si rien ne se fût passé, avait repris les fillettes par la main ; de nouveau la ronde enfantine s'égayait au long de l'étang, et la voix pure de la jeune fille chantait... mais avec un éclat plus fiévreux :

Mais les lauriers du bois, les lairons-nous faner ?

Non, chacun à son tour ira les ramasser.

De plus en plus le son du cor se rapprochait de l'étang moiré par les brises qui courbaient doucement les roseaux.

Des galops retentissaient sous bois.

Des chevreuils, des faons, des biches s'enfuyaient effarés...

Si la cigale y dort, ne faut pas la blesser ;

Le chant du rossignol la viendra réveiller...

Sautez, dansez, embrassez

Celui que vous aimez...

Brusquement, Jeanne s'arrêta, le sein oppressé, les yeux voilés de larmes brillantes.

– Embrassez qui vous aimez ! murmura-t-elle. Hélas ! où est-il celui que j'aime ? Où est le Prince charmant qu'attend mon âme prisonnière !...

– La chasse ! Voici la chasse ! cria à ce moment la matrone au teint couperosé... Jeanne, regarde... voici le cerf à l'eau... Regarde donc, mon enfant !...

Et s'adressant à la femme frêle et blonde qui l'accompagnait, à voix basse et rapide :

– Retirons-nous un peu, chère madame du Hausset. Pour ce qui va peut-être se passer ici, nous serions de trop...

– Que va-t-il donc se passer, chère madame Poisson ?...

« Madame Poisson » jeta un regard trouble sur sa compagne. Et elle murmura :

– Rien... non, rien... Ne nous montrons pas... attendons... espérons !... Voici la chasse du roi !

Jeanne avait fixé ses yeux sur l'étang.

La clairière s'emplissait du bruit des cors sonnant le *bat l'eau*, du hennissement des chevaux, des appels de piqueurs, des voix de la meute qui, tout entière, s'était jetée à l'étang, derrière l'animal de chasse.

Et le dix cors, noblement, la tête haute, fendait les eaux...

La foule des chasseurs, maintenant, cernait l'étang ; grands seigneurs sanglés, ceinturonnés, coquettes amazones en tricorne, piqueurs en habit bleu galonné d'argent sur or, grand gilet écarlate, bottes à chaudron... et les « taïaut » retentissaient, et tout ce monde brillant, pimpant, poudré, doré, coquetait, piaffait, caracolait !

Toute pâlie, Jeanne regardait de ses yeux agrandis par l'angoisse...

Oh ! la pauvre bête ! la pauvre bête !...

Le noble dix cors venait droit sur elle, nageant avec une indéfinissable dignité, franchissait la ceinture de roseaux, sortait enfin de l'eau, faisait quelques pas, et s'arrêtait près de Jeanne, exténué par quatre heures de course éperdue, rendu, vaincu, la tête tournée vers les quatre-vingts chiens de la meute qui s'assirent, dans le silence de la victoire, tenant la bête sous la menace de leurs regards... L'instant fut tragique.

Une poignante tristesse voila les yeux du cerf... Et de ces yeux, deux grosses larmes coulèrent lentement...

– Oh ! la pauvre bête ! la pauvre bête ! balbutiait Jeanne frissonnante de pitié.

Les chasseurs, les cors, les chiens, tout se taisait... C'était la minute solennelle, odieuse, impitoyable qui précède la mort du cerf.

– Dampierre, dit une voix, l'hallali !... Du Barry, vous servirez la bête...

Jeanne étendit les mains vers celui qui venait de parler... un grand seigneur... sans doute le maître de la chasse...

Servir la bête !... c'est-à-dire la tuer au couteau !... Oh ! non !... non ! Elle ne pourrait voir cette chose affreuse...

– Ah ! monsieur, grâce pour lui... ne le tuez pas, monsieur... s'écria-t-elle, toute palpitante d'émoi.

Et comme elle levait les yeux vers le grand seigneur, elle se recula soudain, très pâle, porta la main à son cœur, et, défaillante, murmura :

– Le roi !... le roi !...

En un clin d'œil, Louis XV sauta à bas de son cheval, saisit dans ses bras la jeune fille, en s'écriant :

– Par le ciel ! cette jolie enfant s'évanouit.

Jeanne, à demi pâmée, sa tête charmante retombée en arrière, entrouvrit les yeux... Elle se vit dans les bras de Louis XV, et frissonnante, éperdue, elle s'évanouit, en murmurant tout bas, au fond d'elle-même :

– Dansez... sautez... embrassez qui vous... aimez !... Il est venu... celui que j'aime... le prince Charmant... de mon âme prisonnière... mon roi !...

Ce fut un instant plus fugitif que la seconde qui meurt à peine éclose.

Mais cette seconde fut un frémissement d'admiration chez ce connaisseur, cet adorateur de beauté, ce roi des élégances raffinées qu'était encore Louis XV.

Une étrange émotion voila le clair reflet de ses yeux gris bleu pâle.

Et déjà l'exquise créature qu'il tenait dans ses bras s'éveillait comme d'un songe, se dégageait, confuse, troublée jusqu'au fond de sa pensée, balbutiait le même mot :

– Le roi... le roi !...

– Pour vous, le premier gentilhomme du royaume ! dit vivement Louis XV... ce qui signifie incapable de refuser une prière qui s'envolerait de lèvres aussi jolies...

Jeanne rougit... Son regard plana sur le cercle des cavaliers rangés autour d'elle et du roi... autour de la meute et du cerf immobile. Sur tous les visages d'hommes, elle lut à livre ouvert l'ironie outrageante ; dans tous les yeux des femmes, elle vit briller la jalousie et la rage.

Toute la cour de France était là pour l'hallali et la curée... Toute cette cour la poignardait de ses regards aigus...

Alors, comme pour répondre à l'envie déchaînée par une héroïque et charmante bravade, comme si elle eût déclaré la guerre à toute la seigneurie assemblée, d'un geste de défi elle releva sa tête fine, posa sa main gantée sur l'encolure du cerf hypnotisé par les chiens, et, esquissant une révérence que la première dame d'honneur eût jugée impeccable :

– Sire, je ne suis qu'une petite fille et vous êtes un grand roi... Je vois ces nobles seigneurs qui brûlent de daguer la bête... je vois ces dames de haut lignage qui attendent la curée... Sire, la petite fille, contre tant de pensées mortelles, vous demande une pensée vivante, humaine... la grâce de ce pauvre animal...

Un murmure gronda dans la clairière, parmi les chasseurs.

– Ceci est contraire à tous les usages de vénerie royale ! observa une voix âpre et rude déjà entendue.

– Mordieu ! songea le roi, cette enfant se tient comme une duchesse et parle comme un grand poète...

Et, se tournant vers celui qui, d'un mot, venait de traduire la colère des courtisans :

– Comte du Barry, sonnez la retraite, dit-il froidement.

– Sire !...

Louis XV foudroya le comte d'un de ces regards de suprême insolence qui lui tenaient lieu de majesté.

Du Barry, pâle, un éclair de fureur dans ses yeux fixés sur Jeanne, obéit alors, et sa fanfare éclata, se répercuta sous les futaies.

– La Branche ! commanda le roi, rappelle les chiens.

– Sire ! Sire ! murmurait Jeanne extasiée, rayonnante de son triomphe. Oh ! merci...

Le premier piqueur, à l'appel de Louis XV, s'était élancé, faisait reculer la meute qui grondait, étonnée mais obéissant avec cette passivité qui est l'intelligence des bêtes bien dressées.

– Vous le voyez, madame, dit alors le roi, j'ai voulu que le souvenir de notre rencontre ne vous fût pas désagréable... Pour moi, ajouta-t-il avec un sourire, ce souvenir me demeurera comme un charme.

Et Jeanne, frémissante, éperdue, joignit les mains :

– Jamais, Sire... jamais cette minute de mon existence ne sortira de mon âme... jamais !

Louis XV tressaillit.

Il eut comme une rapide hésitation.

Puis, voyant tous les yeux dardés sur lui, il fit de la main un geste d'adieu et, s'élançant à cheval, s'éloigna au trot, suivi de ses piqueurs sonnant la retraite, de sa meute, de ses chasseurs et de ses amazones... En quelques instants toute cette vision de brillante cavalcade s'évanouit sous les frondaisons empourprées.

Jeanne était demeurée à la même place, une main sur son cœur, le regard attaché à l'élégant cavalier qui, là-bas, s'en était allé, suivi de ses dames et de ses seigneurs.

Et lorsque Louis XV eut disparu, un long soupir fit palpiter son sein.

Alors, elle se tourna vers le cerf que la fatigue paralysait encore, et, comme si son cœur eût contenu un trop-plein qui voulait déborder, nerveusement, elle entoura la tête de l'animal avec ses deux bras, et, à pleine bouche, baisa brusquement le mufle gracieux du fauve...

Quelques instants, le dix cors demeura tremblant sur ses jambes grêles, puis, voyant la clairière vide, souffla fortement, frappa du pied, et, au pas, comme rassuré, s'en alla, se perdit au fond des bois...

Au loin, les cors affaiblis apportaient un écho de retraite.

Vers ces échos, vers la cavalcade disparue, Jeanne laissa s'envoler un baiser du bout de ses doigts...

Et vers cette cavalcade, aussi, ce fut un geste de menace implacable qui échappa à l'homme poudreux, au piéton déchiré, à François Damiens, du fond du fourré où il s'était caché, d'où il avait assisté à toute cette scène, et d'où enfin il s'éloignait à grands pas dans la direction du château...

– Jeanne ! Jeanne ! criait en accourant la femme au teint couperosé, il t'a parlé ! Que t'a-t-il dit ? Et toi, qu'as-tu répondu ? Mon Dieu, mon Dieu, chère enfant ! Ah ! c'est maintenant que je ne regrette pas tout ce que j'ai dépensé pour ton éducation ! Voyons, parle-moi donc !...

– Taisez-vous, *poison*... ma chère *poison*... taisez-vous !

Et Jeanne, exubérante, sous le coup de cette joie intense, inconnue, irrésistible, qui fait rire aux éclats et qui fait sangloter, Jeanne s'envolait en une course gracieuse, entraînait les fillettes, conduisait la ronde, follement, et, à pleine voix, le cœur battant, jetait aux échos sa triomphante ritournelle :

Cigale, ma cigale, allons, il faut chanter,
Car les lauriers des bois sont déjà repoussés...
Sont déjà repoussés...

– Comment, chère madame Poisson, observa discrètement la femme blonde, elle vous appelle *poison* !

– Un caprice de cette folle enfant... mais cela m'est bien égal... Ah ! chère madame du Hausset, voilà une journée que je ne donnerais pas pour un million !

– Et M. de Tournehem ?... Il n'arrive pas...

– C'est pourtant à la clairière de l'Ermitage qu'il m'a donné rendez-vous, reprit Mme Poisson radieuse. Mais qu'il vienne ou ne vienne pas... tant pis !... Ah ! que je suis heureuse !

Et Jeanne la bergère avec son blanc panier
Allant cueillir la fraise et la fleur d'églantier,
Allons, il faut chanter.
Entrez dans la danse,
Voyez comme on danse...

Là-bas, la chanson de Jeanne éclatait, plus envolée plus triomphale. La ronde quittait la clairière, s'enfonçait sous bois... et... tout à coup, un silence lourd... quelque chose comme un grand frisson d'angoisse sur toute cette joie...

Là, sous les buissons épineux, sous la jonchée des feuilles, perdue en ce coin de forêt, solitaire, déjà rongée par les mousses, apparaissait une grande dalle de marbre couchée à terre... Une tombe !... Oui, une tombe !...

Et sur cette tombe, un homme, debout, le front dans la main, les yeux voilés de larmes... une grande douleur, sans doute !...

Et c'était contre ce marbre solitaire, contre cette tombe, contre cet homme, contre cette douleur que la ronde exubérante, la joie fiévreuse de Jeanne, la folle chanson éperdue de bonheur venaient de se heurter, glacées soudain, les ailes brisées.

II

La tombe sans nom

Jeanne s'était arrêtée, toute pâle. Il lui parut que c'était là un symbole de sa destinée... Joie, amour, chansons légères, enivrements, visions rayonnantes, tout cela aboutissait à une tombe... ce serait là sa vie !

Timidement, elle leva les yeux vers cet homme qui pleurait, et un léger cri lui échappa :

– Mon oncle ! Mon bon oncle !...

– Jeanne !... Antoinette !...

« Chère enfant !...

L'instant d'après, la jeune fille était dans les bras de l'homme qu'elle appelait son oncle, et celui-ci l'accablait de paternelles caresses... Il semblait avoir doublé le cap de la quarantaine et portait avec une noble aisance un riche costume de ville, habit marron, veste à grands ramages en satin blanc, tricorne galonné de soie, longue canne à pomme d'or.

C'était une franche et loyale physionomie, empreinte en ce moment d'une indéfinissable tristesse.

– Nous vous attendons depuis deux heures, dans la clairière, reprit Jeanne maintenant rassurée et souriante ; « maman Poison » est là... Madame du Hausset aussi...

– J'arrivais, ayant laissé mon carrosse à l'Ermitage, et je me dirigeais vers la clairière, guidé par ta jolie voix... lorsque je me suis arrêté devant ce marbre...

– Vous pleuriez, mon bon oncle !... Oh ! pourquoi ?... dites-le à votre petite Jeanne, à votre petite Toinon... dites-lui votre chagrin.

– Oui... tu vas le savoir, enfant... et tiens ! c'est pour cela même que je t'ai fait venir à la clairière...

À ce moment, M\ :superscript:me Poisson, écartant les branchages de sa lourde main, montra sa figure couperosée, et poussa de grands cris avec une nuance d'inquiétude et de respect exagéré :

– Monsieur de Tournehem ! quel bonheur de vous voir !... Cette mignonne ne comptait plus sur vous !...

– Madame Poisson, dit alors M. de Tournehem, voulez-vous avoir l'obligeance d'aller m'attendre à l'Ermitage où vous retrouverez mon carrosse ?...

– Mais...

– Emmenez aussi Mme du Hausset et les enfants, interrompit Tournehem d'un ton bref.

Mme Poisson exécuta la révérence, jeta un dernier regard sournois sur Jeanne, et partit, emmenant les fillettes qui, toutes, embrassèrent leur grande amie, – la souveraine de leurs jeux quand elle venait à l'Ermitage.

De Tournehem s'assura que la matrone était réellement partie, puis, prenant Jeanne par la main, la fit asseoir sur un vieux tronc de hêtre, jeté bas par quelque tempête... et s'assit lui-même près d'elle.

Il la contempla une minute avec une profonde tendresse, tandis qu'elle lui souriait.

– Mon enfant, dit-il enfin, as-tu conservé pour moi quelque affection malgré mes longues absences ?

Elle appuya sa tête sur l'épaule de celui qu'elle appelait son oncle, et, les yeux à demi fermés, le regard perdu au loin vers des souvenirs d'enfance :

– J'avais cinq ans lorsque vous êtes parti pour les Indes, mon bon oncle ; mais il m'en souvient comme d'hier... Vous m'avez prise sur vos genoux, ma tête contre votre poitrine... et nous sommes restés longtemps ainsi... je sentais sur mes cheveux comme des gouttes de rosée tiède, et lorsque je vous regardai, je vis que cette rosée, c'étaient vos larmes... la rosée de votre affection... Et je ne puis vous dire combien ma petite âme fut émue... mais ce dut être bien profond, puisque, aujourd'hui encore... quand un ennui secret m'assombrit le cœur, c'est dans ce cher souvenir que je me réfugie...

– Antoinette !... Ma petite Toinon chérie !...

– Puis, continua Jeanne-Antoinette, vous êtes revenu deux ans plus tard. Et à la grande joie qui m'inonda d'une lumière caressante, je compris combien vous m'étiez cher... Puis, de nouveau, vous avez fui vers les pays lointains... allant, revenant, ne demeurant jamais plus de trois mois près de nous... Les années se sont écoulées...

Quand vous étiez au loin, je me sentais seule au monde, et souvent je me demandais quelle inquiétude, quel chagrin puissant vous chassaient de Paris... Lorsque vous étiez là, au contraire, je me sentais rassurée comme près d'un père...

M. de Tournehem tressaillit violemment.

– Qu'avez-vous, mon bon oncle ?...

– Rien... continue, enfant, dit sourdement M. de Tournehem.

– Et puis, je voyais bien que, de loin comme de près, vous m'aimiez. Tout éloigné que vous étiez, vous vous occupiez de mon éducation... Maman Poisson recevait de vous de longues lettres où vous alliez jusqu'à indiquer vous-même quel maître à danser il fallait me donner... Par ces détails, je voyais votre tendresse, et la mienne s'augmentait de jour en jour... Ne vous devais-je pas tout, tout au monde ! Vous m'avez fait élever comme une princesse... j'ai appris la musique, la peinture et même la gravure, j'ai reçu des leçons de poésie, il n'est pas de grande dame qui puisse se flatter d'avoir eu autant de maîtres que moi... Mes caprices faisaient loi... les bijoux les plus précieux, je les avais. Vous aviez voulu faire de moi une petite fille parfaitement heureuse... Comment voulez-vous que je ne vous adore pas ?

Elle jeta ses bras autour de son cou.

– Enfant chérie ! murmura Tournehem. Ainsi... tu es vraiment heureuse ?...

– Autant qu'on peut l'être depuis que vous êtes parmi nous pour toujours...

– Oui, pour toujours maintenant... Car le grand chagrin qui m'éloignait de France, avec l'âge, s'est atténué dans mon cœur... Et quand même il y serait aussi vif que jadis, le moment est venu pour moi de ne plus te quitter... Voici que tu vas avoir dix-neuf ans, bien que tu en paraisses à peine seize... et puis l'heure a sonné de la confession...

– Une confession !

– Ou plutôt une histoire que tu dois connaître, c'est nécessaire !

– Je vous écoute, mon bon oncle...

– Eh bien, il y a vingt ans, j'ai connu un jeune écervelé qui s'appelait... Armand. C'était l'un des fidèles de monseigneur le

Régent ; toutes les folies, toutes les orgies, toutes les fêtes, sérénades, bals masqués, enlèvements, duels, Armand était le fiévreux organisateur de ces tristes amusements où il engloutit la moitié de son énorme fortune et que récompensait seulement un sourire du Régent... Mais tout cela n'était que folie de jeunesse... bientôt Armand devait en arriver au crime.

– Le crime ! murmura Jeanne en pâlissant.

– Il n'est pas d'autre nom pour l'infamie d'Armand. Écoute, mon enfant. Tu es d'âge à tout entendre, et ton esprit supérieur te met au-dessus des fausses pudeurs. Armand n'avait eu jusque-là que des liaisons. Il eut alors une maîtresse. Elle s'appelait Jeanne... oui, Jeanne... comme toi !... Elle était pauvre, de bourgeoisie tombée dans la misère à la suite des spéculations du fameux Law. Armand vit cette jeune fille, pure, candide, belle comme une madone de Raphaël. Il l'aima, le lui dit. Elle répondit qu'elle ne serait jamais qu'à l'homme dont elle porterait fièrement le nom. Armand se fût cru déshonoré aux yeux des roués qu'il fréquentait s'il eût consenti à ce mariage. Il continua à amuser la jeune fille de ses fausses promesses... Un jour... jour de honte et de malheur...

M. de Tournehem s'arrêta un instant, et essuya la sueur d'angoisse qui coulait de son front.

Puis, d'une voix rauque, comme s'il eût étouffé un sanglot, il continua :

– Ce soir-là donc, Armand s'apprêtait à se rendre à quelque nouvelle fête lorsqu'on frappa à sa porte. Il ouvre lui-même. Et Jeanne est devant lui... Jeanne bouleversée de désespoir, Jeanne toute en larmes. Les mains jointes, elle s'écrie : « Armand, mon père, mon vieux père va être arrêté pour une dette de vingt mille livres. Il en mourra. Au nom de l'affection que vous m'avez avouée, sauvez-le !... » Le premier mouvement d'Armand fut de courir à son secrétaire et de signer un bon de vingt mille livres sur le trésor royal. Mais alors... oh ! alors... le démon de la luxure enflamma sa tête et lui souffla l'infamie qui pèsera sur toute sa vie. Le bon à la main, il revint à Jeanne palpitante, et lui dit... oui, il eut le courage affreux de lui dire : « Soyez à moi, et votre père est sauvé ! » Et comme Jeanne éperdue reculait en jetant une clameur d'angoisse, il l'enlaça de ses bras et ajouta : « Si tu es à moi, je jure sur mon honneur que tu seras ma femme avant un mois !... » Que penses-tu de cet homme, mon enfant ?...

Frémissante, les yeux agrandis par une sorte d'effroi, la jeune fille fixait sur M. de Tournehem un regard profond, empli de muettes questions angoissées.

Et comme elle gardait le silence, M. de Tournehem baissa la tête.

– Tu ne réponds pas, reprit-il. C'est donc que tu condamnes... cet Armand... comme je l'ai condamné moi-même... La malheureuse Jeanne consomma le sublime sacrifice qui lui était demandé... Elle se donna pour sauver son père. Sacrifice inutile !... Jeanne s'était retirée avec son père dans un hameau voisin du parc de Versailles. Trois fois par semaine, Armand venait la voir... dans une clairière où il y avait un étang...

Alors, d'une voix grave et tremblante, la jeune fille interrompit M. de Tournehem.

– Le hameau, mon oncle, s'appelait l'Ermitage, n'est-ce pas ?... La clairière, c'était celle où je chantais tout à l'heure ?... Dites, mon oncle, n'est-ce pas cela ?...

– Eh bien ! oui... C'est là, à deux pas de nous, que Jeanne et Armand se donnaient leurs rendez-vous. Un jour, trois mois après l'odieuse scène du sacrifice, Jeanne avoua à son amant qu'elle allait être mère. Et, avec une mortelle tristesse, elle ajouta :

« Si je ne deviens pas votre femme, selon votre serment, mon père mourra le jour où il connaîtra mon déshonneur... Je ne crois pas, Armand, que je lui survive ! »

Dès ce moment, les visites d'Armand s'espacèrent, puis cessèrent...

M. de Tournehem s'arrêta frissonnant.

Et la jeune fille, maintenant, contemplait la dalle de marbre.

– Mon oncle, demanda-t-elle, pourquoi n'y a-t-il pas de nom sur cette tombe ?...

M. de Tournehem leva les yeux au ciel, puis les ramena lentement vers la terre, comme s'il eût vainement cherché dans l'éther immuable une réponse à l'effrayante question.

Et ce fut d'une voix plus basse, plus brisée qu'il poursuivit :

– Quelques mois s'écoulèrent. Armand s'étourdit dans les fêtes pour étouffer son remords et son amour.

Oui ! son amour ! Car plus il allait, plus il comprenait que Jeanne avait été le seul amour de sa vie ! Un matin de printemps, après une nuit d'orgie où ses amis avaient beaucoup ri de le voir pleurer, il sauta à cheval, courut à l'Ermitage et entra dans la pauvre maison que Jeanne habitait avec son père... Jeanne était étendue sans connaissance dans un méchant lit. Un homme vêtu de noir se penchait sur elle... Au pied du lit, dans une bercelonnette, pleurait un bébé... Armand saisit l'homme noir par le bras : « Où est le père ? demanda-t-il d'une voix rauque. – Enterré il y a un mois, jour pour jour ! – Qui êtes-vous ? – Le médecin. – Ce bébé ? – Né il y a un mois, jour pour jour ! – Et elle ? Elle ? haleta Armand en désignant Jeanne. – Elle ! répondit le médecin... Dans une heure, elle sera morte !

Un sanglot déchira la gorge de M. de Tournehem.

Et, comme s'il eût craint de ne pouvoir achever, il se hâta de continuer :

– Le médecin se retira. Armand se jeta à genoux, saisit la main de sa maîtresse, pleura, cria, supplia, demanda pardon... Jeanne revint enfin à elle... Lorsqu'elle vit Armand, un ineffable sourire illumina ses pauvres yeux... Elle voulut parler... la voix expira sur ses lèvres flétries... Alors, rassemblant ses dernières forces, elle se souleva, et d'un geste tragique montra à Armand l'enfant qui s'était endormi dans son berceau et souriait doucement... Puis elle retomba pour jamais !...

– Mon oncle ! mon oncle ! murmura la jeune fille palpitante d'angoisse. Qui dort sous cette tombe ? Je veux le savoir !...

– Écoute, écoute encore, enfant !... Armand, sur le corps de la pauvre morte, fit un serment solennel. Et celui-là, du moins, il espère l'avoir tenu... Deux jours plus tard, il emporta le bébé, pauvre créature innocente qui, vaguement, lui tendait ses petites menottes comme pour crier au secours... Puis il revint et fit enterrer Jeanne dans un petit terrain qu'il acheta dans les bois... Sur la tombe, simple dalle de marbre blanc, il renouvela son serment... tu sauras tout à l'heure les termes de ce serment... L'enfant fut confié à une famille de braves gens qui reçurent les instructions nécessaires. Armand voulait en effet que, plus tard, son enfant ne fût pas considérée comme une fille naturelle... une bâtarde...

– C'était une fille ! balbutia Jeanne d'une voix mourante.

– La fillette fut donc enregistrée à la paroisse de Saint-Jacques-de-la-Boucherie... comme fille légitime de... mais qu'importe le nom !... Quant à Armand, Paris et la France même lui devinrent insupportables. Chacun de ses pas se heurtait à un remords... Il fit de longs voyages... Mais à chaque fois qu'il toucha la terre de France, il revint sur la tombe de Jeanne pleurer et renouveler son serment. Ce serment, le voici... écoute !...

M. de Tournehem se leva et fit un pas vers la tombe.

La jeune fille, debout aussi, la figure dans les deux mains, frissonnante, éperdue, bégaya :

– Que vais-je apprendre en ce jour !... quelle vérité terrible et douce va descendre en moi !...

M. de Tournehem étendit la main au-dessus de la dalle de marbre... de la tombe sans nom, et prononça :

– Pour la sixième fois, moi Armand Le Normand de Tournehem, je renouvelle la parole que je t'engageai sur ton lit de mort. Ô toi que j'ai aimée... que j'ai tuée... dors en paix ! Je jure que notre enfant sera à l'abri du malheur. Je jure que jamais, par ma faute, une larme ne coulera de ses yeux. Je jure que ma vie, ma fortune, mon intelligence, ma volonté seront par moi jonchées sous ses pas, afin que la route de sa vie, à elle, lui soit plus douce... afin que tout le bonheur dont tu as été sevrée s'accumule sur sa tête !... Dors en paix !... »

À ces paroles de M. de Tournehem, répondit un cri déchirant :

– Ma mère ! Ma mère ! Ma mère !...

Et ce cri, c'était Jeanne qui le poussait.

Elle s'abattit à genoux, laissa tomber son front sur la dalle, et, toute secouée de sanglots, avec une infinie douceur, elle répéta :

– Ma mère !... Ma mère !...

– Et maintenant, continuait Armand de Tournehem, maintenant, ô morte adorée, en présence de notre enfant qui m'écoute, je te demande humblement si je suis pardonné !... Si mon exil a assez duré, si la punition a racheté le crime, parle, ô ma Jeanne, dicte à ta fille la parole de paix et de pardon que, depuis vingt ans, mon cœur espère !...

– Ma mère !... Ma mère !... Ma mère !...

Longtemps, la jeune fille demeura prosternée, les genoux sur la terre, les lèvres collées au marbre, répétant le mot sublime qui enferme en soi toute la joie et toute la douleur humaine, le redisant avec une sorte de douloureux ravissement, comme si elle eût voulu payer d'un seul coup à cette morte inconnue toute la tendresse, toutes les caresses, toutes les effusions de son cœur.

Armand de Tournehem s'était reculé de deux pas, et il attendait, sans un geste.

Seulement, il eut fait pitié à qui l'eût vu en ce moment...

Et lorsque Jeanne se releva enfin, appuyant ses lèvres sur le bout de ses deux mains réunies et envoyant un dernier baiser à la morte, il était pâle comme un mort...

Ses yeux ne se levèrent point sur sa fille.

Mais d'une voix humble et basse, il murmura :

– J'attends votre arrêt... Ce que vous direz, c'est la morte qui l'aura dit... mon enfant !...

Chancelante, à bout de forces, les bras ouverts, Jeanne s'avança vers Armand de Tournehem, et, par le même profond sentiment qui venait de faire cesser son tutoiement, à lui, elle se mit à lui dire « tu ».

– Père, fit-elle d'une voix étouffée, tu veux donc que je pleure à la fois mon père et ma mère, puisque tu ne me tutoies plus ? Je ne suis donc plus ta petite Jeannette... ta petite Toinon... père... père chéri !...

– Puissances du ciel ! rugit Armand de Tournehem. Elle m'a pardonné !... Jeanne ! Notre fille me pardonne !...

Et cet homme, dans un tremblement convulsif de sa gorge, eut un effrayant sanglot.

Sa fille s'était abattue dans ses bras.

Il la saisit frénétiquement, l'enleva comme une plume, l'emporta en courant à travers le bois, comme jadis il l'avait emportée de son berceau, pauvre bébé qui lui tendait ses innocentes menottes...

– Ma mère... mon père... murmurait Jeanne extasiée de cette vérité qui était descendue en elle et qui, selon son mot, était si terrible et si douce.

Mais, comme Armand de Tournehem traversait la clairière dans une course éperdue, comme il passait à l'endroit où s'était arrêtée la chasse royale, brusquement, Jeanne ferma les yeux...

Il lui sembla qu'en un tel moment, l'image qui entrait dans son cœur commettait un sacrilège...

Elle voulait la repousser...

Mais plus forte que sa piété pour la chère morte, que sa tendresse pour le père retrouvé, l'image, puissante, déjà maîtresse de ce pauvre cœur, y entra triomphalement... l'image d'un élégant cavalier qu'entourait le respect d'une foule de grands seigneurs... l'image du roi... de Louis XV...

Et tout au fond de son être, avec un énigmatique sourire qui voltigea sur ses lèvres pâlies, avec la douceur de l'amour, avec l'obstination d'une grande volonté qui montait en elle, la fille de celle qui dormait sous la tombe sans nom murmura :

– Le roi !... Le *Bien-Aimé*... mon bien-aimé !...

III

Le sacrifice

Le lendemain de l'émouvante scène sur la tombe au fond du parc royal...

À Paris... Rue des Bons-Enfants.

D'un somptueux carrosse, un homme vient de descendre et pénètre dans un hôtel de style Régence.

Un homme jeune, certes, par l'âge, puisque à peine atteint-il vingt-six ans ; mais comme il est chétif, malingre dans son habit d'une élégance insolente ! Son visage est celui d'un vieillard, avec ses traits flétris par la débauche ou par les soucis d'ambition : seuls les yeux, d'un gris vitreux lorsqu'ils se sentent observés, ont parfois un éclair qui révèle d'indomptables volontés.

Avec respect, les domestiques du petit hôtel Régence sont accourus à sa rencontre.

Et lui, familièrement, en habitué, se dirige vers l'escalier qui conduit au premier étage, lorsque d'un petit salon d'attente, sort une femme qui, rapidement, saisit sa main, l'entraîne, et murmure :

– Venez... il y a du nouveau.

La femme, c'est Mme Poisson, la « Poison » !

L'homme, nous allons le voir à l'œuvre...

Presque au même moment, un piéton qui marche lentement, appuyé sur un bâton d'épine, est entré dans la rue, est arrivé à la hauteur du carrosse arrêté devant le portail du petit hôtel, a regardé avec attention autour de lui, puis, indécis, s'est adressé à l'un des valets de pied.

– Excusez... monsieur. L'hôtel d'Argenson... connaissez-vous ?...

Le valet, par reconnaissance d'avoir été appelé « monsieur », daigne répondre. Il étend la main vers un grand bâtiment, en face, de l'autre côté de la rue, et dit :

– Là !...

– Courage, François Damiens ! murmure le piéton en tressaillant.

Une minute, il hésite, comme si sa pensée vacillait au souffle de quelque tempête.

Puis, redressant sa taille, une flamme dans les yeux, il traverse la rue, s'enfonce, disparaît sous le vaste portail du grand bâtiment sombre : l'hôtel de M. le ministre d'État, marquis d'Argenson, chez qui, presque tous les jours, le roi venait conférer des affaires publiques...

C'était une seigneuriale demeure aux lignes académiques, aux immenses escaliers de pierre grise, qui portait sur sa face majestueuse et sévère ce cachet de froide tristesse particulier au déclin du grand règne.

Louis XIV avait fait bâtir cet hôtel près de son Louvre ; et son ombre, glorieuse pour d'aucuns, honnie par tant d'autres, semblait y errer encore, le soir, parmi les meubles somptueux et lourds des vastes salons tendus de soies vieillies.

Et en face, antithèse pétrifiée, page d'histoire que le doigt de la fatalité avait soudain tournée du feuillet sinistre au feuillet orgiaque... parfaite expression de ce souper d'allégresse, de cette réaction de plaisir qu'avait été la Régence... en face de l'hôtel silencieux, comme voilé d'un crêpe, se dressait un logis coquet, musqué, fardé, avec ses balcons de fer forgé à volutes capricieuses, son style bâtard empêtré d'astragales, ses fenêtres à festons, d'où s'échappaient des murmures de rires et s'envolaient des arpèges de clavecin.

C'est là que, depuis six mois, habitait Mme Poisson, figure à demi grotesque, à demi tragique... devenue très moderne.

C'est là qu'habitait « sa fille », figure de sylphe dont Paris s'enamourait, figure de grâce et de charme, fleur énigmatique poussée à l'ombre de ce champignon – vénéneux peut-être ! - qu'était la matrone au sourire blafard.

Au premier étage de ce logis, c'était une longue pièce éclairée par quatre fenêtres, que Jeanne-Antoinette appelait son atelier. Nous la retrouvons là, étendue sur un divan, à l'heure où François Damiens entrait à l'hôtel d'Argenson...

Assis devant un grand chevalet d'ébène, un homme d'une quarantaine d'années, au front intelligent, aux mains fines surgissant des dentelles précieuses de ses manches, à la tournure élégante, au sourire sceptique, faisait la critique d'un tableau.

Cet homme, c'était le maître François Boucher, qui l'année précédente avait exposé son chef-d'œuvre, le *Bain de Diane,* et à qui l'admiration des parisiens venait de décerner le surnom de « Peintre des Grâces ».

Dans un angle, la frêle Mme du Hausset esquissait sur un clavecin en marqueterie, incrusté d'ivoires précieux, et que Boule avait signé, les mélancoliques reprises d'un menuet aux notations graciles et discrètes.

Et c'est sur cet air de menuet, qui semble l'accompagner en sourdine, que Jeanne, devant son maître et ami, égrène les fugitives pensées qu'elle laisse tomber sans ordre... dans un désordre charmant !

– Je m'ennuie, maître, il y a dans ce petit cœur qui bat, là, sous cette guimpe, trop de joies... oui, trop de joies... et trop de tristesses... Ah ! cela vous étonne !... Vous me parlez de ma peinture... et en exquis compagnon que vous êtes, en raffiné de politesse, vous me dites du bien de mon pinceau... Ah ! qui donc dira du bien à mon cœur... à mon pauvre cœur !... Ma peinture ? Croyez-vous vraiment que je l'estime ? Est-ce qu'une femme sait faire autre chose qu'aimer... et souffrir ?

– Vous êtes dans vos jours noirs, sourit le peintre, en travaillant.

– Je suis dans mes jours où j'étouffe... Connaissez-vous Mme Lebon ?...

– La chiromancienne, nécromancienne, cartomancienne, marcomancienne, celle qui exerce tous les métiers rimant à païenne ?... Une folle dangereuse...

– Folle ? Écoutez... il y a quinze jours elle vint ici et me prédit que je serais presque souveraine...

Elle eut ce mot : demi-reine ! Pourquoi *presque ?...* Pourquoi *demi ?...*

– Vous voyez bien qu'elle est folle, chère amie, puisque vous êtes très souveraine par la beauté, tout à fait reine par l'esprit...

– Oh ! vous aussi ! Des fadeurs, des fadaises qui m'assomment quand elles ne m'outragent pas ! Voilà ce que je trouve chez tous ces fats, freluquets et roués qui viennent papillonner ici... Je m'ennuie, maître ! Et pourtant, je devrais être heureuse... infiniment heureuse... après ce qui m'est arrivé hier...

– Eh bien, Louise ! Pourquoi t'arrêtes-tu ?... Il est charmant, ce menuet. De qui ?...

– De Lulli, répondit Mme du Hausset en reprenant une figure de menuet qui, de nouveau, jeta dans le salon la mélancolie de ses notations grêles et tendres.

– Tout ce qui est ici, que j'aimais tant, me pèse à présent, continuait Jeanne... Ces toiles, ces marbres, ces bronzes, m'attristent... Cette profusion de menus meubles avec leurs porcelaines de Chine et leurs magots du Japon m'encombrent au lieu de me distraire... Cette Diane antique même...

– Peste !... Et cette bibliothèque... un tant soit peu amoureuse... aux volumes reliés de précieux maroquins gaufrés d'or ?

– Hélas ! j'ai trop à faire de lire au fond de mon cœur...

– Diable ! diable ! Et ces bergers de mon admirable maître Watteau qui font pendant à ces vierges du sublime Raphaël ?... Et ces tentures de Chine où des oiseaux sacrés perchés sur une patte rêvent aux bords des lacs mystérieux que couvrent des fleurs inconnues ?... Et ces grands miroirs de Venise qui reflètent à l'infini les richesses entassées dans cet atelier par votre goût prodigue ?...

– Tout cela, maître, me devient étranger... que dis-je ? hostile !... Tout cela me crie que je suis une pauvre créature dévoyée, jetée hors du milieu qu'elle eût chéri !... Tout cela m'emplit les yeux et me laisse l'âme vide...

– Voyons... vous êtes trop nerveuse, dit le peintre ému.

– Non, non !... Je sens que je n'étais pas née pour cette existence de clinquant. Ah ! maître, mon cœur veut vivre !... Vivre !... Aimer !... Et je devine, autour de moi, dans l'ombre de ces richesses, des mains qui me poussent vers de fatales destinées... J'adore les fleurs, l'air pur, les grands espaces... et je sens que je vais me noyer dans un océan de boue dorée... Le soleil brille, maître... et je m'ennuie... j'ai peur... Ah ! j'ai peur de la catastrophe sournoise et lâche qui, peut-être à la minute même où je parle, s'en vient sur moi !...

Jeanne cacha son visage dans ses deux mains et des larmes

perlèrent à travers ses doigts fuselés.

Plus ému qu'il n'eût convenu à son scepticisme seigneurial, – les grands artistes sont grand seigneurs –, le peintre se leva et se dirigea, les deux mains tendues, vers la jeune fille.

À ce moment, la porte s'ouvrit et un valet annonça :

– M. Le Normant d'Étioles !...

François Boucher demeura cloué sur place.

Jeanne essuya vivement ses yeux et se souleva, les yeux fixés sur la porte, soudain affreusement pâle.

– La catastrophe ! murmura-t-elle.

Celui que, dans le vestibule, Mme Poisson avait arrêté au passage, l'homme petit, chétif et malingre, entra, le chapeau sous le bras, la main gauche appuyée sur la garde d'une épée outrageusement enrichie de gros diamants. Il entra en souriant, et s'inclinant devant Jeanne :

– Vous m'attendiez ?... Parbleu ! Je suis impardonnable... Un maudit duel où j'ai dû servir de second à un de mes amis en fut l'unique cause... Daignez-vous agréer mes humbles excuses avec mes hommages ?...

– Vous êtes tout excusé, monsieur, balbutia Jeanne.

– Vous êtes adorable, dit M. d'Étioles en se redressant, et plus généreuse que Louis le Grand qui se fâchait pour avoir failli attendre... tandis que vous pardonnez, ayant attendu...

Et il se tourna vers le peintre en le saluant froidement.

– Fi ! la vilaine figure de mal-oiseau ! murmura François Boucher qui, baisant la main que lui tendait la jeune fille, répondit au salut de l'homme par un salut d'une grâce impertinente et se retira en fredonnant l'air de menuet que Mme du Hausset venait d'interrompre.

– Laisse-nous, Louise ! fit Jeanne avec un effort visible.

Mme du Hausset disparut, s'évapora comme le fantôme de la discrétion.

Alors, celui qu'on appelait Le Normant d'Étioles s'assit en face de Jeanne et demanda :

– M. de Tournehem n'est pas encore ici ?

– Vous le voyez, monsieur, dit Jeanne en cherchant à dompter le tremblement nerveux qui l'agitait.

– Ce cher oncle ! reprit M. d'Étioles sans paraître remarquer le trouble et la pâleur de la jeune fille. Je suis passé tout à l'heure en son hôtel du quai des Augustins pour lui dire qu'aujourd'hui même vous auriez une bonne nouvelle à lui annoncer...

– Une bonne nouvelle !... Moi !... s'écria Jeanne qui, de pâle qu'elle était, devint très rouge.

– Oui... celle que je vais vous annoncer moi-même, cousine.

– Voyons, murmura faiblement la jeune fille.

Le Normant d'Étioles se leva, la salua en souriant d'un sourire qui la glaça et dit :

– Ma chère cousine, j'ai l'honneur de vous informer dans la joie de mon cœur que j'ai pu lever les dernières formalités qui retardaient mon bonheur, et que M. l'abbé de Saint-Sorlin, curé doyen de Saint-Germain-l'Auxerrois, nous attend demain pour bénir notre union, sur le coup de midi, devant Dieu et les hommes...

Jeanne jeta un cri de terreur et d'angoisse.

Les yeux vitreux de M. d'Étioles dardèrent un regard de menace qui s'éteignit aussitôt.

– Qu'avez-vous, cousine ? s'écria-t-il. Oh ! j'aurais dû vous préparer à ce bonheur, n'est-ce pas !... Que voulez-vous... l'amour est imprudent... et moi je suis imprudent jusqu'à la folie...

– Demain ! répéta Jeanne atterrée, en tordant ses belles mains dans un geste inconscient.

– Demain ! C'est charmant, n'est-ce pas ?...

– Je pensais... je croyais... que... deux mois au moins... étaient nécessaires... balbutiait la jeune fille.

– Cela m'a coûté quelques milliers d'écus... mais l'Église est bonne mère après tout...

– Mais, monsieur, laissez-moi le temps de prévenir mon...

– *Mon oncle !* interrompit M. d'Étioles au moment un autre mot allait s'échapper de la bouche de Jeanne. Ce digne oncle ! Notre cher oncle !... Il sait tout...

– Et il approuve ? demanda avidement Jeanne qui, peu à peu, se remettait.

– Des deux mains ! répondit d'Étioles.

– Je ne suis pas prête... essaya de résister encore la jeune fille.

– Bah ! Vous avez tout près de vingt-quatre heures pour habituer votre esprit à la sainte cérémonie à laquelle votre cœur se prépare depuis un mois... Tantôt, Mme Céleste Lemercier, la grande habilleuse de la cour, vous apportera votre blanche toilette... Nos amis sont prévenus... Rien ne s'oppose donc...

– Rien ! prononça Jeanne avec un désespoir qui eut attendri un tigre.

Mais M. d'Étioles était plus et mieux qu'un tigre : il sourit.

Il y eut entre ces deux êtres une minute de silence effrayant... elle, se débattant en une sorte d'agonie ; lui, la couvant de ses yeux impitoyables.

Enfin, une révolte monta en elle, de son cœur à ses lèvres, et comme il essayait de prendre sa main, elle se recula, toute frissonnante, et, d'une voix saccadée, fiévreuse :

– Écoutez-moi, monsieur... laissez-moi parler sans m'interrompre... Ce que vous dites est impossible... Appelez-moi parjure, dites ce que vous voudrez... mais cela ne sera pas... Oui, c'est vrai... il y a un mois, je vous ai dit que je consentais... mais vous le savez... oh ! je lis dans vos yeux que vous le savez... je ne vous ai dit oui que dans un moment de terreur folle... Faut-il vous rappeler cette abominable soirée où je sentis un affreux désespoir m'envahir ?...

Elle éclata en sanglots, et ce fut ainsi, toute pantelante, qu'elle continua :

– Oui, le désespoir !... Je voyais autour de moi des regards insolents... on me chuchotait des choses hideuses... pour la première fois, je compris l'épouvante de ma destinée... je vis clairement ce que voulaient ces hommes qui venaient ici sous prétexte de musique et de poésie... Seule ! Seule au monde, j'eus peur... je me sentis lentement poussée à un abîme... je tremblai... je pleurai... et lorsque je vous vis, vous, mon seul parent, je me dis que vous pouviez me sauver... Et lorsque vous me dites que nul n'oserait insulter d'un regard celle qui porterait votre nom, je songeai à ce mariage... comme on songe à la claustration... et je dis oui !

– Et depuis lors, qu'y a-t-il de changé ? demanda froidement d'Étioles. Aujourd'hui, comme alors n'avez-vous pas près de vous votre excellente mère... cette chère Mme Poisson ?...

– Aujourd'hui, monsieur, il y a ceci de changé que... M. de Tournehem est de retour... et lui me protégera !...

– Eh quoi ! l'oncle aurait donc supplanté le neveu !... ricana d'Étioles.

Jeanne se leva, le front empourpré. Une incroyable dignité se répandit sur son visage.

– Monsieur, dit-elle, je vous préviens que vous blasphémez. Puissiez-vous ignorer toujours ce qu'il y a d'odieux dans les paroles que vous venez de prononcer...

L'œil vitreux lança un éclair.

– Bref ! vous me renvoyez !... Ce brave petit cousin était bon il y a un mois. Maintenant, on le jette dehors comme un faquin !...

– Pardonnez-moi, Henri, reprit Jeanne, avec une ineffable douceur. Je ne vous renvoie pas. Je vous supplie, au contraire, de demeurer mon cousin affectueux... Toute mon amitié, toute ma reconnaissance vous sont acquises...

– Mais, par la mordieu, pourquoi ce mariage est-il donc devenu impossible ?...

– Henri ! Henri ! ne m'obligez pas à être cruelle !...

– Parlez ! Je puis tout entendre...

– Eh bien, je ne vous aime pas ! dit Jeanne avec une adorable simplicité.

Henri d'Étioles partit d'un grand éclat de rire qui bouleversa la jeune fille.

– La raison n'est pas valable ! s'écria-t-il. Moi, je vous aime... et je vous épouse !

– Monsieur, dit Jeanne suppliante, les mains jointes. Si je vous disais...

– Quoi ?... Dites toujours, ma chère fiancée.

– Vous êtes homme d'honneur, murmura la jeune fille d'une voix ardente. Vous ne voudrez pas abuser d'une minute de désespoir... et faire le malheur d'un cœur qui... non seulement ne vous aime pas... mais encore... en adore un autre !...

M. d'Étioles, tranquillement, donna une chiquenaude à son jabot de dentelle.

– Est-ce tout ? demanda-t-il d'une voix glaciale.

Jeanne demeura pétrifiée, sans un souffle, les yeux agrandis par l'épouvante, stupéfiée, comme si quelque monstre lui était soudain apparu.

– Or çà, continua Henri d'Étioles, voilà assez de galanteries, ma chère. Si vous le voulez, nous allons parler sérieusement, à cette heure.

– Sérieusement ! bégaya la jeune fille toujours debout, mais vacillante d'horreur. Quoi !... Ce que je vous ai dit...

– Ne compte pas ! Vous ne m'aimez pas ? J'épouse !... Vous en aimez un autre ? J'épouse !

– Ah ! éclata la jeune fille, pourpre d'indignation, c'est trop d'audace, et je me révolte ! Qui êtes-vous, monsieur, pour oser me parler ainsi, dans cette maison, chez moi ?... J'avais pitié ! Je tremblais du chagrin que j'allais vous causer ! Votre étrange attitude suffirait à me délier de vingt serments ! Par la mordieu, comme vous dites ! vous allez voir si je suis fille à me laisser insulter... Sortez, monsieur !

– Vous me chassez !

– Comme un laquais ! Puisque vous parlez à une femme comme un laquais hésiterait à le faire !

– Et moi, je ne sors pas ! gronda d'Étioles en se levant à son tour. J'ai parlé en laquais, soit ! Je vais agir en maître !

– Oh ! c'en est trop ! s'écria la jeune fille en s'élançant vers un timbre pour appeler.

D'Étioles étendit le bras. Ses yeux lancèrent un double éclair. Sa voix se fit sifflante :

– Appelle, malheureuse ! Je te jure que le coup de timbre que tu vas frapper sonnera aussi le glas pour la mort de ton père !...

– La mort de mon père ! bégaya Jeanne foudroyée.

Elle s'était arrêtée, palpitante, une main sur son cœur pour l'empêcher d'éclater.

D'un bond, le petit homme chétif et malingre fut près d'elle :

– M'accordez-vous deux minutes d'entretien ?

Elle fit oui de la tête, sans force pour prononcer un mot.

Et lui, la voix rauque, sa petite taille redressée, comme se fût redressée une vipère, le regard enflammé :

– Écoutez, haleta-t-il à mots hachés, vous ne connaissez pas notre bon roi Louis quinzième... notre Bien-Aimé...

Un sourd gémissement déchira la gorge de la jeune fille frémissante.

– Notre Bien-Aimé est capable de tout lorsqu'il s'apprête à lever des impôts nouveaux... de tout, dis-je, même de donner satisfaction aux clameurs du populaire ! Or, ces clameurs, en ce temps-ci, accusent fort MM. les fermiers généraux... Et, si je ne me trompe, M. de Tournehem est titulaire de la ferme générale de Picardie.

Jeanne eut un douloureux tressaillement. Un frisson de mort l'agita, la secoua comme une feuille.

– Hier, continua d'Étioles avec le même grondement de sa voix basse, hier, en revenant de la chasse, le roi a signé une ordonnance... une petite ordonnance de rien... Seulement, elle prescrit une enquête sur les comptes des fermes générales... Malheur à MM. les fermiers qui ne seraient pas en règle !... Le moins qui puisse leur arriver, c'est d'être pendus haut et court... à moins qu'ils ne soient de noblesse, comme M. de Tournehem, auquel cas ils auraient le droit d'avoir la tête tranchée sur le billot par le bourreau patenté...

– Oh ! je rêve ! murmura Jeanne. C'est un cauchemar atroce !...

– Eh bien ? reprit d'Étioles avec un effroyable rire. Que dites-vous de ceci : notre roi, Louis le Bien-Aimé, faisant trancher la tête du cher oncle !...

Le désespoir galvanisa la jeune fille.

– Misérable ! dit-elle d'une voix qu'elle crut effrayante, mais qui était faible comme un souffle. Misérable, vous savez bien que M. de Tournehem ne peut avoir forfait !

– J'ai la preuve du contraire, ma douce fiancée.

– Mais il est absent depuis de longues années !...

– Mais c'est lui qui a signé toutes les pièces comptables à chacun de ses retours... sans les lire, il est vrai !

– Infamie !... Lui qui vous a fait nommer son sous-fermier !...

– C'est justement ce qui m'a permis de saisir les preuves...

– ... les preuves de vos propres vols !

– Hum ! Mais c'est lui qui signait !

– Horreur ! Horreur !...

– Êtes-vous ma femme ? J'innocente votre père. Ne l'êtes-vous pas ? Je le tue !

– Votre oncle !...

– Insuffisante parenté ! Je ne veux sauver que mon beau-père !

Pantelante, défaillante, Jeanne s'appuya à un fauteuil, tandis que d'Étioles croisait ses bras...

Face à face, ils se mesurèrent du regard.

Ils étaient livides, tous les deux.

Elle eut un haut-le-cœur, et cette fois ce fut d'une voix rugissante qu'elle reprit :

– Savez-vous que vous êtes infâme !

– Après ?

– Savez-vous que vous êtes plus hideux que le bourreau !

– Après ? Après ?

– Savez-vous que je vous hais d'une insondable haine, et que si j'en avais la force je vous étranglerais comme un chien enragé !

– Après ? Après ? Après ?

– Grâce ! gémit Jeanne en s'abattant sur ses genoux. Grâce pour moi ! Grâce pour lui ! Grâce pour mon père !... Si vous saviez comme il a souffert !... Si vous connaissiez la générosité de ce cœur !... Ah ! monsieur, vous ne serez pas impitoyable, n'est-ce pas ?... Vous avez voulu m'éprouver, peut-être ?... Oh ! soyez bon... soyez clément... et je vous chérirai comme un frère... et je vous bénirai à chaque heure de ma vie !...

Et, du fond de sa pensée, la malheureuse voyait se lever le fantôme d'une femme qui, comme elle, avait eu à choisir entre les deux tenailles de l'abominable dilemme...

– Ô ma mère !... Au moins, toi, tu aimais celui à qui tu te donnais !... Et malgré sa faute, il était digne de ton amour !... Ô mon père, saviez-vous que votre faute, à vous, retomberait tout entière sur la tête de votre enfant !...

Un ricanement de hyène l'interrompit :

– Vraiment ! grondait Henri d'Étioles, vous me faites l'honneur de vous agenouiller à mes pieds ! Et puis, je devrais m'estimer bien heureux, n'est-ce pas ? Je m'en irai, emportant vos bénédictions !... Merci, cousine !... Oui ! je suis laid, je suis affreux ! Oui, ma hideur morale est capable de faire oublier ma laideur physique ! Oui ! petit, souffreteux, étriqué, l'épaule déviée, le visage sans charme, j'ai l'audace de rouler dans ma tête d'avorton des pensées de grand homme ! Oui, j'ai résolu que votre splendide beauté couvrirait de ses rayons la misère de ce corps débile...

Il s'arrêta un instant, respira avec effort puis reprit :

– Écoutez, Antoinette. Ne faites pas appel à ma pitié, car nul n'a eu pitié de moi, pas même vous ! je veux m'élever d'échelon en échelon, ces échelons dussent-ils être des cadavres, jusqu'au faite de la fortune.

Moi, l'avorton, je veux faire trembler un royaume sous mon regard ! Or, je veux que ma maison devienne le centre des fêtes, le temple du goût, le phare lumineux qui attirera tous les oiseaux écervelés dont j'ai besoin. Cette lumière, ce sera vous, Antoinette ! Ce sera vous, ou je serai sans pitié !... J'ai dit !

– Grâce !... Henri ! Henri !... Mon frère... mon ami !...

Elle se traîna à genoux, sanglotante, à demi folle.

– Finissons-en ! Êtes-vous mienne ? Je me tais ! Est-ce non ? Dans une heure, je me présente au Conseil d'enquête, et ce soir, M. de Tournehem couchera à la Bastille... en attendant mieux.

– Grâce ! oh ! grâce !... pitié !...

Henri d'Étioles, d'un geste brusque, remit son chapeau sur sa tête.

D'une secousse, il se délivra de l'étreinte de Jeanne qui enlaçait ses genoux, et se dirigea vers la porte.

Au milieu du salon, il s'arrêta, et, sombre, tragique, fatal, il demanda :

– Est-ce oui ?... Est-ce non ?...

L'infortunée, dans un geste de désespoir, leva les bras au ciel, et, d'une voix à peine intelligible, prononça :

– Oui !...

– Vous consentez à devenir Mme d'Étioles ?

– Oui !

– Vous serez prête demain ?

– Oui !...

Les trois oui s'étaient succédés, de plus en plus faibles... le dernier fut comme un souffle d'âme qui meurt...

Henri Le Normant d'Étioles salua profondément de sa place ; puis, franchissant la porte, il descendit l'escalier d'un pas ferme et tranquille.

Jeanne-Antoinette, demeurée seule, se releva.

Hagarde, grelottante, elle porta les deux mains à son front brûlant.

– De l'air ! murmura-t-elle, de l'air ! oh ! j'étouffe !...

Chancelante, elle marcha vers l'une des fenêtre, presque inconsciente de ce qu'elle faisait, l'ouvrit d'une secousse fébrile et alla s'appuyer à la rampe de fer du balcon...

L'air la ranima. Elle respira à grands traits, les mains crispées sur le fer, bégayant des mots sans suite :

– Où suis-je ?... Qu'est-il arrivé ?... Oh ! l'affreuse catastrophe !... Perdue ! Je suis perdue !...

À ce moment, un grand bruit s'éleva au bout de la rue, du côté du Louvre. Une fulgurante vision lui apparut... C'était, encadré de deux pelotons de chevau-légers en grande tenue, l'épée à la main, lancés au galop dans un roulement de tonnerre, c'était un carrosse qui s'avançait comme dans une gloire, parmi les vivats des bourgeois et du peuple, dans la lueur des épées, dans le tumulte d'une prise d'armes !...

Brusquement, carrosse, gentilshommes, chevau-légers, tout s'arrêta sous le balcon.

Jeanne voulut se rejeter en arrière... ses genoux se dérobèrent... elle dut rester là, cramponnée à l'appui, et pâle, si pâle qu'on l'eût prise pour une morte essayant de sortir du tombeau...

Du carrosse, deux hommes étaient descendus...

L'un était le lieutenant de police Berryer ; l'autre, Louis XV, roi de France.

Le roi, de ce pas un peu lourd mais non dépourvu de grâce que signalent les mémoires de son temps, se dirigea vers le grand portail de l'hôtel d'Argenson, suivi de Berryer tête nue, échine courbée.

À l'instant où il allait disparaître, un cri éclatant, un cri dont Jeanne reconnut la voix, dont elle perçut l'intonation de vibrante ironie, retentit sous le balcon :

– Vive le Bien Aimé !...

Et Henri d'Étioles agitait frénétiquement son chapeau en jetant ce cri auquel répondit la clameur de la foule amassée.

Louis XV se retourna, salua de la main le fidèle sujet qui provoquait cet enthousiasme populaire, dont les manifestations commençaient à se faire plus rares.

Machinalement, ses yeux se levèrent... remontèrent jusqu'au balcon du petit hôtel Régence...

Alors il tressaillit et rougit faiblement.

Jeanne devint pourpre, et un frisson l'agita toute entière...

Une seconde, leurs regards se croisèrent... s'étreignirent.

– Vive le roi ! répéta d'Étioles. Vive le Bien-Aimé !...

Louis XV, comme s'il eût voulu rendre à son peuple salut pour salut, se découvrit, et, les yeux fixés sur le balcon, sourit doucement...

La foule cria *Vivat*... mais le salut royal avait été à son adresse !

Louis XV, alors, disparut sous le porche de l'hôtel d'Argenson.

À bout de forces, Jeanne recula en chancelant jusqu'en dans le salon, et tomba dans les bras de Mme Poisson qui n'avait pas perdu un détail de toute cette scène.

Mais comme, avec cette incroyable énergie qui fut toujours un sujet d'étonnement chez cette étrange fille, elle se remettrait aussitôt de sa faiblesse ; comme elle se rapprochait encore du balcon, attirée par le magnétique espoir qui la faisait palpiter ; comme enfin ses yeux se fixaient sur le portail d'Argenson ouvert à deux battants, une vision la fit frissonner d'une vague terreur. Une tête pâle et fatale se levait vers elle, comme s'était levée la tête du roi...

Là, du fond de l'ombre du porche, un homme la regardait, comme le roi l'avait regardée.

– L'homme de la clairière de l'Ermitage ! murmura Jeanne. Oh ! pourquoi me regarde-t-il ainsi ? Oh !... Il s'avance... il vient ici... que me veut-il ?...

Pourquoi cet homme entre-t-il dans ma destinée en ce jour de malheur ?

IV

Le placet de Damiens

François Damiens avait pénétré dans l'hôtel d'Argenson à l'heure même où Henri Le Normant d'Étioles pénétrait de son côté dans le petit hôtel Régence de Mme Poisson.

L'hôtel du marquis était un véritable ministère. C'est là que se brassaient les solliciteurs qui se présentaient tous les jours au grand portail que défendait un suisse majestueux et rogue...

La cour était sillonnée par les commis et sous-commis qui allaient d'un bâtiment à l'autre avec des paperasses sous les bras.

Tous ces gens étaient silencieux et glissaient comme des ombres.

Mais cela faisait des allés et venues que Damiens remarqua tout aussitôt : une sorte de satisfaction parut un instant sur son visage comme s'il eût peut-être espéré que, parmi tous ces solliciteurs et tous ces commis, il passerait inaperçu...

Mais à peine eut-il franchi le portail que le suisse l'interpella :

– Eh ! l'ami... où vas-tu ?

Ce suisse tutoyait les pauvres hères : le tutoiement est la forme de l'affection ou du mépris...

Sans attendre la réponse, il ajouta :

– Si tu as une lettre, remets-la au concierge.

François Damiens hocha la tête en signe d'approbation et se dirigea à gauche vers une grande porte vitrée que le suisse venait de lui désigner. Une homme, assis à une table dans une pièce sévèrement ornée, écrivait sur un registre.

– Que voulez-vous ? demanda-t-il sans lever la tête.

– Monsieur, fit Damiens de cette voix sourde, étrangement timide et parfois métallique et sonore qui lui était particulière, monsieur, je voudrais... parler à M. le ministre...

– Donnez votre audience.

– Mon audience ?

– Oui, dit le concierge en se redressant ; votre lettre d'audience...

Vous n'en avez pas ?... Ah çà, vous croyez donc qu'on entre chez M. le marquis d'Argenson comme au cabaret ?

– Excusez, monsieur, dit Damiens avec une grande douceur ; excusez, je ne savais pas...

– Eh bien, écrivez alors ! Dans un mois ou deux au plus tard, vous serez convoqué, si toutefois M. le directeur du service des audiences a obtenu de bons renseignements sur vous...

Une vive contrariété se peignit sur les traits de Damiens. Son front se plissa. Un profond soupir gonfla sa poitrine. Il esquissa un pas de retraite.

– Pauvre diable ! murmura le concierge. Vous arrivez sans doute du fond de votre province ?

– De Béthune, monsieur.

– Voyons... Comment vous appelez-vous ?

– Jean Picard, répondit Damiens sans hésiter.

– Et vous cherchez un emploi, hein ? Je connais ça ! Combien j'en ai vu arriver de hères comme vous attirés à Paris par l'espoir, et puis... qui finissaient dans quelque prison. Tenez... votre visage pâle et triste me revient... je vais vous donner un bon conseil : retournez-vous-en dans votre village.

Damiens secoua la tête.

– Merci, monsieur, dit-il de sa voix basse. Vous me plaignez... merci ! Car la chose m'est arrivée rarement. Quant à m'en aller, c'est impossible... j'ai quelque chose à faire à Paris.

– Quoi donc ?

– Je veux remettre un placet à Sa Majesté, dit Damiens dont l'accent, cette fois, eut une étrange intonation.

– Ah ! ah ! Ceci est bien différent. Vous l'avez là, votre placet ?

Damiens entrouvrit sa veste et montra le coin d'une large enveloppe.

– Là ! dit-il en crispant sa main près de l'enveloppe.

Et cette main ayant touché un objet long et pointu, dissimulé au fond de la poche, il répéta :

– Là !... Je voulais prier M. le ministre de se charger de mon placet, ajouta-t-il froidement.

– Que ne le disiez-vous ! s'écria le concierge avec un haussement d'épaules d'une indulgente pitié. Il est plus facile de parler au roi qu'au ministre. Tous les jours, Sa Majesté reçoit des placets... Tenez... allez vous poster sous le portail. Quand vous verrez le roi descendre de son carrosse, mettez un genou à terre et tendez votre enveloppe. Vous êtes sûr que quelqu'un la prendra... Quant à vous affirmer que Sa Majesté lira votre placet... dame... c'est autre chose !

– Vous dites que le roi va venir ? s'écria sourdement Damiens.

– J'en suis sûr.

– Ici ?...

– Ici !...

– Ah ! murmura Damiens, on ne m'avait donc pas trompé !

– Vous dites ?...

– Je dis que c'est une bien grande chance qu'il soit plus facile d'aborder Sa Majesté que ses ministres !

– Pauvre diable ! répéta le concierge. Allez, allez... faites comme je vous ai dit... et vous m'en donnerez des nouvelles...

– Merci, monsieur, dit Damiens avec un grand calme, tandis qu'une flamme s'allumait dans ses yeux.

Il sortit paisiblement et alla s'adosser dans l'encoignure du portail.

Là, il ferma les yeux et attendit, plongé en quelque formidable rêverie, car, parfois, ses lèvres pâlissaient, son front se couvrait d'un nuage de tempête, et le bouillonnement de sa pensée agitait les muscles de sa face comme les vents d'orage plissent la face d'un étang insondable...

Parfois aussi, sa main, lentement, remontait jusqu'à sa poitrine et se crispait dans un geste convulsif.

Soudain, ses yeux s'ouvrirent tout grands, étrangement clairs et profonds, emplis de la mortelle angoisse de quelque effroyable vision... Quelle vision ?... Qui sait !... Peut-être un homme attaché sur la roue en place de Grève et dont les chevaux fouettés jusqu'au sang arrachent les membres pantelants...

Quelque chose comme un sanglot déchira sa gorge... puis ses

yeux se refermèrent, et cette figure tourmentée s'apaisa par degrés jusqu'à une extraordinaire expression de calme...

Damiens attendit...

Tout à coup, au bout de la rue, un grondement de chevaux au galop, un tumulte, des cris, des vivats...

– Le roi !... Le roi !... Vive le roi !...

François Damiens fut agité d'une secousse électrique, plaça la main droite dans sa poitrine, et d'une voix tragique murmura :

– C'est l'heure !... L'heure où je vais parler en ton nom, ô peuple, ô douleur, ô justice ! Et toi, France, viens lire le placet que je vais tracer en lettres rouges avec le sang de ton misérable roi !...

Le carrosse aux armes de France venait de s'arrêter devant l'hôtel.

François Damiens s'avança d'un pas... le roi apparut... Damiens mit un genou à terre, et, vivement, sa main droite fouilla sa poitrine... sa main saisit l'objet que tout à l'heure elle tourmentait... le manche d'un couteau !... Deux pas encore, et Louis XV était à la hauteur de Damiens agenouillé, embusqué, à l'affût !...

– Vive le Bien-Aimé ! cria à cet instant suprême la voix éclatante d'Henri d'Étioles.

Vivement, le roi se retourna vers la rue, vers ce cri d'enthousiasme.

Damiens, froid comme le destin, rigide comme une statue de marbre, attendait, les yeux rivés à Louis XV arrêté... Il suivait tous ses mouvements avec une lucidité de mourant... Il le vit lever lentement la tête et regarder quelque chose... lui aussi leva la tête... lui aussi regarda... lui aussi vit ce que voyait le roi !...

Cela dura deux secondes à peine...

Mais lorsque Louis XV reprit son chemin, Damiens, effroyablement pâle, s'était affaissé sur lui-même et murmurait :

– Elle l'aime !... Ô destinée ! Elle l'aime !... Oh !... tuer celui qu'elle aime !... Faire pleurer ces yeux d'azur et d'amour !... Oh ! je ne peux pas ! je ne peux pas !...

Le roi passa...

Damiens, la tête penchée, demeura courbé, presque prosterné...

Une main, tout à coup, se posa sur son épaule.

Il se redressa avec un sourd sanglot et reconnut le concierge.

– Eh bien ?... Et votre placet ?... Vous n'avez pas osé, hein ?... Il fallait oser, morbleu !

Damiens eut un étrange regard pour l'homme qui lui parlait ainsi, et dit doucement :

– Une autre fois, j'oserai... peut-être !

– Oui, mais vous ne retrouverez peut-être pas une occasion aussi favorable.

Et le concierge rentra en haussant les épaules. Damiens s'avança vers la rue, les yeux fixés sur le balcon qu'avait regardé Louis XV. Le balcon était vide, maintenant.

Il songeait :

– Elle l'aime !... Elle aime le roi !... Et moi ! Moi !... Est-ce que je l'aime, elle !... Insensé ! Pauvre fou !...

Tout à coup, pour un instant, reparut l'apparition d'amour... Cette fois, le regard de Damiens croisa le regard de Jeanne... Ce fut un éclair... Et, de nouveau, elle rentra dans l'ombre.

– Oh ! murmura-t-il avec une angoisse de tout son être, il faut que je sache !... Que j'entre là !... Mais quel prétexte ?... Ah ! oui, la remercier... de cette pièce d'or que je porte sur mon cœur comme une médaille tutélaire qu'un ange m'aurait donnée... Allons !...

– *Monsieur*, dit tout à coup quelqu'un qu'il n'avait pas remarqué, voudriez-vous me faire le plaisir de monter avec moi dans mon carrosse et de m'accorder un entretien ?

Damiens regarda avec stupéfaction l'homme chétif mais opulent qui lui parlait comme à un seigneur.

– Je suis le plus proche parent de la personne qui habite là ! ajouta l'homme. Allons, montez, je vous prie...

Machinalement, Damiens obéit... Henri d'Étioles prit place près de lui... Le carrosse s'ébranla au trot de ses chevaux...

V

Noé Poisson

Quelle mystérieuse accointance pouvait bien exister entre ces deux êtres si dissemblables et placés aux antipodes de la société : François Damiens et Henri d'Étioles ?

De toute évidence, ils ne se connaissaient pas...

Et pourtant, devant les laquais étonnés, le richissime sous-fermier faisait monter dans son carrosse le pauvre hère aux vêtements presque misérables.

Henri d'Étioles avait-il vu Damiens au moment où celui-ci s'agenouillait devant le roi ?...

Sur cette physionomie fatale avait-il déchiffré l'énigme vivante qu'était cet homme ?

Et si cela était !... Oui, si cela était, quels redoutables et secrets calculs l'avaient soudain poussé à saisir Damiens au passage et à l'emmener avec lui ?...

Laissons aux événements qui vont se succéder le soin – ou plutôt le droit – de répondre à ces questions.

Laissons s'éloigner le carrosse du sous-fermier, et, pour un instant encore, attachons-nous aux actes et aux pensées de Jeanne...

Lorsque la jeune fille eut compris que François Damiens venait vers elle, elle se rejeta en arrière avec une instinctive terreur. Elle regarda autour d'elle pour appeler Mᵐᵉ Poisson ; mais celle-ci avait disparu, ayant vu sans doute tout ce qu'elle voulait voir.

Dix minutes se passèrent, puis une demi-heure... une heure.

Damiens ne parut pas.

Rassurée alors, toute sa pensée se reporta vers la scène odieuse qui venait de se dérouler dans ce salon.

C'en était fait, maintenant ! Elle devenait la proie d'Henri d'Étioles... Une minute, elle songea à tout dire à M. de Tournehem – à son père ! – lorsqu'il viendrait...

Mais quoi ! N'était-ce pas du même coup le condamner ? Son

père lui défendrait de céder aux menaces d'Henri, cela était sûr ! Et alors ?... Oh ! alors, l'affreux petit homme aux yeux louches agirait promptement !

– Que faire ! Que faire ! murmura-t-elle. Je suis condamnée... Rien ne peut me sauver !...

Chose étrange !

Ce n'était pas de devenir la femme d'Henri, de s'appeler dès le lendemain Mme d'Étioles, non, ce n'était pas cela qui lui causait l'insurmontable horreur qu'elle sentait croître en elle de minute en minute... Ce qui l'effrayait, ce qui la faisait frissonner d'épouvante, c'est qu'elle sentait ou croyait comprendre que ce mariage était le *commencement de quelque chose...*

Quoi ?... Elle n'avait aucune idée de ce que ce pouvait être. Mais ce devait être formidable... quelque chose comme une profonde et souterraine machination où elle devenait un rouage inconscient, privé de volonté... le rouage d'une machine... oh ! d'une machine destinée à broyer quelqu'un...

Mais qui ! qui !... Elle-même ?... oh ! non !

M. de Tournehem ?... Non plus !...

Qui ! Qui donc alors ?...

Devant qui Henri d'Étioles surgissait-il du fond de son ombre et dressait-il sa petite taille de gnome malfaisant ?...

– Oh ! continuait-elle, je m'y perds !... J'entre dans de la nuit et de l'effroi... Je tremble... J'ai peur... et personne ! personne près de moi à qui je puisse me fier, personne pour me guider, me protéger, me défendre !...

À ce moment, on lui apporta une lettre qu'elle ouvrit d'une main fiévreuse. Elle était de M. de Tournehem. Son père la félicitait du mariage projeté, tout en témoignant quelque surprise. Il annonçait sa visite pour le soir, voulant passer l'après-midi à courir les magasins et acheter quelques « colifichets ». Il faisait d'ailleurs un grand éloge d'Henri d'Étioles.

La lettre tomba des mains de Jeanne ; et elle éclata en sanglots.

– Ô mon père ! Mon pauvre père ! Tu me félicites, ô lamentable ironie !...

Quelques heures s'écoulèrent. La soirée s'avançait. Contre son habitude, Mme Poisson ne vint pas rôder autour de celle qu'elle appelait sa fille. Mme du Hausset s'abstint aussi de toute visite... Jeanne ne remarqua pas ces absences insolites et étranges en pareil jour, – car elles devaient être au courant de ce qui allait se passer le lendemain...

Enfouie au fond d'un fauteuil, la tête cachée dans les deux mains, elle songeait. Son âme combative, son esprit audacieux lui faisaient envisager l'une après l'autre toutes les formes possibles d'une révolte.

Peut-être finit-elle par trouver une solution...

Car soudain elle releva la tête, une lueur d'espoir dans les yeux...

– Oui, murmura-t-elle si bas, si bas qu'à peine pouvait-elle s'entendre ; oui, pourquoi ne pas opposer la force à la force ?... Puisque cet homme est une menace de mort, pourquoi ne pas opposer la force à la force ?... Puisque cet homme est une menace de mort, pourquoi ne pas le menacer à son tour ?... Pourquoi un homme dévoué, loyal, ne se dresserait-il pas à son tour devant lui pour lui crier, l'épée à la main : « D'Étioles, ce que tu veux faire est infâme ! D'Étioles, tu vas détruire devant moi les preuves de ton abominable calomnie, ou sinon, c'est l'épée qui décidera ! Nous nous battrons jusqu'à ce que l'un de nous deux tombe mort !... »

Elle comprima son front à deux mains comme pour en faire jaillir l'idée encore confuse. Soudain, elle poussa un cri de joie :

– Sauvée !... Oh ! ce jeune homme me sauvera !... Il sauvera mon père !... Ce chevalier... comment ?... Ah ! oui... le chevalier d'Assas... J'ai lu dans son regard de flamme un tel dévouement... oui, oui... voilà le sauveur !... oh ! pourvu que je me souvienne de l'adresse qu'il a donnée au comte du Barry !... Ah ! je me souviendrai !... Dussé-je pétrir mon cerveau à deux mains comme je fais de mon front !... ah ! j'y suis !... Sauvée !... Il a dit : aux *Trois Dauphins*, rue Saint-Honoré !...

Elle bondit vers un petit meuble de Chine qui lui servait de secrétaire, saisit une feuille et, d'inspiration, en toute hâte, sans se donner le temps de réfléchir, elle écrivit :

« Je ne vous connais pas, et vous ne me connaissez pas non plus. Mais, hier, dans la clairière de l'Ermitage, vous m'êtes apparu comme le type achevé des paladins de jadis qui allaient par le monde à la défense des opprimés, faisant la guerre aux méchants... J'ai en vous une confiance que je ne m'explique pas, mais qui est illimitée !... Êtes-vous celui que je crois ? Ai-je bien lu sur votre visage et dans votre attitude que peut-être je ne vous serais pas indifférente ?... Alors, venez ! accourez sans perdre un instant rue des Bons-Enfants... Venez ! venez, quelle que soit l'heure de ce jour ou de cette nuit où vous recevrez ce mot !... mais venez avant demain... Venez sans perdre une seconde... Demain, il sera trop tard !... Si je vous ai inspiré la moindre sympathie, s'il y a dans votre cœur un peu de pitié pour une pauvre jeune fille placée en face du plus effroyable malheur, si vous voulez écarter de moi l'horrible catastrophe suspendue sur ma tête, venez !... Je vous attends comme le seul homme capable de me sauver ! »

Elle signa :

« La jeune fille en rose de la clairière de l'Ermitage. »

En post-scriptum, elle ajouta :

« Rue des Bons-Enfants, en face de l'hôtel d'Argenson, demandez Mlle Jeanne-Antoinette Poisson. Venez vite ! oh ! venez !... »

Sans se relire, elle plaça le papier parfumé dans une des enveloppes de satin dont elle avait coutume de se servir, écrivit la suscription et cacheta avec de la cire.

– Qui va porter la lettre ? songea-t-elle. Un domestique ?... Ah ! non !... Louise ?... Peut-être !... Non, Louise est trop faible... La Poisson saurait tout... et je me défie de la Poisson... elle joue en tout ceci un rôle que je ne connais pas... Oh ! à qui me confier !...

À ce moment, comme cinq heures sonnaient à une magnifique pendule en porcelaine de Saxe placée sur la cheminée, on heurta légèrement à la porte, et sans attendre la réponse on entra.

– Ne te dérange pas, fillette, fit une voix d'homme éraillée et un peu rauque, ce n'est que moi... moi, papa Poisson, le chéri de sa fifille !...

– Cet ivrogne ! murmura Jeanne en tressaillant. Oui !... Pourquoi pas ?... Pour un peu d'argent, il fait ce que je veux... oui, voilà le messager... il portera la lettre... et demain, il ne se souviendra même plus...

Celui qui venait d'entrer était un homme entre deux âges, corpulent, court sur jambes, la face rougeaude, les yeux clignotants, la lèvre lippue ; il prisait à chaque instant ; sa figure, aux traits accentués par la nature, mais aveulis par les passions basses, portait les stigmates du vice. Il était vêtu avec une richesse de mauvais aloi. Son habit, un peu trop éclatant, portait des traces de vin ; son gilet à basques était de satin, mais il avait des accrocs ; il avait des boucles d'or à ses souliers, mais ces souliers étaient boueux. Son tricorne était un peu posé de travers sur sa perruque.

– Ouf ! dit-il en se laissant tomber sur un fauteuil. Qu'il fait chaud !...

– Et soif ? dit Jeanne d'un ton câlin en venant s'asseoir près de lui.

– Ma fille, dit l'homme en riant d'un rire épais, rappelle-toi bien une fois pour toutes ce que dit papa Poisson... Noé Poisson... Eh bien, il fait toujours soif, été comme hiver, automne et printemps... la soif, vois-tu... c'est la grande amie de l'homme... car un homme qui n'a pas soif, eh bien, il ne boit pas, le malheureux !

– Et vous, vous avez toujours soif ? dit Jeanne en surmontant le dégoût que lui inspirait le personnage.

– Toujours, ma fille !... Mais comme te voilà gentille aujourd'hui !... Ce n'est pas pour t'en faire le reproche, mais toutes les fois que je viens ici... tous les quinze ou vingt jours... c'est à peine si tu adresses la parole à ton pauvre père ! Ton pauvre père ! ajouta-t-il en exhibant un ample mouchoir rempli de grains de tabac, et en s'essuyant les yeux.

Fut-ce la douleur ? ou le tabac qui pénétra sous les paupières ?... Il est certain que ces yeux, incontinent, se remplirent de larmes, de grosses larmes authentiques.

– Tu vois, dit-il, j'en pleure !... Qu'est-ce que je disais ?... Ah ! oui... que j'ai toujours soif. Je ne sais trop comment cela m'arrive, mais plus je bois, plus j'ai soif... Seulement...

– Seulement ?... Voyons, racontez-moi vos petits chagrins...

– Mais comme tu es donc gentille aujourd'hui, fillette !...

– Que voulez-vous, fit Jeanne en frissonnant... il y a des jours où je suis si heureuse que je tâche de rendre tout le monde heureux autour de moi !...

– Ah ! oui... je sais... il paraît que demain est un grand jour... et qu'il faudra que je me mette sur mon grand tralala... bon !... mais si tu es heureuse, je ne le suis pas, moi !... Comprends-tu cela ? Je suis dans un jour de soif enragée, et je n'ai pas d'argent !

– Vraiment ?...

– C'est la vérité pure. À telle enseigne que mon ami Crébillon m'a soutenu tout à l'heure que j'étais ivre... Ivre ! moi !... Tu vois, cela me fait pleurer...

Il est sûr que rarement Noé Poisson avait été aussi ivre que ce jour-là.

Jeanne se tordait les mains de désespoir.

Poisson aurait-il assez de sang-froid pour porter la lettre ?...

Elle se posait cette question avec une angoisse grandissante. Mais, d'autre part, l'ivresse manifeste du personnage n'était-elle pas une garantie contre toute trahison ?

– Écoutez ! fit-elle en prenant tout à coup son parti. Vous avez besoin d'argent ? Je vais vous en donner.

Et elle fit luire aux yeux de l'ivrogne une bourse qui contenait une dizaine de louis.

Poisson étendit vaguement les mains, tandis que son œil atone s'enflammait soudain.

– Oh ! oh ! fit-il simplement, mais sur le ton de la plus profonde tendresse admirative.

– Cette bourse est à vous, à condition que vous me rendiez un léger service.

– Dix services ! cent services ! mille et mille services !

– Prenez cette lettre, continua Jeanne... Bien... Lisez l'adresse... rue Saint-Honoré... Vous y êtes ?... Bien... Cachez la lettre dans la plus secrète de vos poches... Bien... Attendez, refermons bien votre gilet... Maintenant, vous allez me jurer deux choses.

– Je les jure ! dit Poisson en étendant la main.

– Attendez ! s'écria Jeanne avec la patience d'une âme désespérée. La première, c'est de sortir de cet hôtel sans parler à personne... vous entendez ? à personne !

– C'est dit !...

– La deuxième chose que je vous demande, c'est d'aller jusqu'à la rue Saint-Honoré sans vous arrêter... Si vous voyez un cabaret, tournez la tête...

– C'est dit, fillette !... à moi la bourse !

Jeanne lui tendit la bourse que l'ivrogne soupesa un instant, qu'il porta ensuite à ses lèvres et qu'il finit par faire disparaître dans une de ses poches.

La jeune fille joignit les mains.

– Je vous en supplie, ajouta-t-elle avec une telle ardeur que l'ivrogne en fut ému, je vous en supplie, faites que cette lettre arrive à son adresse au plus tôt...

– Je pars ! répondit Poisson. Je veux que tous les diables de l'enfer m'étranglent si je dis un seul mot à personne ici, pas même à ma tendre épouse... Je veux être condamné à la soif à perpétuité si je m'arrête dans un seul cabaret avant que la lettre soit remise !...

Poisson s'éloigna avec cette gravité spéciale des ivrognes qui ne veulent pas tituber.

Jeanne, les mains jointes, une flamme d'espoir dans les yeux, le vit s'éloigner aussi rapidement que le lui permettaient les fumées qui obscurcissaient en lui le sens de la ligne droite...

Noé Poisson était ivrogne.

Il n'était pas mauvais cœur.

Jeanne le savait incapable d'une trahison.

– Dans une heure, songea-t-elle, le chevalier d'Assas aura ma lettre ! Je suis sauvée !...

Et lorsqu'une demi-heure plus tard, M. de Tournehem entra à son tour dans l'atelier-salon, elle courut, légère et gracieuse, à sa rencontre et se jeta, toute radieuse, dans ses bras.

– Mon père !... mon bon père !...

– Ainsi, fit M. de Tournehem en la serrant sur son cœur, c'est donc bien vrai, toute cette histoire que m'a racontée mon neveu ?... Vous vous aimez ?... Tu l'épouses ?... Tu es heureuse ?...

Jeanne, toute frissonnante, ferma les yeux, et d'une voix ferme qui rendait irrévocable l'affreux sacrifice elle répondit :

– Oui, mon père !...

VI

Le chevalier d'Assas

La nuit tombait. Après une journée radieuse, un crépuscule d'une infinie tendresse jetait sa mélancolie sur le vieux Paris qui déjà semblait s'assoupir.

C'est à cette heure indécise où l'obscurité naissante luttait avec les dernières clartés du ciel dans les rues étroites où les rares lanternes de nuit ne s'allumaient pas encore, c'est à cette minute exquise de calme et d'apaisement qu'un jeune cavalier franchit la porte du Roule au pas de son cheval écumant et harassé.

Une rêverie profonde, un sourire inquiet des lèvres, une sorte d'extase aux yeux d'une lumineuse franchise, voilà ce qu'on eût pu lire sur la physionomie de ce cavalier si charmant par la jeunesse du visage, si séduisant par la svelte élégance de l'attitude, que nous avons entrevu sur la route de l'Ermitage à Versailles : le chevalier d'Assas !

Pauvre enfant dont le front pur semblait déjà se nimber dans une auréole de sacrifice !

C'était le soir même de ce beau jour d'automne où, dans la clairière ensoleillée, sous les frondaisons pourpres, il avait eu cette adorable vision qui l'avait tant bouleversé, et où il s'était heurté avec tant de soudaineté aux deux événements qui, avec le plus de force, peuvent faire battre un cœur de vingt ans, un noble cœur à l'aube de la vie :

Un amour ! Un duel !

Le duel... il n'y songeait guère, à vrai dire ; il avait à peu près oublié la dure figure et le regard métallique du comte du Barry.

Mais comme sa pensée, toute entière, s'attachait à cette étrange inconnue dont il ne savait rien sinon qu'elle demeurait rue des Bons-Enfants, en face de l'hôtel d'Argenson...

Belle ? ah ! certes... belle d'une beauté mièvre, blanche et nacrée, semblable à quelque nymphe des bois, avec l'envolée de ses cheveux, avec ses yeux où s'éveillaient des hardiesses et des curiosités déconcertantes, et où sommeillaient aussi des songes d'amour vagues, lointains et profonds.

Qui était-elle ?... Pourquoi une sourde inquiétude lui venait-elle en même temps qu'un désir insensé de la revoir, de l'entendre encore, de sentir sur lui la caresse moqueuse et douce de son regard ?

Pourquoi avait-elle fait sur lui cette prodigieuse impression ?

Pourquoi, dans son fier maintien, dans le charme même qui se dégageait d'elle, y avait-il on ne savait quoi de troublant ?

Le chevalier se posait ces questions en cheminant le long du faubourg Saint-Honoré.

Une de ces délicieuses angoisses, symptômes des grandes passions qui s'éveillent, étreignait sa poitrine depuis l'instant où lui était apparue cette suave créature dont l'image s'était à jamais gravée dans son cœur.

Par quels chemins était-il venu du fond du parc royal de Versailles jusqu'à Paris ?

Il n'eût su le dire.

Il avait éperdument galopé sans rien voir, et n'avait retrouvé un peu de sang-froid qu'en apercevant tout à coup sous ses yeux la masse confuse de Paris que des vapeurs rousses estompaient.

Parvenu au point où le faubourg devenait rue Saint-Honoré, le chevalier entra à droite dans la cour d'une hôtellerie, et aussitôt, un valet s'empara du cheval, tandis qu'un domestique détachait de la selle le portemanteau de voyage.

L'hôtellerie des *Trois Dauphins* était fort estimée des provinciaux à cause de sa situation : elle était en effet assez éloignée des quartiers bruyants, et pourtant à proximité du centre des affaires.

Elle était tranquille, paisible, respectable.

De plus, la cuisine y était excellente ; de plus, ses prix étaient honnêtes ; maître Claude, son propriétaire, était passé capitaine dans l'art de voler en douceur sans faire crier le client, ce qui constitue la parfaite honnêteté pour un aubergiste.

De plus, encore, l'hôtesse, Mme Claude, était accorte et avenante, en ses vingt-six printemps, blanche et dodue, au point qu'elle était connue et célébrée des voyageurs sous le nom flatteur et harmonieux de « la belle Claudine ».

De plus, enfin, l'enseigne de l'hôtellerie qui balançait sur sa tringle ses trois dauphins or sur azur faisait vis-à-vis à la grande porte d'un couvent, en sorte qu'en cas d'accident on était toujours sûr d'avoir un confesseur sous la main, avantage appréciable, disait maître Claude, quand on veut passer de vie à trépas en bonne et due forme.

Ce couvent, pourvu de moines savants, et fort vaste puisqu'il s'étendait de la rue Saint-Honoré à la rue Croix-des-Petits-Champs, devait, cinquante ans plus tard, abriter sous ses voûtes un club révolutionnaire destiné à faire quelque bruit dans l'histoire, et s'appelait couvent des Jacobins.

Ainsi le voisinage rassurant des moines, les poulardes truffées et les grands yeux veloutés de l'hôtesse constituaient à cette auberge une triple spécialité qui avait solidement établi sa renommée en province.

Lorsque le chevalier d'Assas mit pied à terre dans la cour de l'hôtellerie, maître Claude apparut sur le perron aux quatre marches honorablement usées. Et comme le jeune homme demandait une chambre et un souper, le digne aubergiste, ayant, avec ce coup d'œil des grands capitaines, remarqué que son futur locataire n'avait pas de laquais et que son portemanteau paraissait assez léger, exécuta ce salut protecteur qu'il accordait aux moins fortunés de ses hôtes, et s'écria :

– Qu'on prépare le 25. Monsieur y sera comme un prince.

Mais, talonnée par une légitime curiosité, madame Claude était apparue sur le perron en même temps que son mari. Elle aussi avait rapidement passé l'inspection du nouveau venu. Et chez elle, aussi, le résultat de cette inspection se traduisit par l'énoncé d'un numéro de chambre.

– Mais non, mais non, fit-elle d'une voix autoritaire. Le 25 n'est pas libre. Qu'on mette monsieur au 14.

Maître Claude baissa la tête sous la décision autocratique de sa femme et regagna ses fourneaux.

Quant au chevalier, il eut un geste d'indifférence : 25 ou 14, peu lui importait.

Pourtant, il eût peut-être éprouvé quelque gratitude pour l'hôtesse qui s'empressait autour de lui, s'il eût su que le 25 n'était qu'un cabinet noir sous les combles, tandis que le 14 était une belle chambre au second, sur la rue, avec vue sur les beaux jardins du couvent des jacobins.

Dans la salle commune où il s'installa bientôt devant une nappe éblouissante, il ne remarqua pas davantage que « la belle Claudine » le servait elle-même, honneur qu'elle n'accordait qu'à quelques marchands drapiers.

Il ne daigna apercevoir ni les mains potelées, ni les bras nus jusqu'aux coudes, ni les yeux veloutés de la bonne hôtesse. Il soupa avec ce robuste appétit de la vingtième année qui ne désarme même pas devant l'amour, et se retira dans sa chambre – le fameux 14 dont Mme Claude, décidément troublée par la vue de ce joli cavalier, lui fit en vain l'éloge, très mérité d'ailleurs.

Il était à ce moment neuf heures.

Le chevalier était fatigué. L'étape de la journée avait été longue et rude.

Mais ce ne fut pas au sommeil qu'il s'apprêta.

Avec des frissons d'impatience, il changea de toilette, rajusta le nœud de son catogan, chercha à donner des plis harmonieux à son manteau, essuya pieusement son épée couverte de poussière.

Et tous ces préparatifs, pour courir rue des Bons-Enfants !...

Non pas pour la revoir, *elle,* mais pour rôder autour d'une maison silencieuse, fixer dans l'obscurité une fenêtre fermée et peut-être, qui savait ! apercevoir une ombre qui se reflétait sur des rideaux.

Prêt enfin, le cœur battant, il allait éteindre les deux flambeaux qui brûlaient sur la cheminée.

À cette seconde, on frappa à sa porte.

Il ouvrit, et, avec un tressaillement, recula d'un pas.

Dans l'ombre du couloir, se profilait la hautaine silhouette du comte du Barry.

Le chevalier frémit.

Il tombait du ciel où son rêve d'amour l'avait haussé d'une

envolée.

Cette figure lui apparut comme un sinistre présage. Quelle figure ! Le pli vertical du front volontaire, les sourcils touffus et noirs, la flamme du regard ironique, le sourire des lèvres crispées, tout, dans ce visage, exprimait les forces du Mal.

Se remettant de cette rapide émotion, le chevalier ne songea plus qu'à exercer les devoirs de cette politesse raffinée toute puissante alors.

Il se découvrit, s'inclina gracieusement et dit :

– Soyez le bienvenu, monsieur le comte.

Du Barry entra, le chapeau à la main, et répondit :

– Je suis vraiment confus de vous déranger à pareille heure, monsieur le chevalier.

– Et moi, je suis désolé d'être forcé de vous recevoir dans une mauvaise chambre d'auberge...

Les deux adversaires se saluèrent.

Puis le chevalier reprit :

– Me ferez-vous la grâce de boire avec moi à la santé du roi ?

– Tout l'honneur sera pour moi.

Alors le comte prit place dans un fauteuil que lui désignait d'Assas, et celui-ci, ayant appelé un domestique, ordonna qu'on lui montât une bouteille de vin d'Espagne.

Quelques instants plus tard, ils étaient assis l'un devant l'autre, ayant entre eux un guéridon qui supportait deux verres et un flacon de Xérès.

Le chevalier remplit les verres.

Ils les choquèrent légèrement, avec une sorte de gravité, et prononcèrent ensemble :

– À la santé de Sa Majesté...

Formule neutre qui les dispensait de se porter leur santé réciproque.

– Vous le voyez, dit alors le comte, ma première visite est pour vous. Le roi est rentré à Paris à huit heures, car il a demain matin à travailler avec M. d'Argenson. Et je n'ai même pas pris le temps de passer chez moi, si grande était ma hâte de vous faire mon compliment.

– Compliment que je suis prêt à recevoir et à vous rendre, dit le chevalier.

Du Barry s'inclina.

Et l'entretien se continua quelques minutes, frôlant tous les sujets, excepté celui qui les préoccupait, avec l'admirable aisance de la société de ce temps, apogée des grandes galanteries d'esprit.

Enfin, le comte du Barry se leva pour prendre congé.

Et ce fut seulement alors qu'il aborda l'affaire qui l'avait amené.

– Chevalier, dit-il, j'ai l'intention de faire demain matin une petite partie de plaisir, et j'ai éprouvé une telle joie en votre conversation, que je serais charmé si vouliez bien consentir à m'accompagner.

– Comment donc, comte ! Mais c'est-à-dire que pour avoir l'honneur de vous rencontrer, je ferais volontiers à nouveau le voyage de huit jours qui vient de m'amener à Paris.

– À merveille ! D'autant plus que je n'abuserai pas à ce point de votre empressement ; je compte tout simplement me rendre demain matin au Cours de la Reine, si toutefois l'endroit vous plaît...

– Va pour le Cours de la Reine...

– Il y a là, sur la berge de la Seine, une délicieuse et solitaire promenade avoisinant le Port aux Pierres...

– Va pour le Port aux pierres... J'y serai à huit heures.

– Huit heures ! L'heure est admirable, chevalier, et je vous tiens pour un charmant compagnon.

Les deux adversaires s'inclinèrent une dernière fois l'un devant l'autre ; puis le comte du Barry s'éloigna, tandis que d'Assas, refermant sa porte, reprenait place dans son fauteuil, en songeant :

– La sinistre figure !... Il me semble que la main du malheur vient de s'abattre sur moi !... Il me semble que c'en est fait de ce beau rêve que je caressais, et que la rencontre de cet homme me sera fatale !... Allons, allons !... Est-ce que je vais me mettre à avoir peur !...

Il se leva, se secoua, et comme il cherchait un air à fredonner, brusquement, par un choc de mémoire, la ritournelle entendue dans la clairière au bord de l'étang murmura dans son esprit la ronde enfantine :

Nous n'irons plus au bois, les lauriers sont coupés...

Machinalement, comme si la chère escapade projetée rue des Bons-Enfants eût été désormais inutile, il se déshabilla, se coucha et se retourna longtemps sur sa couche.

La fatigue aidant, il finit par s'endormir d'un pesant sommeil.

Le lendemain matin, à sept heures, le chevalier était sur pied.

Toute agitation avait disparu de son esprit.

D'un pas alerte, il gagna le Cours de la Reine, descendit sur la berge du fleuve, et, ayant atteint le Port aux pierres, constata avec satisfaction qu'il était le premier au rendez-vous.

Quelques minutes plus tard, comme huit heures sonnaient au loin, le comte du Barry apparut, escorté de deux témoins.

Le chevalier s'avança à leur rencontre. Il y eut de grandes salutations.

– Messieurs, fit d'Assas, arrivé à Paris d'hier seulement, et désireux de ne pas faire attendre M. le comte, j'ai dû commettre l'incorrection de me présenter seul.

– Votre nom, chevalier d'Assas, honorablement connu dans l'Auvergne que j'ai habitée quelque temps, vous tiendra lieu de témoins et de parrains.

L'homme qui venait de parler ainsi était l'un des témoins du comte.

Le chevalier le regarda avec une surprise non exempte d'une certaine gratitude.

Du Barry fit alors, dans les règles, la présentation indispensable.

– M. le comte de Saint-Germain, dit-il en désignant celui de ses deux amis qui n'avait encore rien dit et qui fixait sur le chevalier un étrange regard d'un insoutenable éclat.

Puis, se tournant vers celui qui avait parlé de la famille d'Assas et de l'Auvergne :

– M. Le Normant d'Étioles...

Et tout aussitôt, il ajouta avec ce sourire contraint qui donnait à sa physionomie un indéfinissable caractère de causticité sardonique :

– Puisque je suis si riche de témoins, j'entends partager avec vous, chevalier. Le comte de Saint-Germain voudra bien m'assister, tandis que M. Le Normant d'Étioles sera heureux, j'en suis sûr, de vous servir de second.

Cet arrangement accepté, les deux adversaires mirent bas leurs habits.

L'instant d'après, les épées étaient engagées.

Notre intention n'est pas de faire ici l'ordinaire et insipide récit des quartes, des contres, des primes et des tierces qui furent échangés. Disons simplement que le comte du Barry passait pour une des plus redoutables « lames » de la Cour et qu'il attaqua son adversaire par un jeu d'une impeccable science. La lutte se poursuivit pendant dix minutes en trois reprises.

Pendant le combat, celui que du Barry avait appelé le comte de Saint-Germain garda ses yeux fixés sur le chevalier d'Assas, qu'il parut étudier avec une singulière attention.

À la quatrième reprise, et dès le premier froissement, le chevalier se fendit par un coup droit foudroyant qu'il n'avait fait précéder d'aucune feinte.

Du Barry laissa tomber son épée et devint très pâle ; le coup avait porté : le comte avait l'épaule droite traversée. Il se tint un instant debout, puis s'affaissa soudain dans les bras de Saint-Germain. Presque aussitôt, il rouvrit les yeux. Et le chevalier d'Assas, qui s'avançait, lut dans ces yeux une si effroyable expression de haine qu'il s'arrêta court et se contenta de s'incliner devant le vaincu. À ce moment, du Barry perdit tout à fait connaissance...

Le comte de Saint-Germain avait jeté un strident signal au moyen d'un petit sifflet d'or.

Un carrosse, qui avait dû, sans doute, amener le comte jusqu'au Cours de la Reine, descendit sur la berge, et du Barry fut déposé sur les coussins tandis que d'Assas remettait son habit.

Le jeune chevalier allait saluer la compagnie et se retirer, lorsque le comte de Saint-Germain s'approcha de lui et lui prit la main d'un geste d'autorité. À ce contact, le chevalier frissonna. Il voulut retirer sa main. Mais son effort fut vain : cette main était comme paralysée dans celle du comte.

– Monsieur ! balbutia-t-il avec un commencement de colère mêlée d'angoisse.

– Jeune homme, dit le comte en abandonnant la main qu'il venait d'examiner, vous me plaisez. Vous avez du courage et de l'esprit ; vous avez la beauté du corps et la beauté du cœur ; vous avez la jeunesse, l'enthousiasme qui est la poésie du cerveau... oui, tous ces trésors sont en vous. Veillez sur eux, veillez sur vous-même. Gardez-vous de la haine... et surtout, gardez-vous de l'amour !...

Une extraordinaire agitation fit palpiter le chevalier.

– Monsieur, dit-il d'une voix basse et ardente, qui êtes-vous ?... Inconnu de moi, vous m'inspirez des sentiments qui m'étonnent... Que voulez-vous me dire ?... Parlez, je vous en supplie... vous en avez trop dit ou pas assez !

Saint-Germain regarda le jeune homme avec une indéfinissable pitié.

– Enfant, dit-il, – et bien qu'il parût à peine trente ans, ce mot ne paraissait pas déplacé dans sa bouche, – enfant, défiez-vous des femmes... et surtout des reines.

– Des reines !... Oh ! monsieur, ce que vous me dites est si étrange...

– Des reines ! Ai-je dit des reines ?... Ou bien, des femmes qui peuvent l'être. Adieu. Méditez ce conseil que je vous donne de retourner au fond de votre province. Et cela non pas demain, non pas ce soir, mais dès cette minute, dès cette seconde. Fuyez, jeune homme, fuyez ! L'air de Paris est pour vous un poison mortel. Fuyez à l'instant !...

Et plus gravement encore, le comte de Saint-Germain ajouta :

– Demain, il sera trop tard. Vous m'entendez ?... Demain !...

Le chevalier, en proie à un malaise mystérieux où il y avait un fond de terreur irraisonnée et de curiosité poussée au paroxysme, allait poser une nouvelle question.

Mais déjà le comte avait pris place dans le carrosse auprès du blessé toujours évanoui, et la voiture s'éloignait au pas. À mesure que s'augmentait la distance entre le carrosse et lui, le chevalier sentait diminuer l'étrange impression d'angoisse qui l'avait accablé ; et enfin, lorsque le lourd véhicule eut atteint le sommet de la rampe qui, du Port aux pierres, conduisait au Cours de la Reine, et eut disparu derrière un massif de vieux ormes, d'Assas respira longuement.

C'est à peine s'il se souvenait du duel, du comte du Barry, de la victoire qu'il venait de remporter. Toutes ses pensées évoluaient autour du singulier personnage qui, avec tant d'insistance, lui avait conseillé de fuir Paris.

Quitter Paris !... Sans l'avoir revue !... Sans s'être enivré encore de sa douce image et de sa voix plus douce encore ! Oh ! jamais !...

À ce moment une main le toucha au bras. Il tressaillit violemment comme un homme arraché soudain à quelque rêve ; et, se retournant, il se vit en présence de celui qui lui avait servi de témoin et qu'on avait appelé M. Le Normant d'Étioles.

– Ah ! monsieur, s'écria-t-il, je vous dois mille remerciements !... Mais comment se fait-il...

– Que je n'accompagne pas du Barry blessé ?... Pour deux raisons, mon cher monsieur. La première et la plus valable, c'est qu'ayant accepté d'être votre témoin, c'est à vous que je me dois, même après le duel ; la seconde, c'est que du Barry a près de lui en ce moment quelqu'un qui lui sera plus utile que tous les amis du monde.

– Le comte de Saint-Germain serait-il donc médecin ? fit vivement d'Assas.

– Heu ! Il est médecin, il est sorcier, il est un peu tout ce qu'il vous plaira...

– Le connaissez-vous ?

– Comme tout le monde à Paris...

– Excusez ma curiosité indiscrète peut-être. Mais cet homme a fait sur moi une telle impression...

– Que vous voudriez bien savoir au juste qui il est ! Mais voilà justement le *hic*. Tout le monde connaît M. le comte de Saint-

Germain, et nul ne l'a pénétré. Les uns le disent riche comme un nabab des Indes, les autres soutiennent qu'il n'a pas le sou ; il est peut-être Italien ou Roumain, ou peut-être Grec ou Maltais, à moins qu'il ne soit Arabe ou Égyptiaque... à moins encore qu'il ne soit tout bonnement de Pontoise.

« Ce qu'il y a de sûr, c'est qu'il mène grand train, que le roi lui-même a admiré la beauté de ses équipages et qu'il porte toujours sur lui une collection de diamants à faire envie à une favorite du sultan. Pour en revenir à notre, ou plutôt à votre blessé, soyez sûr que Saint-Germain le guérira promptement.

– Je le souhaite de tout mon cœur, dit le chevalier.

Les deux hommes s'étaient mis en marche depuis un moment. Ils atteignirent le Cours de la Reine, et d'Étioles montrant un carrosse qui stationnait :

– Ma voiture est à votre disposition... Si fait ! ne me remerciez pas... Où voulez-vous que je vous conduise ?

Et il poussait le chevalier avec une cordialité qui n'était pas sans surprendre le jeune homme.

Celui-ci finit par donner son adresse, et d'Étioles jeta un ordre au valet de pied :

– Touche aux *Trois Dauphins,* rue Saint-Honoré...

Ce que d'Étioles ne disait pas, ce que le chevalier ne s'expliquait pas, nous avons, nous, le devoir de le dire et de l'expliquer.

Pendant les dix minutes qu'avait duré le combat, d'Étioles n'avait cessé d'examiner le chevalier d'Assas. Il admirait sa souplesse et son sang froid, la merveilleuse agilité de ses parades, la promptitude redoutable de ses attaques. Il admirait surtout l'évidente insouciance, le téméraire courage du jeune homme dont la souriante intrépidité semblait se doubler d'une force de poignet exceptionnelle.

Et des projets, à peine éclos dans l'esprit de Le Normant d'Étioles, se développaient avec la rapidité, la méthode et la volonté qui font la puissance des hommes résolus à parvenir à tout prix, par toutes les voies, au but lointain et ténébreux qu'ils se sont fixé...

Le Normant d'Étioles avait un but dans la vie... lui !

Et ce but devait être quelque chose de formidable ; car, parfois, dans le silence des nuits qu'il passait à rêver et à combiner, cet homme s'épouvantait lui-même.

Lorsque d'Assas toucha son adversaire, la résolution d'Étioles était prise :

– Je suis faible, inhabile aux armes, sans force et sans courage physique. Pourquoi n'aurais-je pas près de moi quelqu'un qui serait fort pour moi, habile pour moi, courageux pour moi ! Tout se paie, même le courage... Moi qui n'ai rien... rien que ma pensée ! j'ai du moins de l'argent pour acheter la bravoure et l'adresse qui me manquent !... Il faut que je m'attache ce jeune homme !

Dans le carrosse, pendant le trajet du Port aux Pierres à la rue Saint-Honoré, d'Étioles s'attacha à inspirer une certaine sympathie au chevalier. Peut-être y réussit-il en partie. L'âme du jeune homme était comme ces merveilleuses lyres qui, suspendues, vibraient au moindre souffle des zéphyrs... Elle vibrait, cette âme, à toutes les affections, à tout ce qui lui apparaissait sincère... Il avait besoin d'aimer, et la pitié que lui inspira la mine souffreteuse de son compagnon fit plus que toutes les avances de ce dernier.

Au moment où le chevalier allait descendre du carrosse, d'Étioles lui prit la main et lui dit :

– Ma foi, mon cher monsieur, je me sens porté vers vous d'affection vive comme si je vous connaissais depuis mon enfance. Laissez-moi donc vous traiter comme un ami...

– Vous m'honorez grandement, monsieur.

– Vous traiter comme un ami, reprit d'Étioles, en vous annonçant une bonne nouvelle... bonne pour moi, tout au moins : je me marie.

– Je vous en félicite, dit sincèrement le chevalier qui jeta un regard de compassion sur la taille déviée de d'Étioles.

– Je me marie, continua celui-ci, et j'épouse la femme la plus spirituelle et la plus jolie de Paris. Ce qu'il y a de remarquable en cette affaire, c'est que ma fiancée m'aime autant que je l'adore...

– Un mariage d'amour !...

– C'est le mot !

– Puissiez-vous être heureux tous deux ! dit le chevalier avec attendrissement.

– J'espère, parbleu, que je le serai ! Et ce, pas plus tard que demain ! s'écria d'Étioles avec un mauvais rire qui causa au chevalier une impression de malaise. Or, donc, puisque nous voilà intimes... car nous sommes intimes... d'honneur, je suis tout vôtre. Si j'étais fort aux armes je vous dirais : Disposez de mon épée... Mais j'ai le malheur de n'être que riche, et je vous dis : Cher ami, disposez de ma bourse...

En parlant ainsi, il examinait attentivement le chevalier. Celui-ci s'inclina froidement.

– Or donc, se hâta de continuer d'Étioles, puisque nous sommes amis, je pense que vous me ferez la joie d'assister à mon mariage qui a lieu demain, sur le coup de midi, à Saint-Germain-l'Auxerrois...

– Très volontiers. Ce me sera un honneur que de signer au registre de la paroisse.

– Touchez là, chevalier ! Je compte sur vous comme sur un de mes amis les plus chers. De vrai, vous m'avez tout séduit, et je considérerais maintenant comme un malheur de vous avoir pour ennemi...

– Espérons donc que nous resterons bons amis ! dit le chevalier en riant.

Il sauta à terre, fit un dernier signe à d'Étioles et rentra dans son hôtellerie devant laquelle le carrosse venait de s'arrêter.

– Me voilà, songea-t-il, avec un terrible ennemi sur les bras... Ce comte du Barry est un haineux personnage. Le regard qu'il m'a jeté au moment où j'allais lui tendre la main était un jet de fiel qui m'a fait froid au cœur... Heureusement, comme tout se balance et s'équilibre dans la vie, en même temps qu'un ennemi j'ai gagné un ami sûr. Ma foi, ce M. d'Étioles est un charmant homme... De plus, si j'en juge par les apparences, il doit être bien en cour ; et voilà, certes, qui n'est pas à dédaigner pour un pauvre officier de fortune comme moi... Quant aux sinistres prédictions du comte de Saint-Germain, eh bien, arrive qu'arrive, mais je ne m'en irai pas de Paris !... Paris qu'*elle* habite !... Paris où *elle* respire !... Respirer le même air qu'*elle*... ah ! n'est-ce pas déjà du bonheur ?...

Le chevalier d'Assas arrivait à Paris avec deux lettres de recommandations : l'une pour le duc de Nivernais, l'autre pour le maréchal de Mirepoix.

Tous les deux étaient à Versailles, où la cour était installée.

Les deux recommandations ne souffraient pas de retard.

Si forte que fût l'envie du chevalier d'aller rôder aux abords de la rue des Bons-Enfants, il se décida à accomplir sur-le-champ des démarches dont dépendait son avenir d'officier.

– Je serai de retour vers cinq heures, pensa-t-il. Et alors...

Il fit aussitôt seller son cheval, et bientôt il s'éloigna au trot, dans la direction de Versailles.

Quant à Le Normant d'Étioles, son carrosse le conduisit quai des Augustins, à l'hôtel de Tournehem, où il s'arrêta deux heures ; de là, il se rendit rue des Bons-Enfants, où eut lieu la terrible et odieuse scène que nous avons racontée.

On vient de voir qu'il était tellement sûr de triompher des résistances de Jeanne que, d'avance, il invitait ses amis à la cérémonie qu'il avait fixée au lendemain !...

VII

Poisson et Crébillon

Le chevalier d'Assas fut de retour aux *Trois-Dauphins* à peu près au moment qu'il avait prévu, c'est-à-dire vers les six heures du soir : c'était le moment même où Jeanne remettait à Noé Poisson la lettre qu'elle avait si fiévreusement écrite pour d'Assas.

Le chevalier avait à demi réussi dans ses démarches à Versailles. Il n'avait pu voir le duc de Nivernais, mais il avait été reçu par M. de Mirepoix en personne, et le maréchal, après l'avoir interrogé avec bienveillance, lui avait presque promis de lui faire obtenir ce qu'il était venu chercher à Paris, c'est-à-dire d'être admis avec son grade dans les chevau-légers du roi, faveur immense, les chevau-légers étant un corps d'élite très jaloux de ses prérogatives, très fermé, composé de la fine fleur de la noblesse du royaume.

Cette quasi-promesse du maréchal avait comblé de joie le chevalier.

Ce fut donc en fredonnant qu'après avoir mis son cheval à l'écurie il grimpa quatre à quatre les deux étages qui conduisaient à sa chambre, et ce, nonobstant la belle Claudine qui essaya de l'arrêter au passage pour lui demander s'il était satisfait du service, et, en réalité, pour lui faire les doux yeux.

Libre de tout souci, le chevalier se mit, comme la veille, à faire une toilette soignée : cette fois, rien ne pourrait l'empêcher d'aller admirer la bienheureuse rue qu'habitait celle qui dominait sa pensée de tous les instants.

Sa toilette achevée, pimpant, réellement joli à voir, élégant et le plus léger des amoureux, il redescendit et s'élança au dehors.

Sur le seuil de l'hôtellerie, il se heurta à un homme gros et court qui ne devait pas être bien solide sur ses jambes, car le choc le fit asseoir à terre. Le chevalier salua, s'excusa avec un sourire et partit en courant presque.

L'homme, après l'avoir contemplé un instant tout ébahi, après avoir pesté contre les freluquets et les roués trop pressés, finit par se relever péniblement et dit quelques mots à Mme Claude accourue.

Aussitôt celle-ci s'élança dans la rue, appelant le chevalier.

Mais d'Assas était déjà loin. Il n'entendit pas. Ou, s'il entendit, il jugea que ce qu'il allait faire était autrement intéressant que tout ce que son hôtesse pouvait avoir à lui raconter.

Le chevalier était parti pour se rendre directement rue des Bons-Enfants. C'était chez lui un besoin, une envie d'enfant. Son plan était de traverser la rue, de se mettre dans les yeux la demeure de la jolie inconnue, puis de rentrer tranquillement dîner aux *Trois Dauphins,* où, retiré dans sa chambre, il aurait tout loisir pour rêver à la gracieuse apparition.

Mais le chemin des amoureux, c'est souvent le chemin des écoliers.

Une singulière émotion dont il ne fut pas maître s'empara du chevalier aux abords de la rue bénie : émotion mêlée de timidité, d'angoisse et de désirs contradictoires.

Si bien qu'il ne s'aperçut pas qu'il faisait un détour assez considérable, et qu'au lieu d'entrer rue des Bons-Enfants, il se retrouva sur le port Saint-Nicolas, non loin du vieux Louvre.

Alors, par les quais, il continua son chemin jusqu'au Pont-Neuf, tourna à gauche et alla rejoindre la rue Saint-Denis. Longtemps il marcha au hasard ; vers huit heures, il se retrouva rue Montmartre et entra pour dîner dans un cabaret au coin de la rue des Fossés-Montmartre. Ses tours et détours l'avaient donc en somme ramené comme par une attraction magnétique au point central de son exploration. En effet, il était à deux cents pas de la place des Victoires où venaient aboutir d'une part la rue des Fossés-Montmartre, et de l'autre la rue des Bons-Enfants ou presque.

À neuf heures, ayant achevé son repas, l'esprit réchauffé par une bouteille de vieux bourgogne, le chevalier sortit du cabaret au moment où on le fermait.

Si de rares passants se montraient encore sur la chaussée assez fréquentée de la rue Montmartre, par contre la solitude et l'obscurité régnaient sur la place des Victoires où se dressait encore le Louis XIV en plomb doré dont la Révolution devait faire des balles en 92.

Toutes les rues avoisinantes, la rue du Reposoir, la rue de Vide-Gousset étaient également désertes, silencieuses et noires.

Quelques minutes plus tard, d'Assas venait s'arrêter devant le portail de l'hôtel d'Argenson, au beau milieu de la rue, et, tournant le dos à la solennelle demeure, levait les yeux sur le petit hôtel Régence dont les balcons lui apparaissaient confusément dans l'ombre.

– C'est là ! murmura-t-il.

Il regardait avidement cette façade obscure où pas une lumière ne brillait aux fenêtres.

Une indéfinissable émotion lui étreignait le cœur. Lentement, ses doigts montèrent jusqu'à ses lèvres et, du bout de ses doigts, il envoya un baiser devant lui, dans le vide...

– Dors, balbutia-t-il, dors ton pur sommeil d'ange, ô chère inconnue qui, avec une si douce violence, t'es emparé de mon cœur entier ; dors, et puissent des rêves de bonheur agiter doucement leurs ailes sur ta couche de vierge... Oh ! si je pouvais seulement apercevoir l'ombre de l'un de tes gestes !... Oh ! si seulement une lumière venait illuminer ces pierres qui t'abritent !...

Mais les ténèbres semblaient s'épaissir : l'une des lanternes qui éclairaient vaguement le bout de la rue s'éteignit brusquement.

Alors une pénible impression de tristesse glaça le chevalier. Il lui sembla que la face de cette maison pleurait dans la nuit...

Songes ! Illusions !... Il se secoua pour échapper à cette impression... mais elle ne fit que se fortifier... vraiment, un malheur planait sur le petit hôtel... et en prêtant l'oreille il eût juré qu'il venait d'entendre quelque chose comme un lointain sanglot... ou peut-être l'insaisissable harmonie d'une musique infiniment douloureuse que des doigts de mourante eussent arraché à un mystérieux clavecin...

Le chevalier était haletant...

– Non ! murmura-t-il tout à coup, ce n'est pas une chimère enfantée par mon cerveau !... On pleure ! On souffre dans cette maison !... Qui sait si ce n'est pas *elle* qui se lamente ainsi !... Oh !... Comment savoir ! Frapper à cette porte... à pareille heure !... c'est insensé !... Sous quel prétexte ?... Par le ciel ! dussé-je être ridicule ou inconvenant, il faut que je sache !...

D'Assas allait s'élancer...

À ce moment, quatre fenêtres du premier étage s'éclairèrent.

Il demeura cloué sur place...

Au même instant, derrière lui, un murmure de voix se fit entendre. Le chevalier se retourna d'une secousse comme s'il eût été mordu par quelque bête... et, dans le renfoncement du portail d'Argenson, il vit nettement trois ombres... trois hommes qui, comme lui, paraissaient regarder le petit hôtel Régence.

Oh !... que faisaient là ces hommes ? Qui étaient-ils ? Que voulaient-ils ?... Ah ! sans aucun doute, ils étaient venus pour *elle !*... Une folie jalouse fit monter un flot de sang à la tête du jeune homme...

Jalousie ?... De qui ?... Pourquoi ?... De quel droit ?... Est-ce qu'il savait !

La tête en feu, les tempes battantes, la main crispée sur la poignée de l'épée, il marcha sur les inconnus, et, d'une voix rauque de fureur :

– Holà, gronda-t-il, que faites-vous là ?... Répondez ! ou, sur mon âme...

– Que faites-vous là vous-même ? interrompit une voix sévère, un peu molle et traînante, comme emplie d'un suprême dédain.

La lumière des quatre balcons éclairait en plein les trois inconnus. Comme dans un éclair, le chevalier remarqua qu'ils avaient des épées et que leurs manteaux leur cachaient le visage jusqu'aux yeux.

– Passez au large ! continuait la même voix sur un ton de hauteur qui exaspéra le jeune homme.

– Par la mordieu ! nos épées vont décider qui de nous doit fuir !

En même temps, le chevalier fit un geste pour dégainer. Un brusque mouvement échappa à l'homme qui venait de parler ; dans ce mouvement, son manteau s'ouvrit, et un rayon de lumière frappa son visage.

D'Assas demeura foudroyé ! Rêvait-il ?... Était-ce possible ?...

Puis il se mit à reculer lentement, éperdu, courbé, répétant dans un murmure haletant :

– Le roi !... Le roi !... Sous ses fenêtres !... Oh !...

À cette même seconde, l'un des trois personnages fit un signe en levant le bras : d'un renfoncement voisin surgit un homme, – bravo ou policier, – et comme d'Assas, angoissé de mille pensées en tumulte, continuait à reculer, il sentit tout à coup un choc violent sur son crâne, quelque chose comme un formidable coup qui venait de lui être porté par derrière.

Il tomba à la renverse, et presque aussitôt perdit connaissance.

– Berryer, dit alors l'homme qui avait parlé avec tant de dédain, allez donc voir qui est ce maître fou...

Celui qu'on venait d'appeler Berryer s'approcha vivement du chevalier et dirigea sur son visage le jet d'une lanterne sourde qu'il sortit de dessous son manteau. Il examina attentivement le jeune homme, comme pour graver ses traits dans sa mémoire. Puis, secouant la tête, il revint au groupe et murmura quelques mots.

– Sans doute quelque cadet de province fit-il en terminant, que faut-il en faire ?...

L'homme dont le manteau s'était écarté un instant aux yeux de d'Assas hésita comme s'il eût cherché l'ordre à donner.

– Bah ! fit-il tout à coup en haussant les épaules, laissez-le où il est. En s'éveillant, il croira avoir rêvé... Retirons-nous, messieurs. Cet incident m'a ôté tout le plaisir que je comptais prendre à cette promenade dans le Paris nocturne... Et puis votre mystérieuse blessure doit vous faire souffrir, comte ?...

– Un gentilhomme en service ne souffre jamais et ignore s'il est blessé, répondit le personnage qui n'avait encore rien dit.

Puis, s'approchant à son tour du chevalier, il le regarda un instant, étouffa un cri de surprise ou plutôt de joie menaçante, et se hâta de rejoindre ses deux compagnons qui déjà s'éloignaient dans la direction du Louvre.

– Ah ! monsieur le lieutenant de police, dit-il alors d'une voix sardonique, il faut que ce soit moi qui répare votre ignorance !...

À mesure qu'ils avançaient, de toutes les encoignures sortaient des ombres qui se mettaient à les suivre à distance : c'étaient les gens de M. le lieutenant de police.

Ce mouvement, ce glissement de larves dans la nuit dura une minute, puis la rue reprit son aspect de solitude noire : tout avait disparu dans la rue Saint-Honoré, tournant à gauche.

– Que voulez-vous dire, monsieur le comte ? s'était écrié Berryer.

– Que je sais le nom de cet homme que Sa Majesté vient d'appeler un maître fou et qui pourrait bien être tout autre chose qu'un fou.

– Expliquez-vous, du Barry ! fit la voix dédaigneuse qui avait parlé au chevalier d'Assas.

Alors il y eut entre les trois hommes un colloque à voix basse, qui dura jusqu'aux portes du Louvre.

Que se dit-il ? quelles insinuations souffla dans l'esprit de ses auditeurs celui qui avait reconnu d'Assas ?

– J'attends vos ordres, Sire ! finit par murmurer le lieutenant de police.

Alors le roi Louis XV laissa simplement tomber ces trois mots :

– À la Bastille !...

Et il rentra dans son Louvre, suivi du comte du Barry qui réprima un violent tressaut de joie.

Berryer avait jeté un coup de sifflet. Une dizaine d'hommes – de ceux qui tout à l'heure rampaient dans la rue – accoururent. Le lieutenant de police leur donna quelques ordres d'une voix brève : les hommes s'élancèrent en courant vers la rue des Bons-Enfants.

Or, au moment même où le roi et ses deux compagnons avaient quitté l'abri qu'ils avaient cherché sous le portail de l'hôtel d'Argenson, deux êtres bizarres apparaissaient au bout de la rue, du côté de la place des Victoires, formant un groupe fantastique.

Ces deux nouveaux venus se tenaient par le bras, s'arrêtaient toutes les fois qu'ils avaient à échanger une idée, et se livraient à des évolutions d'une géométrie fantaisiste dès qu'ils se remettaient en marche.

– Je t'assure, Crébillon, disait l'un, qu'il est... inutile d'aller plus loin.

– Je serais bien curieux, Noé, d'apprendre pourquoi ? répondait l'autre.

– Écoute... nous sommes bêtes de... nous fatiguer... à marcher...

– Pourquoi, Poisson, pourquoi ?... J'exige... que tu me le dises...

– Puisque... les maisons marchent... et viennent au-devant... de nous...

– Par ma Sémiramis ! Par mon Pyrrhus ! Par ma Zénobie elle-même ! tu es ivre, Noé, ivre comme si tu avais arrêté ton arche sur un Ararat de bouteilles...

– Crébillon, tu m'offenses ! sanglota Noé.

– Dis-moi, s'entêta Crébillon, pendant le déluge, c'était du vin qui tombait ?

– Une supposition, s'écria Noé passant de la douleur à la joie ; une supposition... si j'étais un poisson pour de bon... et qu'on me jette dans un déluge de vin...

– Poisson, tu es sublime, déclara Crébillon. L'ivresse est un bienfait des dieux... Jupiter s'enivrait... Vulcain s'enivrait... Quand je suis ivre, j'oublie que Corneille a fait le *Cid* et que Racine a écrit *Andromaque* pour me faire enrager... Veux-tu ?... Je vais te réciter le deuxième acte de *Catilina* dont j'ai ce matin même écrit... le dernier vers... oh ! oh !... qu'est ceci ?... quel est ce corps ?...

Tout en devisant aimablement comme on vient de voir, les deux noctambules étaient arrivés en face de l'hôtel d'Argenson, et le pied de Crébillon venait de heurter le chevalier d'Assas étendu sans connaissance en travers de la chaussée.

Crébillon se pencha, un peu dégrisé par cette rencontre inattendue.

Poisson hoqueta :

– C'est un confrère... laisse-le dormir...

– Tais-toi, ivrogne !... Ce malheureux est blessé... mort peut-être !

– Mort ! répéta Poisson, dans l'esprit duquel les fumées se déchirèrent un instant, comme parfois les nuées d'un ciel fuligineux se déchirent sous un souffle de glace.

Et avec un frisson de pitié, il ajouta :

– Pauvre garçon !... Si jeune et si beau !... Je plains celle qui l'aime...

– Non, non ! reprit alors Crébillon, il n'est pas mort ; son cœur bat la chamade... Holà, monsieur... monsieur ! éveillez-vous, de grâce !

Le chevalier poussa un faible soupir, mais ne put s'arracher à sa léthargie.

– Que faire ? murmura Crébillon. Je serais indigne d'être appelé poète si je laissais ce jeune Antinoüs dépérir sans secours.

Ce Crébillon était en effet un poète ; précisons : un poète tragique.

Le personnage qui se présente dans ces attitudes d'après lesquelles on aurait tort de le juger sans appel, le compère de l'ivrogne Noé Poisson, ivrogne lui-même et tout puant la pipe, eh bien, oui : c'était l'auteur d'*Électre, d'Abrée et Thyeste*, et de cette belle tragédie que l'injustice de la postérité a condamnée à l'oubli : *Radamiste* et *Zénobie*... Pauvre Crébillon !...

– Si nous le portions chez moi ? fit tout à coup Noé.

– D'ici la rue Huchette il aurait le temps de trépasser dix fois.

– Chez toi, alors ?

– Le carrefour Buci est encore plus loin !

– Que faire, en ce cas ? Que faire ?

– Un coup de maître, Poisson ! dit soudain le poète en se relevant.

Il étendit le bras vers le petit hôtel, avec un geste de tragédien, et dit :

– Demande l'hospitalité à ta femme !

– Ah ! s'écria Poisson en s'assénant un coup de poing sur le crâne, jamais je n'eusse trouvé cela à moi tout seul. Ce que c'est que d'être inventeur de pièces de théâtre ! J'y vais !...

Et assurant sa démarche incertaine, Noé s'en fut heurter violemment le marteau de l'hôtel.

L'instant d'après, la porte fut ouverte par un domestique, lequel, reconnaissant le mari de Mme Poisson, sa maîtresse, ne fit aucune difficulté pour lui obéir lorsque Noé lui eût expliqué de quoi il s'agissait.

Les trois hommes soulevèrent le chevalier d'Assas et le transportèrent dans l'hôtel dont la porte fut refermée. Moins d'une minute plus tard, la rue des Bons-Enfants était envahie par des ombres silencieuses et rapides qui s'arrêtèrent en groupe devant l'hôtel d'Argenson.

– Envolé ! Disparu ! s'écria avec un juron celui qui paraissait être le chef de cette troupe.

– Voilà qui est curieux, observa une sorte de colosse trapu ; je lui ai pourtant asséné mon coup des grands jours. Quand je frappe ainsi, on en revient qu'au bout de quelques heures... si on en revient !

– Tu auras frappé à côté, maladroit ! Mais poursuivons, nous les rejoindrons peut-être...

La bande des policiers se glissa dans la direction de la place des Victoires, et bientôt s'évanouit au fond des ténèbres comme un vol d'oiseaux de nuit.

Dans l'hôtel, le chevalier avait été déposé sur un canapé assez large pour servir de lit de repos.

C'était dans un petit salon du rez-de-chaussée. Le domestique avait allumé des flambeaux.

Attirée par les allées et venues, Mme Poisson apparut à ce moment en peignoir de nuit.

En quelques mots, Crébillon la mit au courant de ce qui venait de se passer.

Elle jeta un coup d'œil sur le chevalier dont la figure pâle apparaissait en pleine lumière.

Cependant, Poisson examinait avec attention cette figure et, tout en se bourrant le nez de tabac, murmurait :

– Où l'ai-je vu ! Mais où l'ai-je donc vu !... Aussi vrai que le vin d'Anjou est supérieur au vin de Champagne, j'ai vu ce jeune homme quelque part, il n'y a pas longtemps... mais où ! mais quand ! mais à quelle occasion !

Mme Poisson, de son côté, avait tressailli.

Elle aussi croyait reconnaître le chevalier.

Mais comme ses idées étaient infiniment plus nettes que celles de son digne époux, elle ne tarda pas à s'écrier in petto :

– J'y suis !... C'est le jeune chevalier de la clairière qui s'est disputé avec ce grand diable de chasseur... et qui dévorait des yeux la petite !... Oh ! oh !... Il rôde par ici... on le trouve évanoui devant la porte !... Il faut que je tire cette affaire au clair... Un joli garçon... fière mine et bourse plate... Méfions-nous... pas de sottises, ma fille !

Elle saisit Noé Poisson par un bras et, l'entraînant dans un angle du petit salon :

– C'est bon, dit-elle. Je me charge de ce jeune homme... tu peux t'en aller.

– Viens, Crébillon, dit Noé.

– Attends ! reprit Mme Poisson. Je pense que tu n'oublies pas la journée de demain ?

– Peste ! je n'aurais garde...

– Sois ici à dix heures du matin. Songes-y, c'est grave !

– On y sera, ma mie, on y sera en grande tenue : je mettrai mon beau gilet vert pomme et mon habit écarlate, ainsi que ma culotte de soie jaune... Ah ! ah !

– Non pas ! fit sèchement la matrone ; tu trouveras ici tout ce qu'il faut pour t'habiller dignement ; on y a songé pour toi... Maintenant, écoute bien ; si tu es ivre demain, tu nous déshonores tous !

– Madame ! protesta Noé.

– Si tu n'es pas ivre, si tu te tiens aussi bien que la circonstance l'exige, tu trouveras dans ton habit de cérémonie mille livres en or... mille ! tu entends ! Tâche de les gagner...

– Mille livres ! s'écria Poisson en écarquillant les yeux. De quoi étancher, deux mois durant, la soif de Crébillon.

– Et la tienne !

– Madame !

– Va... va maintenant... et n'oublie pas !

– Mille livres !... Viens, Crébillon, viens-nous-en, mon ami... viens que je te dise...

Bras dessus bras dessous, les deux compères sortirent de l'hôtel et s'éloignèrent, fraternellement calés l'un contre l'autre. Chose curieuse : on eût dit qu'ils reprenaient leur ivresse où ils l'avaient laissée. L'émotion dissipée, les fumées bachiques redevenaient souveraines dans ces deux cerveaux.

Ce fut donc en traçant de nouvelles courbes et en s'entretenant de bizarres problèmes qu'ils continuèrent leur route vers la Seine, qu'il leur fallait franchir pour rentrer chez eux.

Poisson disait :

– Cherchons combien mille livres peuvent donner de bouteilles d'Anjou.

Crébillon répondait :

– Pardon, pardon... tu veux dire combien de flacons de champagne...

En effet, c'était là leur éternel sujet de dispute. Un seul point les séparait : l'un adorait le vin d'Anjou et l'autre raffolait du vin de Champagne.

Tant il est vrai qu'il y a toujours un point noir, même dans les plus parfaites amitiés.

Pendant ce temps, Mme Poisson, ayant examiné le chevalier d'Assas, constata qu'il ne portait aucune trace de blessure. En effet, le jeune homme avait été atteint au-dessus de la tempe droite d'un coup qui ne laisse pas de marque visible, mais qui n'en est pas moins terrible.

– Je ne crois pas qu'il en meurt ! songea la matrone.

Et, avec un hideux sourire, elle ajouta :

– Après tout... s'il meurt d'un coup de sang au cerveau... je n'en sais rien, moi !... Ça ne se voit pas...

Elle se contenta donc d'accommoder le chevalier sur le canapé et, laissant un flambeau allumé, se retira.

Dans l'hôtel, tout retomba au silence.

À l'instant où il s'était abattu dans la rue, d'Assas avait entièrement perdu connaissance. Puis, sous l'effort de l'instinct de vivre, quelques vagues perceptions parvinrent à son cerveau, pareilles à ces livides et fugitives lueurs que l'œil croit percevoir dans l'obscurité.

Il eut confusément conscience qu'on le saisissait, qu'on le portait quelque part, qu'on l'étendait...

Un laps de temps qu'il ne put apprécier s'écoula.

Puis, lentement, des embryons d'idée se formèrent, se dissipèrent, pour se reformer à nouveau. Il sentait une lourdeur de plomb peser sur sa tête, et dans ses oreilles il entendait un bourdonnement monotone et très fort, semblable au bruit d'une chute d'eau.

Puis, enfin, ces lambeaux d'idée s'adaptèrent l'un à l'autre.

Il put penser...

Ce fut terrible.

La première pensée qui se présenta à lui fut celle de la mort : il eut la conscience très nette que le sang se portait au cerveau par afflux violents et qu'il semblait s'y coaguler.

Oh ! de l'eau ! Rien qu'un peu d'eau sur son front et ses tempes !...

Cela le sauverait !

– De l'eau !... Un peu d'eau !...

Il crut avoir poussé un cri retentissant... En réalité, ses lèvres demeurèrent immobiles.

– Oh ! songea-t-il désespéré, mourir... mourir faute d'une goutte d'eau !... Il n'y a donc personne autour de moi !... On ne m'a donc pas entendu !... Oh ! si je pouvais... seulement... dégager... ma gorge !...

Il se raidit dans un suprême effort... mais pas un doigt ne fut remué... ses jambes lui semblaient de plomb... ses bras inertes lui paraissaient avoir été liés... Rien... pas même l'esquisse d'un geste...

Cet effort eut pourtant un résultat : ses paupières s'entrouvrirent.

Sans étonnement – l'étonnement est une vigoureuse manifestation de la pensée – il se vit dans une pièce inconnue... une sorte de salon élégant et coquet.

Alors, des yeux, il voulut faire le tour de cette pièce ; il s'aperçut que ses yeux étaient immobiles ! Il voulut refermer les paupières pour échapper à l'effrayante impression de cette fixité : avec horreur il constata que ce simple mouvement n'était plus dans sa volonté.

Et le mince regard qui filtrait de ces paupières à peine ouvertes et immobilisées demeura rivé à un panneau de porte que surmontaient des anges joufflus jouant à la corde avec des guirlandes de roses.

– De l'eau ! un peu d'eau ! crut-il crier à nouveau sans proférer en réalité aucun son.

Alors, dans le râle de sa pensée, il reconstitua l'effroyable aventure : il était parti de son hôtellerie... était arrivé rue des Bons-Enfants... Pourquoi ? Pourquoi ?... Ah !... Pour voir *sa* maison !... Le roi !... Que faisait le roi Louis XV sous ce portail ?...

Une atroce jalousie le mordit au cœur... Le roi venait pour *elle* !... Le roi !... Et lui, pauvre petit officier... avait espéré... oh !... Et c'était fini !...

Il sentait qu'il allait mourir... que jamais il ne la reverrait... que jamais elle ne saurait que sa pensée suprême avait été pour elle !...

Mourir !... Oui... quelques minutes encore... et ce serait fini... les bourdonnements devenaient plus violents... il comprenait que le sang envahissait le cerveau... que ses tempes se gonflaient à éclater...

À ce moment, son œil rivé au panneau de la porte vit cette porte s'ouvrir.

Dans l'encadrement, une forme blanche, vaporeuse, suave, lui apparut...

Et cette forme s'avançait vers lui...

L'être entier du jeune homme se tendit dans un effort insensé...

Il lui parut qu'un rugissement s'échappait enfin de sa gorge serrée, comprimée comme par des mains de fer... un rugissement de joie folle, immense, délirante...

Car cette forme blanche qui s'avançait vers lui, il la reconnaissait !

C'était elle !...

Elle !... La jeune fille en rose de la clairière de l'Ermitage !...

VIII

Le comte du Barry

Celui que le chevalier d'Assas avait blessé dans la matinée d'un coup d'épée dans l'épaule avait été ramené chez lui par son témoin, le comte de Saint-Germain.

Du Barry habitait en l'île Saint-Louis, à l'extrémité du quai d'Anjou, un antique hôtel dont les fenêtres regardaient la petite île Louvier, sablonneuse et déserte, – simple langue de terre fréquentée le jour par quelques pêcheurs de goujons, sinistre coupe-gorge abri de truands dès que la nuit l'enveloppait de ses voiles.

L'hôtel du Barry était une magnifique demeure, un de ces vastes bâtiments majestueux et sévères, dont un seul vestibule ferait ce que les constructeurs de nos jours, avec une audace ingénue, appellent un grand appartement.

Jadis, vers le milieu du règne de Louis XIV, le feu comte du Barry, père de celui que nous mettons en scène, avait mené grand train de fortune dans cet hôtel : les immenses salons avaient vu se développer sous leurs lambris dorés la pompe de fêtes splendides. Le roi en personne avait assisté à l'un de ces galas où l'on avait donné à Sa Majesté la comédie et une collation qui avait émerveillé M. de Saint-Simon, difficile à contenter pourtant, comme on sait.

Mais maintenant ces salles étaient silencieuses et glaciales.

Peu à peu, les meubles précieux, les tableaux de maîtres, les riches tentures en étaient sortis... vendus pièce à pièce, dispersés dans une rapide ruine.

L'hôtel lui-même était hypothéqué de dettes.

Et lorsque les pas du comte faisaient résonner dans les mornes salons vides d'étranges sonorités, il semblait qu'il éveillât des échos funèbres, comme si cette maison eût été la tombe d'une prospérité défunte.

Dans ces moments-là, une rapide contraction nerveuse fronçait les noirs sourcils du comte et un soupir d'immense amertume gonflait sa poitrine.

Alors il se rappelait sa première enfance écoulée au sein du luxe, de l'opulence et des fêtes, les maîtres qu'on lui avait donnés, la foule des grands seigneurs qui venait, les belles dames qui le caressaient...

Puis son père était mort...

Le comte du Barry entrait alors dans sa dix-huitième année.

Enfant, il avait peu aimé son père ; il avait paru d'un caractère sombre, songeant à des choses qu'il ne communiquait à personne, injuriant ses maîtres, battant ses domestiques.

Jeune homme et maître d'une grande fortune, on sut enfin ce qu'il y avait dans cette tête au front volontaire et quelles pensées l'agitaient.

Sur le cercueil de son père, il ne versa pas une larme ; et à peine ce cercueil fut-il fermé, le nouveau comte dressa un inventaire exact de sa fortune.

Elle était considérable et donnait deux cent mille livres de rente, somme énorme pour l'époque : le comte fit la grimace ; il s'attendait à mieux !

Alors il apparut tel qu'il était : les passions comprimées éclataient avec une violence inouïe ; les vices, d'abord couverts d'un vernis de somptueuse élégance, bientôt débridés en plein emportement de folie, descendaient jusqu'à la plus basse ignominie. Le comte du Barry fut, dans toute la fougue de son impétuosité passionnée, un viveur, un dévoreur, un assoiffé de plaisirs. Tous les plaisirs, il voulut les connaître, et quand il les connut tous, il en inventa de nouveaux. Il étonna Paris. Il scandalisa la cour, jetant l'or à poignées, éventrant, saignant à blanc l'antique patrimoine, conduisant les saturnales dans les salons somptueusement austères du vieil hôtel, et, cyniquement, installant jusque dans la chambre de sa mère, les créatures de luxure qu'il se plaisait à tirer des bas-fonds de la truanderie pour les y replonger ensuite tout éblouies de leur aventure...

Une excuse à cet homme : une seule.

Cette mère, il ne l'avait pas connue !

Cette mère qui eût pu le guider, qui, sans aucun doute, eût fait naître sous ses caresses des sentiments humains dans ce cœur, cette mère était morte trois mois après la naissance du comte.

Sevré de ses caresses qui sont pour l'homme le plus prodigieux, le plus fécond et le plus sublime des enseignements, le cœur du comte du Barry fut ce qu'il devait être :

Une quintessence de féroce égoïsme.

Ses yeux avaient la froideur sinistre et le rapide étincellement d'une lueur d'acier.

Il ignorait la signification de ces deux mots : bonté, méchanceté. Il était le contraire de la bonté, mais on ne peut dire qu'il était méchant. La méchanceté suppose dans un coin de l'âme un reflet de sentiment.

Tout simplement, le comte du Barry n'avait pas d'âme.

Un jour, une de ses maîtresses, qu'il paraissait aimer puisqu'il l'avait depuis six mois et venait de dépenser cent mille livres pour elle, mourut subitement chez lui, en pleine fête, d'une maladie de cœur.

Le comte se leva de table, s'approcha de la malheureuse, et, ayant constaté qu'elle était morte, appela ses domestiques et leur dit froidement :

– Emportez cela au dehors... où vous voudrez. Mademoiselle Marion, venez çà près de moi. Vous remplacez dès maintenant celle qui sort d'ici.

Cela ! c'était le cadavre de la morte !

Celle que le comte avait appelée Mlle Marion, une pauvre fille de luxe, vint à lui, toute pâle, et, d'un revers de main, le souffleta, puis sortit, escortant le cadavre qu'on emportait...

Du Barry ne comprit jamais ce soufflet.

Quelques années suffirent pour engloutir la fortune patrimoniale des du Barry.

Un matin, le comte se trouva face à face avec le spectre de la ruine :

Vendues lambeau par lambeau, ses terres de Normandie ; vendues ses fermes ; vendus ses trois châteaux avec leurs bois et leurs étangs ; vendus les meubles de l'hôtel... tout était vendu, tout, tout, sauf le nom !

Le dilemme se présenta dans sa hideur :

La misère ou le suicide !

Le suicide ? Non ! Il ne voulait pas mourir !... Non pas qu'il fût lâche, mais l'idée de renoncer aux jouissances qui avaient été sa vie lui était insupportable.

La misère ? Encore non ! Puisque c'était le même renoncement ! Le comte appela son valet de chambre et lui dit simplement :

– Va me chercher M. Jacques. Tu sais qui ? L'homme de la rue du Foin...

Une heure plus tard, celui qui portait ce nom modeste – du moins le comte ne lui en connaissait pas d'autre – entrait en souriant dans le petit salon où se tenait du Barry.

C'était un homme de moyenne taille, mince, modeste dans sa mise comme dans son nom ; il semblait plutôt glisser que marcher : son regard se posait en un instant sur cent objets différents ; il parlait d'une voix blanche, sans accent, ne disant jamais un mot plus haut que l'autre ; il n'y avait dans son attitude ni humilité ni affectation. Il semblait être la parfaite expression de ce qui s'appelle la modestie.

Seulement, l'observateur qui se fût attaché à l'examiner curieusement eût découvert dans ses attitudes plus d'élégance qu'il n'eût convenu, dans certains de ses gestes une autorité vite réprimée, dans quelques-uns de ses regards profonds un jet de flamme aussitôt éteinte.

On ne savait rien de cet homme, sinon qu'il vivait, sans mystère apparent d'ailleurs, dans une petite maison qui lui appartenait, rue du Foin, près de la place Royale, et qu'il passait pour assez pauvre.

– Monsieur Jacques, dit du Barry, vous êtes venu me trouver trois fois : il y a un an, il y a six mois et il y a trois mois. À chaque fois, vous m'avez répété : « Le jour où vous serez complètement ruiné, appelez-moi, et je vous sauverai. » Le jour de la ruine est venu, monsieur Jacques. Et vous le voyez, je vous appelle.

– Êtes-vous vraiment ruiné, monsieur le comte, ce qui s'appelle ruiné ?

– Complètement, monsieur Jacques. Je n'ai plus rien, répondit du Barry en grinçant des dents.

– Vraiment, monsieur le comte, est-ce bien au point que vous dites ?

– En cherchant bien dans tous les tiroirs de ce meuble, on finirait par rassembler une centaine de livres : la dixième partie de ce que je dois au dernier de mes domestiques.

– Très bien. En ce cas, nous allons causer, monsieur le comte.

– Causons, monsieur Jacques !...

En parlant ainsi, le comte était effroyable à voir, avec ses lèvres crispées, son teint blême, ses traits convulsés. Mais, avec son sourire et sa mine paisible, M. Jacques était peut-être plus effroyable encore...

Alors, M. Jacques « causa ».

Longuement, à voix basse, il parla.

Le comte rougissait, pâlissait. Parfois il secouait violemment la tête.

Mais M. Jacques revenait à la charge, avec un entêtement doux, une obstination paisible.

Le jour baissait lorsque M. Jacques tira un papier de sa poche, l'étala sur une table, et, d'une voix qui, soudain, se fit dure, autoritaire, glaciale, prononça :

– Signez-vous ?

Le comte jeta autour de lui un regard éperdu. Sans doute il eut à cet instant cette révolte, cette hésitation suprême que durent connaître les damnés qui, dans les légendes du vieux temps, signaient le pacte satanique.

Mais sans doute aussi l'esprit du mal était sur lui...

Il signa !...

M. Jacques plia méthodiquement le papier qu'il mit dans sa poche.

Il s'inclina gravement, et, dans les ténèbres qui s'épaississaient, s'éloigna sans bruit...

À partir de ce moment, le comte du Barry ne manqua jamais d'argent : du moins en avait-il assez pour faire figure à la cour et soutenir dignement son rang. Mais il était facile de voir que cette existence relativement modérée lui pesait et qu'il rongeait son frein en attendant...

En attendant quoi ?... Lui seul eût pu le dire, – et M. Jacques !

Ajoutons que son caractère se fit plus sombre de jour en jour, et que souvent, au milieu des orgies, il lui arrivait de tressaillir tout à coup et de pâlir sans cause apparente.

Le comte continua à demeurer dans le vieil hôtel du quai d'Anjou où il avait pour tout domestique un valet de chambre et un palefrenier qui prenait soin de ses chevaux, fort à leur aise dans les écuries qui jadis en avaient contenu une vingtaine.

Seulement il avait fait aménager trois ou quatre pièces de l'aile gauche qui lui servaient d'appartement ; le reste était abandonné à la poussière et aux toiles d'araignée.

C'est dans cet appartement que du Barry avait été ramené par le comte de Saint-Germain, son témoin, le jour de son duel avec le chevalier d'Assas.

Saint-Germain n'avait mandé aucun chirurgien : il avait lui-même lavé, sondé, pansé et bandé la plaie à l'orifice de laquelle il avait étalé une couche épaisse d'un onguent balsamique.

– Me voilà au lit pour huit jours, dit alors du Barry avec une sorte de rage ; et cela dans un moment où je donnerais bien huit ans de ma vie pour être libre !...

Saint Germain sourit.

– Dans quelques heures, dit-il, vous serez sur pied.

– Mordieu !... Dites-vous vrai !

– Jamais je ne mens, cher comte !... Et puis, voulez-vous que je vous dise ? je désire autant que vous-même que vous puissiez aller et venir... Ne vous étonnez pas... c'est une idée à moi... Donc, dès ce soir, vous pourrez marcher très raisonnablement ; dans trois jours, vous pourrez monter à cheval ; dans six, vous serez aussi fort de votre bras blessé que de votre bras indemne...

– C'est admirable ! Je sens déjà l'effet rafraîchissant et réparateur de votre baume. Quel merveilleux chirurgien vous êtes !...

Saint-Germain haussa les épaules.

– Ce n'est pas moi qui ai composé ce baume, dit-il ; je n'y ai donc aucun mérite. Je le tiens de Nostradamus qui, lui, était vraiment un médecin transcendant. Il le composa à la prière de Catherine de

Médicis ; cette pauvre Catherine avait toujours peur de quelque coup de poignard, elle qui jouait ou faisait si bien jouer de la dague. Nostradamus travailla cinq ans à ce baume, et le soir où il en trouva la synthèse définitive, il pleura de joie, leva les bras au ciel et s'écria qu'il touchait enfin à l'Absolu...

– Ah çà, comte ! fit du Barry en riant comme il riait dans ses grandes gaietés, c'est-à-dire du bout des dents ; ah çà, on dirait qu'à moi aussi vous voulez faire croire que vous avez connu Nostradamus !...

– Je ne veux rien vous faire croire, dit froidement Saint-Germain ; c'est vous qui voulez à toute force me prendre pour un médecin de génie en me faisant honneur de la composition de ce baume. Et comme jamais je ne mens, la vérité m'oblige à confesser que je le tiens de Nostradamus, tout simplement.

– Tout simplement ! murmura du Barry qui ne put s'empêcher de frissonner.

Et, jetant un ardent regard au comte de Saint-Germain, il reprit :

– Dites-moi, comte, parmi tant de choses que vous savez... et notamment au sujet de Nostradamus... pouvez-vous me dire si... réellement... il a trouvé...

– Quoi donc ? sourit Saint-Germain en faisant chatoyer une monstrueuse émeraude qu'il portait au doigt.

– La pierre philosophale !...

– Non certes, il ne l'a pas trouvée... puisqu'il est mort.

Du Barry eut un geste d'étonnement.

– Sans doute ! continua Saint-Germain, s'il eût trouvé la pierre philosophale, il eût du même coup trouvé l'élixir d'éternité que le vulgaire, dans sa terreur instinctive du mot « éternité », appelle élixir de longue vie. Tout est dans tout, mon cher comte, et l'Absolu est *un*. Sans quoi il ne serait pas l'Absolu. Donc, le pouvoir de créer de l'or et le pouvoir de créer de la vie ne sont qu'un seul et même pouvoir.

– Mais vous, comte, reprit du Barry d'une voix haletante, emporté sur les ailes du mystère vers l'irréalisable féerie ; vous qui, dit-on, avez étudié ces sublimes questions... vous qui avez sondé l'insondable... répondez-moi... que pensez vous ?... que savez-vous ?... peut-on trouver la pierre philosophale ?...

– Pourquoi pas ? dit négligemment Saint Germain. Je vous l'ai dit : tout est dans tout. Le primordial principe de la création se cache dans les replis les plus secrets de la nature. Mais si les précautions de la nature ont été infinies pour cacher son secret, l'audace de l'intelligence ne peut-elle être infinie pour le découvrir ? Eh quoi ! ce que peut accomplir la chaleur du soleil dans les entrailles du sol, l'alchimiste ne pourrait-il le réaliser dans son creuset, alors qu'il a à sa disposition les ressources toutes puissantes du calcul et de l'imagination !

– Oh ! haleta le blessé dont les yeux flamboyèrent, posséder ce secret ! Être riche ! Riche à l'infini !...

– Oui, n'est-ce pas ? Car la richesse infinie, c'est l'infinie jouissance. C'est le droit de concevoir l'irréalisable et de le réaliser sans effort. Que l'imagination la plus fougueuse ouvre toutes grandes ses ailes et s'élance éperdument dans les espaces du rêve ! qu'elle conçoive des plaisirs inaccessibles à l'humanité ! qu'elle recherche des raffinements devant lesquels l'homme recule épouvanté, désespéré de son impuissance ! Celui qui détient la pierre philosophale se fera un jeu de ces plaisirs et de ces raffinements. Tout est à lui. Il n'a qu'à prendre la peine de souhaiter, de désirer ! Puissance, honneur, gloire, amour, tout lui appartient. Les orgies fabuleuses, il les renouvelle avec dédain ; les amours impossibles, il les réalise dès qu'il le veut... Et notez, comte, que la soif de plaisir peut être inextinguible chez cet homme, puisqu'il est éternel, puisque les excès qui tuent les autres ne peuvent l'user, lui !...

Saint-Germain se leva, s'approcha du comte du Barry qui frémissait et dont le front s'inondait de sueur.

– Cet homme, continua-t-il, goûte des jouissances infinies. D'abord, il se rue aux orgies, aux plaisirs des sens. Dans le premier enchantement de sa découverte, il use la moyenne de plusieurs existence à toucher le fond des joies sensuelles : à lui les mets les plus fabuleusement exquis ! à lui les vins que, dans des serres spéciales, ses raisins seuls peuvent donner ! à lui les femmes les plus splendides de la création ! S'il s'en trouve une sur la surface du globe qui soit la plus belle, c'est celle-là qui sera à lui !...

Du Barry haletait, se tordait sous la parole brûlante qui tombait sur son cerveau comme une lave incandescente.

– Bientôt, reprit Saint-Germain, c'est-à-dire au bout de quelques centaines d'années, il songe à d'autres joies. La gloire le tente : il est Raphaël ou Michel-Ange. La puissance attire sa curiosité : il se fait roi. Plus haut ! Toujours plus haut ! Il finit par concevoir, comprendre et réaliser la jouissance absolue. L'homme de plaisir souffre dans ses passions ; l'artiste de génie souffre dans la création de son œuvre ; le haut dignitaire est soumis au ministre ; le ministre est soumis au roi ; le roi est soumis à cette chose énorme, inconnue, qui s'appelle le peuple ; le peuple est soumis à des légions de maîtres, et, pis encore, soumis au travail... Seul, le détenteur du sublime secret, celui qui a accompli le grand œuvre, échappe à l'univers, au peuple, au ministre, au roi, à la mort ! Il est son propre maître, et dans l'exercice de cette liberté sans limites éprouve à chaque seconde qui s'écoule la jouissance sans limites... Alors, du haut sommet où il s'est placé d'un coup d'aile, il contemple le vaste grouillement de l'humanité, écoute la musique infernale des cris de joie et des clameurs de désespoir, et laisse tomber un regard de pitié sur les malheureux qui se tuent à conquérir quelques pauvres millions et, pour arriver à cet humble but, en sont réduits à vendre jusqu'à leur nom !...

Du Barry poussa un cri de terreur. Il se souleva, et bouleversé, hagard, d'une voix rauque, il râla :

– Que voulez-vous dire ? quels sont ces hommes dont vous avez pitié ?... Parlez ! parlez !... en connaissez-vous ?...

– Moi ? Non !... Pourquoi voulez-vous que je connaisse de tels misérables ?...

– Vous disiez...

– Je parlais des jouissances de l'homme qui possède la pierre philosophale, parce que vous m'en avez parlé le premier. N'attachez pas d'autre importance à ce que j'ai pu dire...

– Mais... n'êtes-vous pas... justement... cet homme ?

– Vous êtes étranger, comte. Et je suppose que votre blessure y est pour quelque chose. Eh ! ne peut-on rêver tout haut ? Allons, calmez-vous... sans quoi, vous ne pourrez sortir ce soir...

– Qui vous a dit ? s'écria le comte du Barry épouvanté.

– Vous-même ! fit Saint-Germain en éclatant de rire. Adieu, comte. Je vous verrai demain ; ne vous inquiétez pas de votre blessure, je m'en charge.

Ceci fut dit si cordialement, d'une voix si naturelle, que les soupçons de du Barry se dissipèrent en partie. Demeuré seul, le blessé sommeilla ou fit semblant de sommeiller jusqu'à six heures du soir.

À ce moment, il appela son valet de chambre.

– Habille-moi, lui dit-il.

– Mais votre blessure, monsieur le comte ! s'écria le serviteur.

– Habille-moi toujours.

Et, à part lui, du Barry murmura :

– Plutôt que de ne pas accompagner le roi ce soir, j'aimerais mieux perdre mon bras droit !... Oh ! qu'y a-t-il donc qui l'attire ainsi ?... Vais-je échouer au port !...

Une fois habillé, il fit quelques pas pour essayer ses forces et constata que, malgré un léger étourdissement, il pourrait fort bien marcher. Un sourire d'ironique satisfaction crispa ses lèvres.

– Tout autre que moi, Sire, serait au lit, songea-t-il. Mais moi, aucune blessure ne peut me retenir quand il s'agit du... service de Votre Majesté... J'espère, ô mon roi, que voilà du dévouement !...

Il s'apprêtait à sortir et déjà son valet de chambre jetait son manteau sur ses épaules, lorsqu'on frappa.

Le domestique alla ouvrir : Le Normant d'Étioles entra.

À la vue de du Barry debout, d'Étioles poussa un cri de joie... vraie ou feinte, et s'écria :

– Mes félicitations, très cher !... Comment ! debout ? habillé ?... Je craignais vraiment que cette blessure...

– Une piqûre d'épingle ! fit du Barry dont les sourcils, un instant, s'étaient contractés.

– Ainsi, vous pourrez demain assister à mon mariage ?... Ah ! cher, vous me l'avez promis... Je veux toute la cour pour témoin de mon bonheur... et qu'est-ce que la cour sans le comte du Barry !...

– Je ne sais vraiment si je pourrai...

– Si fait ! si fait ! Vous pourrez, cher ami !... Il faut que vous assistiez à ce spectacle unique, merveilleux, invraisemblable : le pauvre petit d'Étioles conduisant à l'autel la plus radieuse beauté de Paris...

– Est-elle vraiment si belle ?...

– Vous verrez : un pur chef-d'œuvre. Vous viendrez, n'est-ce pas ?

– Je crois décidément que je n'en aurai pas la force, dit du Barry.

– Pourtant, je vous vois gaillard et sur le point de sortir.

– Ce soir, je fais un grand effort parce que Sa Majesté m'attend.

– Ah ! ah ! Le roi vous attend ? fit sourdement d'Étioles.

– Oui, cher ami !

Les deux amis se regardèrent fixement. Et celui qui eût pu étudier, comprendre tout ce qu'il y avait dans ce double regard amical eût reculé, épouvanté, comme on recule devant un abîme ouvert soudain sous ses pas...

La haine, elle aussi a ses abîmes...

– À propos, reprit d'Étioles, persuadé que vous ne pourriez vous lever demain, j'ai justement invité quelqu'un que je me fusse gardé de prier à cette cérémonie si j'avais pensé que vous y pourriez assister... mais au fait, puisque vous ne pourrez pas...

– De qui voulez-vous parler ? demanda le comte en tressaillant.

– De votre adversaire de ce matin... un charmant garçon, ma foi... Mais seule la politesse m'a forcé de l'inviter, puisque je me suis trouvé devenir son second.

– Le chevalier d'Assas viendra donc demain à Saint-Germain l'Auxerrois ?

– À moins que cela ne vous contrarie, cher !

– Moi ? Et pourquoi donc ? Cela me contrarie si peu qu'au contraire je me décide ; demain, je veux apposer ma signature près de celle du chevalier que j'estime grandement... Je ferai pour vous le même effort que je fais ce soir pour Sa Majesté...

De nouveau, les regards des deux amis se croisèrent, chargés de sombres méfiances.

Mais déjà d'Étioles s'exclamait joyeusement, remerciait le comte, lui serrait la main et enfin, prenant congé, s'éloignait en jetant ce dernier mot :

– À demain, midi !... Vous verrez la merveille qu'est la future Mme d'Étioles... le roi lui-même qui passe pour connaisseur...

– Le roi ! interrompit sourdement le comte.

– Oui... le roi lui-même serait saisi d'admiration s'il la voyait... mais il ne la verra pas.

– Pourquoi cela ? fit vivement du Barry.

– Dame, vous savez, cher ami, ce bon cardinal Fleury, qui a fait l'éducation de notre sire, s'est un peu trompé en s'imaginant que son élève passerait à la postérité sous le nom de Louis le Chaste. Et moi je ne tiens pas à lui confirmer à mes dépens le titre de Louis le Bien-Aimé que lui a donné M. Vadé, le poète des Halles...

D'Étioles, sur un dernier signe amical, disparut.

– Qu'a donc voulu siffler cette vipère ? murmura le comte quand il fut seul.

De sa main valide, il pressa son front moite de sueur.

– Oh ! reprit il, ces paroles du comte de Saint-Germain ! Comme elles ont bien évoqué le prestigieux mystère de mes désirs ! Tout ce qu'il m'a dépeint en traits de flamme, je le veux, moi ! Et malheur à qui me fera obstacle ! Malheur à toi, d'Assas ! Et à toi, d'Étioles, si mes soupçons se confirment ! Je broierai, je briserai tout sur mon chemin. Et qu'importe qu'on dise que j'ai passé comme un météore de dévastation, pourvu que je passe !...

IX

Le rêve de Jeanne

Tandis que le comte du Barry se rendait au Louvre, Jeanne, dévorée d'impatience, attendait dans l'angoisse le résultat de la lettre que Noé Poisson avait portée au chevalier d'Assas.

La nuit était venue, et, avec l'obscurité, le découragement descendait dans l'âme de la jeune fille.

Poisson ne revenait pas !... Le chevalier, le sauveur attendu, n'apparaissait pas !

Dans les ténèbres du vaste et somptueux salon qu'elle appelait son atelier, enfouie au fond d'une sorte de large divan, la tête cachée dans ses bras, Jeanne songeait...

À l'aube de la vie, elle se trouvait sous la menace d'un de ces orages qui ravagent une âme avec plus de violence qu'une tempête ne le fait d'une forêt.

Elle aimait !...

Qui ?... Le roi de France.

Et cet amour, c'était l'absorption de son esprit et de son cœur dans une pensée unique, dans un sentiment dominateur.

L'heure est venue de jeter un rayon de lumière dans cette pensée, et d'éclairer en même temps ce sentiment. Faute de cette précaution qu'on voudra bien nous passer, notre récit risquerait de présenter des obscurités, – et nous tenons à être d'autant plus clair que plus nombreuses et plus diverses ont été les appréciations de l'histoire, du roman et du théâtre, sur cette étrange héroïne.

Jeanne-Antoinette n'était pas ce qu'on appelle un caractère contemplatif. C'était un esprit éminemment actif. Or, l'activité de l'esprit, c'est de la curiosité sans cesse en éveil. C'est avec une prodigieuse facilité qu'elle s'assimilait les sensations les plus subtiles. Il y avait en elle une sorte de besoin de bataille qui s'était longtemps traduit par un véritable emportement à tout apprendre : musique, peinture, gravure, littérature, rien ne lui était indifférent ou étranger.

Mais il y avait aussi et surtout une inquiétude perpétuelle dans ce cœur, un insatiable désir de connaître le sentiment le plus délicat, le plus raffiné, le plus élevé.

S'il nous est permis d'employer cette métaphore, nous dirons que Jeanne, alchimiste du cœur, avait souhaité, rêvé, cherché la pierre philosophale de l'amour.

Elle avait vu de près les hommes les plus spirituels et les plus beaux, les plus nobles et les plus riches, sans être touchée. Richesse, beauté, noblesse, elle voulait l'*absolu* de tout cela, et tous les jeunes hommes qu'elle avait étudiés présentaient une imperfection, une tare vite découverte par cet esprit analytique et perçant.

– Eh quoi ! se disait-elle alors, serais-je donc simplement une orgueilleuse petite personne, infatuée de mes mérites vrais ou faux, et ce cœur qui tant aspire à parler demeurera-t-il muet ?... Mon cœur est-il vraiment desséché avant d'avoir fleuri ?... Ou bien le soleil qui doit l'animer n'est-il pas de ce monde ?...

Voilà ce que pensait cette fille extraordinaire, lorsqu'un soir celle qu'elle considérait comme sa mère, Mme Héloïse Poisson, lui dit en la regardant fixement :

– Viens, mon enfant, allons prier... nous aussi !

– Prier ! s'exclama Jeanne étonnée.

– Oui, prier, comme prie Paris tout entier, comme prie le royaume, du nord au midi...

– Prier !... Pourquoi ? Pour qui ?

– Pour le roi !...

Jeanne n'était ni croyante ni incroyante : elle n'avait jamais arrêté sa pensée sur les questions d'au-delà. Quant au roi, il lui était indifférent. Jeanne ne connaissait qu'un dieu et un roi : son caprice. Pourtant, elle suivit Héloïse Poisson jusqu'à la plus proche église.

Le spectacle que présentait Paris tenait du rêve et du prodige : il est demeuré unique dans les fastes de la France. Les rues étaient noires d'une foule énorme, incalculable ; et l'aspect de cette foule était saisissant et ne ressemblait à aucun autre aspect de foule. Des fleuves d'hommes coulaient lentement et silencieusement vers des océans de peuple qui se formaient autour de chaque église. Un vaste murmure indistinct : on parlait bas, comme si Paris eût été la chambre d'un agonisant. Ici, là, un peu partout, de ce silence montait soudain un sanglot ; et, alors, comme à un signal funèbre, les lamentations éclataient, puis tout retombait au silence. Les portes de toutes les églises étaient ouvertes, et les foules qui n'avaient pu entrer s'agenouillaient dans la rue, sous une petite pluie fine.

Quelle catastrophe avait donc frappé ce peuple ? Quelle affreuse calamité le précipitait à cette crise de douleur, de larmes et de prières, qui demeure un des phénomènes les plus étonnants de l'histoire ? Quoi ! Chacune de ces familles avait-elle été visitée par la mort ? Quelle peste, quelle hécatombe ? Quoi, enfin ?

Le roi était malade !...

Qui pourra jamais mesurer les espérances que le peuple avait dû placer en Louis XV ! Ces espérances devaient être infinies comme ses misères, puisque sa douleur si vraie, si auguste et si touchante, éclata avec une telle force !

La déception devait être terrible. Elle porte un nom de tonnerre, et s'appelle : Quatre-vingt-treize !

Mais à l'époque dont nous parlons, Paris en était encore à l'espérance.

Et cette espérance souverainement naïve, cette espérance qui arrache au poète des larmes de compassion, qui stupéfie l'historien et déroute le philosophe, cette espérance d'une nation qui sortait à peine des tyrannies du grand règne et des orgies de la Régence, se traduisait par une douleur imposante à la seule annonce que Louis était malade.

Impressionnable au suprême degré, Jeanne souffrit de toute cette souffrance éparse, elle pleura de voir tant de larmes, et le deuil de Paris endeuilla son âme.

Pendant les quelques jours que durèrent les prières, elle s'exalta peu à peu. Il sembla que toute la douleur de la ville immense fût venue se cristalliser en elle. Son esprit, son cœur, toute sa pensée se donnèrent à ce roi qu'elle n'avait jamais vu, et lorsque la nouvelle se répandit que Louis XV était sauvé, Jeanne pâlit d'une joie puissante et s'évanouit dans les bras d'Héloïse Poisson qui eut alors un singulier sourire.

Dès ce jour, la vie de Jeanne fut fixée.

Ce roi que tout un peuple avait pleuré, ce roi dont la convalescence arrachait à Paris des cris d'allégresse, ce roi qu'un chansonnier avait surnommé le Bien-Aimé, surnom aussitôt adopté par le peuple qui dansait dans les rues, ce roi, n'était-ce pas le héros digne d'amour, le prince Charmant attendu, celui que son cœur espérait, puisque ce cœur n'avait encore voulu battre pour aucun homme si beau, si riche, si noble fût-il ?...

Elle fut éblouie de ce rêve :

Aimer le roi de France !...

Être aimée du Bien-Aimé !...

Et lorsqu'il fit sa rentrée dans Paris, au milieu d'une multitude délirante, lorsqu'elle l'entrevit au fond de son carrosse doré, un peu pâle et souriant, dans le tumulte des cloches et du canon dans la gloire des épées nues qui l'enveloppaient de leurs éclairs, elle demeura toute saisie, toute raidie, les mains jointes, extasiée...

Voilà ce qu'était cet amour qui avait pris ses racines dans les profondes rêveries d'une imagination ardente et qui avait fleuri sous la rosée des larmes de tout un peuple.

Amour presque mystique à son début. Amour qui montait vers un symbole plutôt que vers un homme. Amour qui s'adressa à tout ce qu'il y avait de gloire supposée, de générosité espérée, de grandeur attendue dans cet être lointain, très au-dessus du monde, mystérieux presque et à demi fabuleux qu'on appelait : le roi !

Insistons-y : ce ne fut pas Louis que Jeanne aima d'abord.

Ce fut *le roi* !

Et il est presque impossible à ceux qui, l'histoire en main, n'ont pas reconstitué une époque, d'imaginer ce que ce mot évoquait alors de puissance, de noblesse et de gloire.

Aujourd'hui, un roi n'est qu'un magistrat qu'on discute. Jusqu'à Louis XIII, le roi ne fut guère que le premier gentilhomme du royaume. Louis XIV instaura en France l'idée hyperbolique de roi, c'est-à-dire de l'homme qui est plus qu'un homme, de l'être phénoménal que nul ne songe à discuter et sur lequel on ose à peine lever les yeux ; ce fut de cette idée à demi religieuse que Louis XV hérita.

Son aïeul ne lui laissa pas seulement un royaume ; il lui légua l'idée de royauté.

Et c'est cela qu'aimait Jeanne ! Cette délicieuse petite fille, cette exquise statuette de Saxe, cette mignonne créature qu'on pouvait croire absorbée par le souci des frous-frous, dentelles, soies précieuses, bibelots mignards, eh bien, elle s'était dit qu'elle ne pouvait aimer qu'un homme au monde :

Celui qui représentait la divinité sur terre, presque divin lui-même et objet de l'adoration d'un peuple immense !

Voilà quel était son rêve !...

Un état d'âme, dans un roman, c'est un personnage ; notre devoir de romancier nous obligeait à peindre en quelques traits rapides cet état d'âme.

X

Triste réveil

La nuit était profonde dans le somptueux salon, véritable musée où s'entassaient les œuvres d'art et que Jeanne appelait son atelier. Enfouie au fond du divan soyeux, c'est ce rêve prestigieux qu'évoquait la jeune fille.

– Oh ! murmura-t-elle, avoir conçu de telles magnificences pour mon cœur, et tomber aux bras d'un Le Normant d'Étioles ! Appartenir à ce gnome malfaisant ! Lier ma vie à celle de cette hideur morale et physique ! Je suis perdue ! Nul ne viendra à mon secours ! Ce chevalier d'Assas ! Il a dû recevoir ma lettre... il ne vient pas... il ne viendra pas... je suis perdue !...

Quelque chose comme un sanglot souleva son sein.

Tout à coup elle s'aperçut qu'elle était dans l'obscurité noire, et, frissonnante, elle alluma des flambeaux, comme si elle eût espéré, du même coup, chasser les ténèbres appesanties sur son âme.

Elle était triste à la mort.

Machinalement, elle se mit à son clavecin ; ses doigts fins comme ceux d'une statue d'albâtre coururent légèrement sur les touches d'ivoire ; et, comme elle cherchait un air à chanter, dans le suprême désarroi de son esprit, ce fut la ronde qui se présenta d'elle-même, la ronde qu'elle avait composée pour ses petites amies de l'Ermitage, la ronde que, si follement, si éperdument, elle avait chantée lorsque le roi lui était apparu !

Mais combien triste ! Combien navrée fusa de ses lèvres la jolie mélodie si gaie ! Les paroles, elle les dénatura, la musique sautillante devint une plainte d'une infinie tristesse...

Nous n'irons plus au bois... les lauriers... sont flétris...

La dernière note tomba dans le silence, pareille à un soupir... à une larme de musique.

Le dernier mot se perdit dans un râle étouffé. Elle mit ses deux mains sur ses yeux, et, les coudes sur les touches du clavecin, répéta :

– Flétris à jamais !... comme est flétri mon cœur ! Oh ! perdue, perdue !...

À ce moment précis, Jeanne tressaillit violemment. Elle laissa tomber ses mains de ses yeux et, le cœur bondissant, écouta... on venait d'ouvrir la grande porte de l'hôtel... en bas, il y avait des allées et venues...

– Oh ! si c'était lui !... lui que j'ai appelé à mon secours... le chevalier d'Assas !

Et son angoisse était telle qu'elle demeurait clouée à sa place.

Un murmure indistinct lui parvenait... elle reconnaissait la voix de Noé, puis celle de Mme Poisson... puis la porte, à nouveau, s'ouvrait et se refermait...

Alors, prise d'un espoir insensé, elle courut à la porte de l'atelier, passa sur le palier, se pencha... et soudain, elle vit Mme Poisson qui sortait du petit salon du rez-de-chaussée, un flambeau à la main, et qui montait l'escalier...

Que se passait-il ?

Pourquoi Héloïse Poisson avait-elle jeté un si étrange regard dans le petit salon avant de se mettre à monter ?

Légère comme un sylphe, Jeanne bondit, rentra dans l'atelier, éteignit les flambeaux et se blottit derrière un paravent – précieux bibelot venu à grands frais du fond de la Chine.

Héloïse ouvrit la porte et appela :

– Jeanne, mon enfant, es-tu là ?...

La matrone attendit un instant, puis se retira en grommelant :

– Dans sa chambre sans doute ! Au fait, il vaut mieux la laisser dormir... il est inutile qu'elle sache quel hôte nous abritons ce soir... un hôte qu'on trouvera peut-être mort demain matin... mais est-ce ma faute ?...

Jeanne demeura immobile pendant quelques minutes.

Puis, quand le silence fut redevenu profond dans l'hôtel, quand elle n'entendit plus aucun bruit, elle se glissa à travers les meubles de l'atelier, descendit et s'arrêta devant la porte du petit salon.

Elle éprouvait une insurmontable angoisse.

Pourquoi ? Elle n'eût su le dire !

Il n'y a rien de mystérieux et de redoutable comme une porte fermée derrière laquelle on suppose qu'il se passe ou qu'il s'est passé un événement considérable, peut-être terrible.

Tout à coup elle se décida et ouvrit.

Elle vit un jeune homme couché sur le canapé, et frissonna longuement :

– Le chevalier d'Assas !...

Son premier mouvement fut tout de joie instinctive : il avait donc reçu la lettre ! Il accourait donc à son secours !... Mais quoi ! Immobile ? Comme mort ? Sans souffle ? La figure violacée ?... Oh ! mais il allait mourir !... Seigneur ! Mort, peut-être !

Elle bondit vers lui... Non... il vivait ! Un léger râle s'échappait de ses lèvres tuméfiées, les veines des tempes battaient et gonflaient... Les yeux étaient ouverts, et un rayon de ces yeux atones, vitreux, oui, un rayon d'amour monta vers elle et la fit palpiter...

Elle comprit que ce beau chevalier se sentait mourir ! Elle comprit que sous ce front hardi, intelligent, harmonieux, à la minute tragique de la mort, il y avait pour elle une pensée d'amour pur et d'infini dévouement...

Elle saisit sa main, se pencha :

– Chevalier... m'entendez-vous ?... chevalier d'Assas ?... Oh !... il demeure inerte... il se meurt !... Pourquoi l'a-t-on laissé seul ici, sans secours ?...

Pourquoi la Poisson s'est-elle éloignée ?... Horreur !...

Elle a donc voulu le laisser mourir ?

Toute droite, les yeux agrandis par l'épouvante de ce qu'elle croyait deviner, elle demeura un instant comme pétrifiée...

Puis elle eut ce mouvement de tête qui est un défi à la destinée, un appel de bataille !...

En quelques secondes, elle eut arraché le col qui enserrait le cou du chevalier, lacéré la dentelle de son jabot, ouvert l'habit, mis à nu la gorge et la poitrine...

Un profond soupir gonfla cette poitrine et une larme perla aux paupières de ces yeux étrangement fixes d'où montait, comme du fond d'une tombe, un rayon d'amour...

Jeanne portait toujours sur elle un flacon de sels, puissant révulsif qu'elle fit respirer au jeune homme. Puis, plaçant le flacon de manière qu'il continuât à en ressentir les effluves, elle courut chercher de l'eau, rafraîchit le front et les tempes du chevalier...

Pendant une demi-heure, penchée sur cet agonisant, elle lutta contre la mort. Vaillante, obstinée, silencieuse, variant de minute en minute les soins tout instinctifs qu'elle imaginait, elle procéda d'intuition avec toute la souple habileté qu'eût déployée un grand médecin.

Cette vierge ne songea pas un instant à s'offenser de cette poitrine d'homme qu'elle avait mise à nu. Elle n'était plus une femme, une jeune fille : elle était l'ange sauveur qui arrache un être à la mort. Pendant ces terribles minutes, elle oublia son propre malheur.

Bientôt, cependant, la respiration du chevalier d'Assas devint moins haletante. Sa figure prit une teinte plus pâle ; la redoutable couleur violacée disparut ; et il parut évident que tout danger de suffocation était écarté.

Une heure se passa encore, pendant laquelle les yeux gardèrent cette effrayante immobilité, cet aspect vitreux qui est le signe de l'anéantissement de l'intelligence.

Puis, peu à peu, la pensée rayonna dans ce regard :

Une pensée de reconnaissance et d'amour !...

Jeanne sourit.

– Vous voilà sauvé, dit-elle. Vous m'entendez, n'est-ce pas ? Vous me comprenez ?...

Les yeux du chevalier, lentement, doucement, se tournèrent vers la main de la jeune fille.

Elle comprit !

Elle posa ses doigts fins sur les lèvres brûlantes, et, dans un effort de l'amour, ces lèvres parvinrent à déposer un baiser sur la main qu'on leur offrait...

Alors l'âme du chevalier se noya dans une sorte d'extase ; sa pensée put mesurer l'énorme fatigue qui enlisait son cerveau ; il comprit qu'il allait s'endormir... sans pouvoir prononcer un mot de remerciement, sans pouvoir exprimer, fût-ce par un souffle, les sentiments qui débordaient de son cœur.

Alors, aussi, par un rapide et violent retour sur elle-même, Jeanne songea que le lendemain, dans quelques heures, elle serait entraînée à l'église et qu'elle appartiendrait à jamais au malfaisant gnome qu'elle haïssait, dont le seul aspect lui causait une insurmontable horreur !...

Et celui qui pouvait la sauver était là, sous ses yeux... impuissant !...

Oh ! il fallait à tout prix réveiller cette torpeur !...

D'Assas fermait les yeux : la réaction naturelle se produisait ; le sommeil s'emparait de lui, invincible, inévitable... non pas ce sommeil qui suit les veilles prolongées et contre lequel on peut encore lutter, mais une sorte d'écrasement de la pensée meurtrie...

– Chevalier, murmura Jeanne, écoutez-moi... par pitié...

D'Assas avait vaguement entendu sans doute. Cet appel à sa pitié galvanisa une seconde son esprit. Il entrouvrit les yeux.

Tragique seconde où se décida la destinée de celle qui devait s'appeler la Marquise de Pompadour ! Si le chevalier d'Assas avait pu écouter ! S'il avait pu se lever ! Nul doute qu'il n'eût dans la nuit même provoqué Le Normant d'Étioles ! Nul doute qu'il ne l'eût tué ou obligé à renoncer au mariage ! Et alors qui sait ce qui fût arrivé ! Qui sait si Jeanne, touchée par cet amour si jeune, si pur, si fougueux, n'eût pas uni sa vie à celle du chevalier d'Assas !... Alors, il n'y eût pas eu de marquise de Pompadour ! Alors bien des choses eussent été changées dans le règne de Louis XV !...

Ce n'était donc pas seulement le drame de deux cœurs qui se jouait là, dans ce petit salon trop pimpant, aménagé par le faux goût d'Héloïse Poisson !

C'était une page de l'histoire de la France – et de l'humanité – que le Destin tournait là !...

Haletante, la gorge serrée par l'angoisse, Jeanne se pencha, saisit les deux mains du chevalier d'Assas.

– Vous avez reçu ma lettre, n'est-ce pas ?... Et vous êtes accouru ?... Oh ! merci !... vous m'entendez, n'est-ce pas ?... Par grâce ! Par pitié ! Faites-moi un signe qui me dise que vous me comprenez !...

Un violent effort crispa le charmant visage du chevalier.

Ses paupières se soulevèrent lourdement.

Puis tout, en lui, s'affaissa de nouveau.

– Oh ! râla Jeanne, vous ne m'entendez donc pas !... Chevalier !... Ma lettre ! Rappelez-vous ce que vous dit ma lettre !... Je suis perdue si vous ne me secourez !... Je vais vous dire... on veut me marier... je hais cet homme... ce mariage me tue... Oh ! il ne m'entend pas !... Chevalier !... si je n'épouse pas cet homme, mon père va à la Bastille... à l'échafaud peut-être !... entendez-vous ! mon père !... Et je ne veux pas l'épouser, moi ! Il me fait horreur !... Si je l'épouse, je meurs ! Et il faut que je l'épouse ! Ma mort ou celle de mon père ! Il faut que je choisisse !... Oh ! vous me laisserez donc mourir !... Dire que j'ai placé en vous toute ma confiance ! Je vous attendais comme un Dieu !... Chevalier ! Chevalier !...

Maintenant, elle était tombée à genoux.

Elle priait, suppliait, sanglotait devant ce canapé où gisait le jeune homme insensible, le pauvre chevalier qui eût donné sa vie pour une de ces larmes, et qu'un phénomène de réaction physique condamnait à la terrible immobilité, la vie suspendue, la pensée arrêtée, tous les sens enlisés dans un invincible sommeil qui le sauvait, – et perdait Jeanne !

Le drame était poignant.

Ce fut l'horrible lutte d'un esprit excessif en toutes ses expansions contre une fatale et implacable rigueur de la nature... Et ce fut la nature, indifférente, hélas ! aux peines de nos cœurs, qui l'emporta !

La victoire fut au sommeil !... Le chevalier ne s'éveilla point !...

À bout de forces, Jeanne s'évanouit, la tête presque sur la poitrine du chevalier.

Et pour qui n'eût pas connu l'affreuse tragédie qui se déroula en cette nuit, pour un peintre de grâces et de gentillesses, pour un Boucher, pour un Greuse, pour un Watteau, c'eût été un adorable spectacle que celui de ce jeune homme si beau, au front si pur et si noble, qui dormait paisiblement, avec, sur son sein, la tête exquise de cette jeune fille...

Deux amoureux, sans doute !...

Ou plutôt deux jeunes époux, réfugiés dans le coquet salon tout plein de mignardises, semblables eux-mêmes à deux fragiles et gracieuses conceptions de porcelainiers de l'époque... et qui s'étaient endormis là, dans un baiser, n'ayant plus la force de regagner la chambre nuptiale !...

Pauvres petits !...

L'histoire s'est montrée cruelle pour l'une... Il est vrai que le dévouement héroïque du chevalier d'Assas, par contre, s'est imposé à son admiration.

Nous qui ne voulons pas prendre parti, nous que les faits de guerre n'émeuvent pas, mais qui ne voulons pas entrer dans la querelle historique au sujet de celle qu'on a appelée « la Pompadour », nous nous contentons de les montrer tous deux, de mettre à nu leur cœur et de dire à ceux qui veulent bien nous suivre dans ce récit :

– Voyez... et ayez pitié !...

Lorsque Jeanne revint de son évanouissement, elle jeta un regard sur la pendule de Saxe qui se dressait au-dessus des rosaces et des festons du marbre de la cheminée : il était plus de quatre heures du matin !

Jeanne, d'abord étonnée de se retrouver là sur ce tapis, près de ce canapé, passa ses mains sur son front.

Mais son esprit subtil et combatif, promptement, chassa les dernières nuées qui l'obscurcissaient.

Jeanne se souvint !... Hélas !...

– Quatre heures ! murmura-t-elle. Voici venu le jour de douleur et d'horreur ! Ô mon beau rêve, adieu ! Adieu, chères pensées de prestige et de gloire ! Adieu, amour surhumain que j'avais caressé ! Je ne serai que Mme d'Étioles... Ô infamie !...

Elle se releva, laissa tomber ses yeux d'angoisse et d'épouvante sur le chevalier d'Assas – immobile statue pétrifiée !... Ah ! le policier avait raison de s'en vanter ! On ne revenait de ses coups de massue qu'au bout de bien longtemps... quand on en revenait !...

Un instant, elle eut la pensée d'essayer encore de galvaniser la statue...

Puis, de nouveau, son regard s'étant reporté sur la pendule, elle balbutia, éperdue :

– Trop tard ! Trop tard ! L'heure implacable approche !... Pauvre chevalier d'Assas ! Il était pourtant accouru à mon appel ! Quelle inexorable fatalité s'est mise entre lui et mon bonheur ?... Qui sait !... Maintenant, il est trop tard, je suis condamnée... Adieu, chevalier d'Assas !...

Elle se pencha, et, du bout des lèvres, dans un souffle, déposa un baiser léger sur le front de marbre du jeune homme. Dans son sommeil, le chevalier eut un violent tressaillement. Les lèvres s'agitèrent comme pour formuler de confuses pensées nées dans son rêve. Son front se contracta. Et deux larmes brillantes perlant à ses paupières glissèrent sur ses joues...

– Trop tard ! Trop tard ! répéta Jeanne.

Doucement, le regard attaché sur le chevalier, elle se recula, gracieuse et légère apparition, atteignit la porte, s'effaça, disparut, s'évanouit comme l'ombre d'un joli songe d'amour !...

XI

Saint-Germain-l'Auxerrois

Le chevalier d'Assas sortit de sa longue torpeur comme la demie de neuf heures sonnait à la pendule. Bien que sa tête fût lourde encore et ses idées confuses, il n'éprouva aucun étonnement à se retrouver sur ce canapé. Il avait gardé un souvenir assez exact de ce qui lui était arrivé ; vaguement, il se rappelait avoir vu à un moment une forme féminine se pencher sur lui, et s'il n'avait aucune mémoire des paroles qu'elle avait prononcées, du moins il pouvait s'affirmer que cette femme, cette jeune folle... c'était celle qu'il était venu chercher rue des Bons-Enfants !

Il souleva la tête qui retomba pesamment.

Au bout de quelques tentatives, il put s'asseoir et regarder autour de lui.

Le sens des choses lui revenait rapidement.

La vie affluait en cette généreuse nature.

Bientôt il put se lever, se tenir debout... Et alors il sourit.

– Ainsi, murmura-t-il, j'ai été transporté chez elle !... Je suis chez elle !...

Il n'eût pas donné sa place pour le trône de France !

– Bénie soit, continua-t-il, cette main brutale qui m'a asséné ce rude coup ! Morbleu, quel coup ! J'en suis encore tout étourdi ! Mais qui m'a frappé ?... Bah ! quelque voleur !... Ami voleur, je te remercie ! Grâce à toi, je suis dans cette maison dont je n'eusse jamais osé franchir le seuil !...

Machinalement, il se tâta, se fouilla, et il tressaillit en constatant que ni sa bourse ni sa montre n'avaient disparu ! Ce n'était donc pas un voleur qui l'avait attaqué ?...

Ses souvenirs se firent plus précis. Il pâlit. Le roi ! Il se rappelait qu'au moment où il avait reçu le coup qui l'avait étendu raide sur la chaussée, il venait d'apercevoir Louis XV embusqué sous le portail de l'hôtel d'Argenson et regardant ces mêmes fenêtres qu'il était, lui, venu contempler !

– C'est un homme du roi qui m'a donné ce coup ?... Que faisait là le roi !...

Mais il secoua la tête. Le roi... Eh bien, le roi sortait de chez son ministre, pardieu ! qu'y avait-il là d'étonnant ? Et qu'allait-il donc imaginer !...

Il se mit à rire avec cette adorable et sublime confiance qu'on n'a qu'à vingt ans.

Et puis sa tête était faible encore.

D'instinct, il repoussait les complications.

– Que diable vas-tu chercher là ! Plains-toi donc ! Tu es chez elle ! Tu as été soigné par elle ! Car c'est bien elle qui m'est apparue... elle s'est penchée sur moi... elle m'a parlé... pour me plaindre sans doute !... Il me semble encore sentir sur mon front brûlant la délicieuse sensation de sa main... Oh ! moi... je me souviens !... Cette main, cette chère main si fine, si jolie, ne me l'a-t-elle pas donné à baiser !... Anges du ciel ! Est-ce qu'elle m'aimerait !...

Il fut si étourdi de cette pensée qu'il dut s'appuyer à la cheminée vers laquelle il s'était dirigé.

Dans cette position, il s'aperçut dans la glace, tout pâle de son bonheur...

– Elle m'aime ! murmura-t-il. Il est impossible qu'il en soit autrement ! Elle m'aime ! Elle va venir ! Sûrement, elle va entrer ici... Que lui dirai-je ?... Voyons, je lui dirai... Non ! je ne lui dirai rien, simplement, je me mettrai à genoux devant elle.

En parlant ainsi, il réparait le désordre de sa toilette, rajustait sa dentelle, boutonnait son habit.

Dix heures sonnèrent. Il s'assit.

– Le joli salon ! fit-il en souriant ; comme tout est gracieux ici ! Quel joli cadre pour tant de beauté !... Ah çà... mais elle est donc riche ?...

Un nuage passa sur son front.

Il était pauvre, lui !...

Mais, comme nous l'avons dit, le chevalier d'Assas était décidé pour le moment à repousser toute complication. Si elle était riche, d'ailleurs, n'avait-il pas sa bonne épée ? Est-ce qu'on ne se battait pas à la frontière ? Est-ce que la gloire ne vaut pas l'argent ?...

Cependant, le temps passait. Le chevalier tenait ses yeux fixés sur la porte. Et cette porte ne s'ouvrait pas ! Bien mieux, un silence étrange pesait sur toute la maison, comme si elle eût été abandonnée. Il n'entendait pas ces craquements de parquet, ces bruits sourds de portes qui s'ouvrent, ces murmures lointains qui constituent la vie d'une maison. Tout était mort !...

À la longue, ce silence devint angoissant.

Que se passait-il ?...

D'Assas voulut le savoir à tout prix. S'étant levé, il constata que sa tête était maintenant dégagée, sauf une lourdeur qui persistait à la tempe. Il se sentit fort, solide, prêt à tout entreprendre, s'il y avait quelque chose à entreprendre !...

Il se dirigea en hésitant vers la porte, l'ouvrit, et vit qu'elle donnait sur un somptueux vestibule où commençait l'escalier qui montait à l'étage supérieur.

À sa grande surprise, et presque à sa terreur, il vit que la grande porte de la rue était ouverte. Il vit les passants aller et venir dans la clarté gaie de la rue. Le tapis du vestibule était parsemé de fleurs, comme s'il y eût eu une fête... Devant le grand portail, un tapis était placé.

Une poignante angoisse étreignit le cœur du chevalier.

Il s'avança dans le vestibule et se hasarda à appeler.

Aussitôt un valet en grande tenue apparut. Cet homme se tenait sur le pas de la porte, dans la rue. En apercevant le chevalier, il s'écria, avec cette familiarité des laquais de grande maison :

– Ah ! Ah ! vous voilà sur pied, mon officier ! Eh bien, tant mieux ! car madame...

– Madame ? interrompit le chevalier.

– Eh ! oui, Mme Poisson !

– La mère de...

– De Mlle Jeanne... parfaitement, mon gentilhomme !

– Jeanne ! songea d'Assas. Elle s'appelle Jeanne !... Dites-moi, mon ami, ajouta-t-il tout haut, ces dames sont sans doute sorties ?... Je voudrais pourtant leur offrir mes remerciements...

– Tout le monde est à l'église, fit le laquais en secouant la tête.

– À l'église ? murmura le chevalier en frissonnant.

– Oui, tout le monde... depuis monsieur et madame jusqu'au dernier valet, depuis Mme du Hausset jusqu'à la dernière fille de chambre... je suis resté seul pour garder l'hôtel... C'est moi le concierge ! termina le laquais en se redressant.

– Quelle église ? balbutia le chevalier en essuyant la sueur froide qui coulait sur son front.

– Saint-Germain, donc !... l'église de la paroisse, Saint-Germain-l'Auxerrois !...

Le chevalier fit un geste de remerciement et sortit, la tête bourdonnante, courant presque.

– Au diable le jeune fou ! pensa le laquais. J'allais lui expliquer le mariage de mademoiselle, ce qui l'eût intéressé à coup sûr, et ce qui m'eût fait, à moi, passer cinq minutes...

– Pourquoi est-elle à l'église ? se demandait d'Assas.

Cette question, il eût été bien simple de la poser au digne concierge. Mais ce mot d'église avait bouleversé le chevalier, et la question s'était étranglée dans sa gorge. Il pressentait un malheur, et jusqu'à la dernière seconde, il voulait garder l'espérance.

À l'église !... ce n'était ni dimanche ni jour de fête...

On va à l'église pour un enterrement... mais non ! il y avait des fleurs plein le vestibule, et le concierge avait un air de fête...

On va aussi à l'église pour un mariage !...

Le chevalier s'arrêta court et devint très pâle. Des gens qui passaient près de lui l'entendirent qui disait presque à haute voix :

– Eh bien, oui, un mariage ! Et puis après ? Pardieu, elle assiste au mariage d'une de ses amies, voilà tout ! Que diable vais-je chercher ? Quelle vraisemblance dans tout ce que j'ai vu et entendu y a-t-il que ce soit son mariage à elle !... Allons donc !...

Il se remit à courir ; et comme il débouchait non loin de l'église, les cloches se mirent à sonner joyeusement ; le grand portail s'ouvrit tout large, laissant passer au dehors des bouffées de la marche triomphale que les orgues attaquaient...

Devant ce portail ouvert, d'Assas demeura pétrifié.

Dans la vague obscurité de l'église, il vit une foule élégante, merveilleux costumes de cette époque qui fut le triomphe du « joli » sur le « beau », gracieux ensemble de broderies, de velours et de satins, couleurs claires, robes à falbalas, jabots de dentelles précieuses, épées de parade à poignées incrustées de diamants, tout un décor théâtral sur le fond lumineux des cierges de l'autel et des tapisseries dont l'église s'était parée...

Alors, au son des cloches sonnées à toute volée, au rythme majestueux scandé par les orgues, un cortège s'organisait, précédé par un suisse gigantesque, passant dans la haie des invités que courbait, comme un souffle d'harmonie, le même salut aux épousés qui s'avançaient !...

Le chevalier regardait cela, un vague sourire aux lèvres.

Dans cette foule, il cherchait Jeanne, et ses yeux allaient très loin, jusqu'à l'hôtel illuminé.

Soudain, le suisse parut dans la pleine lumière du jour.

Et il s'effaça...

Les épousés furent visibles...

Une légère secousse agita d'Assas. Il s'appuya à un arbre. Quelque chose comme une plainte monta à ses lèvres. Livide, hagard, il tenait ses yeux angoissés sur la belle épousée qui, lente et tremblante, toute pâle dans la magnificence des dentelles, s'avançait vers les voitures, donnant la main à l'époux !

– Jeanne ! râla d'Assas. Jeanne !... Elle !... Je ne rêve pas ! L'atroce réalité est bien là sous mes yeux !... L'aventure est effroyable !... mais que vais-je devenir, moi !... Mais je l'aime ! je l'aime ! oh ! insensé ! insensé !...

Devant la foule rassemblée, il se raidit un instant, chercha à admettre « l'aventure »...

Et son regard, par un violent effort, se détourna de Jeanne, chercha l'époux !...

– Le Normant d'Étioles !

Et il le vit, si laid, si affreux avec son sourire sarcastique, ses yeux mauvais, son front têtu, sa taille déjetée ; il le vit si insolent dans son triomphe, dans la splendeur de son costume semé de perles et de pierreries, – toute une fortune sur un habit ! – il le vit dans une telle hideur mise en valeur par la fragile et si délicate beauté de l'épousée, qu'une colère, une révolte furieuse se déchaînèrent en lui !

Quoi ! c'était là le mari de Jeanne... Quoi ! cet être dont il avait eu pitié !... Quoi ! cette idéale créature s'unissait à ce monstre ! Ah ! sans aucun doute l'immense richesse du monstre avait conquis cette fille ! Une fille ! oui ! Une fille ! Pas de cœur, pas d'âme dans cette poupée ! Elle ne se donnait pas ! Elle se vendait !... Et lui ! lui le pauvre chevalier sans fortune ! lui qui n'avait que son épée et la poésie de ses rêves à offrir !... Il avait osé espérer !... Il avait fait ce doux songe !... Ah ! la chute était terrible !... Il avait cru aimer un ange : il s'était heurté à une fille !... Oh ! mais il allait lui dire, lui crier à la face de tous...

Il fit rapidement trois pas en avant.

Ces trois pas le portèrent en présence des épousés.

Sa gorge se serra ; ses paupières se gonflèrent comme si des larmes allaient en jaillir, mais en réalité ses yeux demeurèrent secs et hagards. Il chercha le regard de Jeanne. Il chercha la parole qui devait traduire son désespoir et sa révolte...

Et dans cette seconde à peine saisissable, il vit que le regard de Jeanne se levait... se perdait... là-bas quelque part ! Jeanne ne le voyait pas ! Jeanne regardait quelqu'un, au loin, derrière lui !...

D'instinct, tout d'une pièce, il se retourna.

Et il vit !...

Sur le large balcon du Louvre, entre deux colonnes, c'était une dizaine de gentilshommes de la cour... et, en avant de ces gentilshommes, quelqu'un qui se penchait, un peu pâle, et regardait Jeanne !... Et ce quelqu'un, c'était Louis XV !...

– Le roi ! balbutia d'Assas éperdu de ce qu'il entrevoyait. Le roi qui, cette nuit, était sous ses fenêtres !...

Avec cette rapidité et cette sûreté de mouvement que les hommes de décision ont dans les moments de crise, il s'effaça, attacha ses yeux sur Jeanne...

L'épousée avait vu le roi !

Ses yeux demeuraient rivés sur le balcon du Louvre !

Lentement elle porta jusqu'à ses lèvres le bouquet blanc qu'elle tenait à la main.

Peut-être la pauvre enfant oubliait-elle en cette suprême minute la définitive cérémonie qui venait de s'accomplir, et où elle se trouvait, et que des centaines de regards étaient fixés sur elle !...

Tout à coup, elle regarda autour d'elle...

Alors, elle se rappela sans doute !

Ses yeux, vers le balcon, jetèrent un adieu désespéré, et, avec une plainte d'enfant qui meurt, elle chancela, se laissa tomber en arrière, évanouie.

– Malheur ! malheur sur moi ! râla le chevalier d'Assas. Elle aime le roi !...

Il demeura un instant ébloui par la terrible lumière qui envahissait son esprit, écrasé par la catastrophe qui s'abattait sur son amour.

Dans cet instant, au moment même où Jeanne tombait, il vit un homme faire un pas et la recevoir dans ses bras. Le visage de cet homme était bouleversé par la douleur et peut-être par la colère. Il saisit, il enleva la jeune femme, la déposa dans une voiture où l'époux, Le Normant d'Étioles, s'élança en même temps.

Cet homme qui venait de prendre Jeanne dans ses bras, cet homme dont la noble figure penchée sur l'épousée présentait tous les signes d'une inquiétude affreuse, c'était Armand de Tournehem... le père de Jeanne !...

– Oh ! gronda-t-il, est-ce que je me serais trompé ?... Est-ce que j'aurais fait le malheur de mon enfant ?...

Et, comme le chevalier, il murmura à son tour :

– Oh ! alors, malheur ! malheur sur moi !...

Seul le mari souriait de son affreux et immuable sourire.

Tout cela, le chevalier d'Assas le vit dans un coup d'œil ; cela dura quelques secondes à peine, puis il vit la voiture des époux s'élancer, puis les invités à leur tour disparurent, puis la foule qui s'était amassée se dissipa... puis, enfin, la porte de Saint-Germain-l'Auxerrois se referma...

D'Assas était demeuré à la même place, les mains jointes.

Un profond soupir gonfla sa poitrine.

Il jeta un morne regard sur le balcon du Louvre et vit que le roi avait disparu...

Alors, il murmura :

– C'est fini !... Tout est fini pour moi !...

Il fit quelques pas en chancelant. Ses dents claquaient. Il répétait, sans savoir :

– Elle aime le roi... c'est fini... tout est fini !

Le chevalier ne vit pas deux gentilshommes qui avaient semblé faire partie du cortège nuptial, mais qui ne s'étaient pas éloignés en même temps que les voitures. À demi cachés dans l'angle de la ruelle des Prêtres, ils n'avaient pas perdu des yeux d'Assas et avaient suivi chacun de ses mouvements.

De ces deux gentilshommes l'un s'appelait Berryer et était lieutenant de police. L'autre, c'était le comte du Barry !...

Le lieutenant de police, au moment où la foule se dissipa, fit un signe.

Le chevalier d'Assas, tout à coup, se vit entouré par cinq ou six individus à mine patibulaire.

L'un d'eux ôta son chapeau, exhiba un papier et dit :

– Pardon, mon officier. Vous êtes bien monsieur le chevalier d'Assas, cornette au régiment d'Auvergne, en congé à Paris ?...

– Je suis bien celui que vous dites ! répondit le chevalier d'une voix morne.

Alors l'homme remit son chapeau et dit :

– Au nom du roi, je vous arrête !...

XII

Nuit de noces

Quai des Augustins, à cent pas de l'hôtel de Tournehem, se dressait une vaste et magnifique demeure qui avait été édifiée sous Louis XIV par le marquis de Nesles, prince d'Orange. Disons-le en passant : c'est là qu'en l'année 1717 était née cette grande coquette qui s'appela la marquise de la Tournelle, duchesse de Châteauroux, laquelle, après avoir longtemps régné sur le cœur de Louis XV, devait mourir deux mois après les événements que nous racontons, – mort demeurée mystérieuse à tout jamais. Pour le moment, Marie-Anne, duchesse de Châteauroux, venait d'être chassée de la cour d'une façon presque ignominieuse. Et, en femme prudente, elle s'apprêtait à gagner l'étranger après avoir « réalisé » l'énorme fortune qu'elle avait puisée dans les coffres de Louis XV.

Car Louis XV payait royalement ses amours : le peuple était là pour combler le déficit !...

Bref, au mois de septembre de cette année 1744, la fameuse duchesse vendit l'hôtel à un singulier homme qui paya sans marchander et prétendit simplement s'appeler « monsieur Jacques ».

Il est probable que ce « monsieur Jacques » n'agissait pas pour son propre compte. Car le lendemain du jour où fut signé le contrat de vente, Le Normant d'Étioles vint visiter la maison, suivi de deux ou trois architectes et d'un maître tapissier, lesquels lui parlaient chapeau bas. M. d'Étioles donna ses ordres. De pièce en pièce, d'escalier en escalier, depuis la cour jusqu'au grenier, il indiqua avec précision ce qu'il comptait faire de la superbe demeure qu'il appelait une bicoque.

Dès le jour même, une armée d'ouvriers se mit à l'œuvre, travaillant jour et nuit.

Dès que les maçons sortaient d'une pièce, les peintres l'envahissaient, puis les décorateurs, puis les tapissiers ; en un mois et demi l'hôtel fut transformé : ce fut une merveille. Ce caprice coûta un million au puissant sous-fermier. Mais M. d'Étioles ne s'en inquiéta pas. À cette époque, roi, ministres, traitants, fermiers, tout ce monde jetait l'argent par les fenêtres. Quand les coffres étaient vides, le peuple s'enfonçait d'un nouveau degré dans la misère ; la famine sévissait avec plus d'intensité ; on mourait, – mais on payait : et tout était dit !

Quand l'hôtel fut prêt, Le Normant d'Étioles y jeta une profusion de bibelots d'art, bronzes, statues, porcelaines précieuses, flambeaux aux cuivres ciselés ; des meubles d'une fabuleuse magnificence, – citons le lit de la grande chambre à coucher qui, avec ses Amours sculptés et ses appliques, coûta quatre cent mille francs –, des tableaux de la vieille école arrachés à prix d'or aux collections célèbres ; des vitrines où s'entassèrent les mille créations des manufactures de Saxe.

Une vaste pièce donnant sur la Seine fut exactement disposée comme l'atelier de la rue des Bons-Enfants : mêmes dimensions, mêmes dispositions, même décor ; des meubles identiques y occupèrent les mêmes places ; à coup d'argent, le sous-fermier se procura jusqu'aux moindres bibelots de Chine et du Japon qui garnissaient le célèbre atelier, mais à ce point pareils et si bien placés de la même façon qu'une personne transportée les yeux bandés de la rue des Bons-Enfants au quai des Augustins eût pu demeurer convaincue qu'elle n'avait pas changé de maison. C'était une reproduction parfaite, au point que Jeanne elle-même s'y fût trompée.

Lorsque tout fut terminé, on se trouvait à l'avant-veille du mariage.

D'Étioles, dans la journée, embaucha la domesticité, ne s'en rapportant à personne du soin de choisir femmes de chambre, valets, cochers, cuisiniers.

Dès lors, tout fut prêt pour recevoir l'épousée.

Cet hôtel, en effet, ces transformations, ce luxe inouï, ce faste royal, tout cela, c'était pour Jeanne !...

Ce fut vers cet hôtel qui cessa à cette époque de s'appeler « l'hôtel de Châteauroux » pour porter le nom d'Étioles, ce fut vers cette féerique demeure que la voiture nuptiale emporta, à leur sortie de Saint-Germain-l'Auxerrois, M. de Tournehem, Le Normant d'Étioles et Jeanne évanouie.

Les invités suivaient. Et dans cette foule élégante qui faisait escorte à la fortune du sous-fermier, nul ne songea à commenter l'incident : on supposa que l'émotion avait frappé « cette pauvre petite » et l'on parla surtout des merveilles de la corbeille.

Lorsqu'on arriva à l'hôtel d'Étioles, Jeanne n'était pas encore revenue de sa syncope.

Cette fois encore, ce fut Tournehem qui la prit dans ses bras et la transporta dans un boudoir.

– Non, pas là, mon cher oncle, dit d'Étioles.

Et il ouvrit la porte de la pièce qui était l'exacte reconstitution de l'atelier de Jeanne.

– Je vous laisse ma femme, ajouta-t-il. Ce ne sera rien, j'en suis sûr. Moi, je vais rendre nos devoirs à nos invités.

Si le cœur de Tournehem eût été moins angoissé par les pressentiments qui l'assiégeaient, sans doute il eût trouvé étrange cette attitude d'un si heureux époux qui eût dû se montrer plein d'inquiétude.

D'Étioles disparut, et, comme il l'avait dit, se rendit en effet dans la grande salle des fêtes – salle de réception. Il était souriant, et comme on lui demandait des nouvelles de la jeune mariée, il ordonna à l'orchestre d'attaquer une gavotte. En lui-même il songeait :

– Qu'elle parle maintenant, si elle veut !... Je les tiens tous deux... le père et la fille !...

Armand de Tournehem avait déposé Jeanne sur un canapé. Il était épouvanté – non de l'évanouissement même, mais des causes qui avaient pu le provoquer. Il savait toute la force de caractère, toute la puissance de volonté qui résidaient sous cette enveloppe gracile, fragile en apparence. Non, Jeanne n'avait pu s'évanouir d'une émotion de jeune mariée !

Mais alors, qu'y avait-il ?

– Un mystère que je percerai, murmura ardemment Tournehem. Et alors, malheur à celui qui...

À ce moment, sous ses soins paternels, Jeanne rouvrait les yeux.

Elle se vit dans son atelier, et revenant à elle avec toute la promptitude d'esprit qui lui était coutumière :

– Ah ! mon père, s'écria-t-elle en se blottissant dans les bras de

Tournehem, merci, merci de cette bonne pensée que vous avez eue.

– Quelle bonne pensée, mon enfant ?

– Celle de me transporter ici... Mais il me semble que j'entends des musiques... un air de danse... Oh ! faites-les taire... je vous en supplie... Pourquoi les musiciens sont-ils ici au lieu de se trouver à l'hôtel d'Étioles ?...

– Voyons, enfant, dit Tournehem en serrant la jeune fille sur sa noble poitrine angoissée ; entendons-nous... expliquons-nous, veux-tu ? Tu vas tout me dire, n'est-ce pas ? Ton chagrin, je veux le connaître... Je veux savoir... Écoute-moi bien... Et d'abord, sache que nous sommes à l'hôtel d'Étioles...

Jeanne bondit, regarda autour d'elle.

– Mon atelier ! murmura-t-elle. C'est pourtant mon atelier, je ne rêve pas...

Elle courut à la fenêtre et elle étouffa un soupir d'amère déception ; la fenêtre donnait sur la Seine, et non sur la rue des Bons-Enfants.

– Une surprise que te fait ce brave Henri, dit Tournehem. Cette pièce est l'exacte reproduction de celle que tu aimais tant... mais elle se trouve bien dans l'hôtel d'Étioles. Ah ! çà ! ajouta-t-il avec un sourire navré, mais on dirait que tu espérais... que tu croyais... Voyons... viens t'asseoir... là... sur mes genoux, comme autrefois lorsque tu étais toute petite... quand je venais te voir... entre mes longs voyages... Alors, enfant, tu mettais tes bras autour de mon cou... tu posais ta chère petite tête blonde sur mon épaule... et, levant vers moi tes yeux lumineux, tu me souriais... comme si tu avais vraiment connu l'inapaisable douleur de ma vie... comme si tu avais voulu me donner une précieuse consolation... Et alors, ma Jeanne, ma fille adorée, je sentais en effet mon désespoir s'apaiser et mes remords se fondre comme la glace sous le sourire du soleil... Tu réchauffais mon âme...

Jeanne s'était assise, avait mis ses bras autour du cou de son père et laissé tomber sa tête sur son épaule.

Mais elle ne levait pas les yeux ; elle ne souriait pas : elle pleurait doucement, sans bruit.

Tournehem garda un moment le silence, puis tout à coup,

gravement, il demanda :

– Jeanne... ma bien-aimée, pourquoi pleures-tu ?...

– Taisez-vous, père... oh !... taisez-vous !...

– Jeanne ! je veux savoir pourquoi tu pleures ! Le serment que je fis à la pauvre morte de l'Ermitage ; le serment que, devant toi, j'ai renouvelé sur la dalle qui couvre son éternel sommeil, Jeanne, je le tiendrai ! J'ai consacré ma vie à ton bonheur : tu seras heureuse !... Réponds-moi, mon enfant... réponds-moi seulement par oui et par non... je veux t'éviter jusqu'au chagrin pénible d'un aveu... je veux chercher pour toi... Voyons.

Il parlait d'une voix grave, douce, tendre, et mettait son énergie à ne pas trembler.

– Voyons... est-ce que ce mariage te déplaît ?

Par un prodigieux effort de tout son être raidi. Jeanne parvint à ne pas tressaillir...

Seulement, elle continua de pleurer, doucement.

– Tu as pu te tromper... ces choses-là arrivent... C'est cela, n'est-ce pas ?... Tu as cru aimer ce pauvre Henri... tu as accepté de devenir Mme d'Étioles... et au moment suprême, tu t'es aperçue qu'il n'y avait dans ton cœur que de l'affection familiale pour ton cousin... c'est cela, parbleu ! Eh bien, rassure-toi... je parlerai à Henri... Ce mariage, je parviendrai à le briser...

Cette fois, Jeanne frémit, – mais non d'espoir. Une épouvante insensée s'empara d'elle. Si son père essayait de briser l'infâme union, c'était la calomnie qui le guettait ! C'était la dénonciation toute prête ! C'était la formidable accusation de concussion ! C'était l'échafaud !...

Elle se mordit les lèvres pour ne pas crier.

– Ce pauvre Henri ! continua Tournehem. C'est un excellent cœur, je le sais. Il m'a rendu d'immenses services en s'occupant activement de la gestion de ma ferme royale, pendant mes voyages. Il mérite toute ma gratitude et toute notre affection... mais enfin je dois avouer qu'il n'est pas beau... Je m'étonnais aussi de cet amour... mais devant tes affirmations venant après les siennes, je m'étais incliné. Au fond, je n'étais pas fâché de te voir épouser mon neveu. Ainsi tu restais dans la famille... plus près de moi. C'était de l'égoïsme. J'eusse dû ouvrir les yeux, étudier, analyser... Allons, ne pleure pas, mon enfant chérie... je vais, à l'instant même, parler à Henri...

Jeanne se dressa toute droite.

La vision de son père montant à l'échafaud passa devant ses yeux.

Elle essuya ses larmes, et, d'une voix ferme, d'une voix où il y eût été impossible de saisir une hésitation, d'une voix qui traduisait admirablement le sacrifice de sa vie, elle prononça :

– Vous vous trompez, mon père : mon mariage avec Henri ne m'inspire aucun regret, aucune amertume...

– Je me trompe ! s'écria Tournehem stupéfait.

– Et ce mariage, acheva Jeanne, s'il était à refaire, je n'en souhaiterais pas d'autre...

– Ainsi, tu l'aimes... vraiment ?...

– Je l'aime ! répondit Jeanne, sublime à coup sûr dans cette minute.

– Et tu es heureuse ?...

– Oui, mon père : heureuse !...

Tournehem, pensif, prit la main de Jeanne. Cette main était glacée. Mais l'intrépide jeune femme n'avait pas un tressaillement... et elle souriait !

– Ces larmes... ton évanouissement...

– Caprice... vapeurs d'une pauvre petite tête exaltée...

– Jeanne !...

– Ces chants à l'église, ces lumières, ces parfums d'encens, la marche triomphale des orgues... vous savez, mon père, que je suis une petite détraquée... et que la musique me met les nerfs en pelote...

– Jeanne !... mon enfant... tu mens !... tu mens à ton père !...

– Je vous jure que je dis la vérité !

– Tu le jures ?...

– Sur votre tête... oui, dit Jeanne dont le fin visage s'illumina de l'auréole des martyrs ; sur votre chère tête, je le jure !...

– Oh ! songea Tournehem au plus profond de sa conscience, est-ce que ce serait plus grave encore que je n'avais supposé ? Je pressens quelque trame souterraine et formidable autour du bonheur de mon enfant !... Quoi ?... Je le saurai ! Dussé-je y employer ma fortune et ma vie !...

Quelques minutes plus tard, celle qui le matin encore s'appelait Jeanne-Antoinette Poisson, selon l'extrait du registre de sa paroisse, et qui s'appelait maintenant Mme Le Normant d'Étioles, Jeanne, souriante, fit son apparition dans la grande salle des fêtes, au milieu d'une foule qui représentait tout ce que Paris comptait alors de gens illustres en finances, en art et en littérature.

Elle fut acclamée.

Elle traversa au bras de son père les groupes empressés à l'admirer.

Et avec une liberté d'esprit qui eût paru prodigieuse si l'on eût connu les véritables pensées de cette enfant, avec une promptitude charmante et un merveilleux tact, elle répondit à chacun, trouva pour les artistes et les gens de lettres le mot qui flatte la vanité et amène ce sourire de gloire satisfaite sur les lèvres épanouies.

Il apparut à tous qu'elle serait une incomparable maîtresse de maison.

– Désormais, s'écria Crébillon qui avait de l'esprit même quand il n'était pas ivre, désormais il y a dix muses au lieu de neuf. Il était réservé à notre siècle de créer la muse des fêtes... sans compter que par un raffinement de grâce, il y a dans son nom un admirable anagramme...

– Lequel ? fit-on curieusement.

– Sans doute ; elle ne s'appelle pas d'Étioles : elle est l'étoile des Étoiles...

Ce mot fit pâlir d'envie toutes les femmes des financiers qui se trouvaient là, lesquelles se vengèrent en organisant une cabale contre le pauvre Crébillon à la première représentation de son *Catilina.*

À quoi tiennent les destinées d'un poète !...

La nuit vint. Vers onze heures, les derniers invités se retirèrent ; Jeanne, réfugiée dans le salon du premier étage, sonna une femme de chambre et se fit conduire à la chambre à coucher. Alors elle renvoya cette fille d'un geste, et poussa les verrous. Puis elle s'assura qu'il n'y avait pas d'autre issue, d'autre porte par où celui dont elle portait le nom pût pénétrer jusqu'à elle.

Alors, toute cette force d'âme extraordinaire qui lui avait permis de jouer jusqu'au bout son rôle héroïque se brisa d'un coup, comme peut se briser un ressort de montre.

Elle devint livide et s'affaissa sur ses genoux, balbutiant des mots sans suite, livrée à une de ces crises de désespoir qui ravagent le cœur, enténèbrent l'esprit et désorganisent la pensée.

Par un phénomène curieux, mais tout naturel, l'image d'Henri Le Normant d'Étioles – de son mari – ne vint pas un instant se pencher sur ce désespoir... Ce que voyait Jeanne dans cette affreuse minute de solitude, c'était un beau gentilhomme, à l'air un peu dédaigneux, qui passait, emporté par le galop d'un carrosse, dans une gloire d'épées nues, dans le tonnerre des acclamations d'un peuple... le roi !...

Cet amour, presque mystique à son début, entrait dans la phase violente.

Elle aimait ardemment, de toute son âme, de tout son corps... elle aspirait au vertige du baiser d'amour... et l'impression fut si intense que ses bras se tendirent vers cette image flottant devant ses yeux... D'un mouvement lent et continu, elle se releva... elle se mit en marche comme si vraiment le roi eût été là !

À cet instant, un cri terrible fit explosion sur ses lèvres.

Un cri d'angoisse et d'horreur !

Là, contre cette tapisserie, il y avait un homme !...

Et cet homme, ce n'était pas le roi ! C'était Le Normant d'Étioles !

Comment était-il là ?... Par où était-il entré ? Elle recula jusqu'au lit, contre lequel elle s'appuya. Dans le même moment, Henri fit quelques pas en avant, et elle, galvanisée par l'horreur, reconquit tout son courage et son sang-froid.

– Que faites-vous ici ? demanda-t-elle d'une voix basse, haletante.

Henri se redressa, donna une chiquenaude à son jabot, et éclata de son mauvais rire :

– Pardieu, madame, voilà une plaisante question !... Ce que je fais ici... mais j'y viens voir ma femme !...

– Comment y êtes-vous ? râla-t-elle.

– De la façon la plus simple. J'avais prévu les verrous. Et, ayant prévu cela, j'ai dû m'arranger pour entrer chez moi autrement que par la porte officielle... Ah ! nos architectes sont d'habiles gens !

Il paraissait tranquille ; il avait au coin des yeux une gaieté féroce.

Jeanne se dirigea, sans dire un mot, vers ce que son mari appelait la porte officielle.

Elle poussa les verrous, tourna la clef, et revint se placer en face d'Henri qui l'avait regardée faire sans un geste, son sourire terrible toujours sur les lèvres.

Jeanne étendit le bras vers la porte, et, d'une voix étrangement calme, elle dit :

– Croyez-moi. Dans votre intérêt, ne me poussez pas à bout. Pour sauver mon père, j'ai subi de porter votre nom. Je vous préviens que vous auriez tort d'exiger davantage. Sortez, monsieur : de vous à moi, il y a un abîme que rien ne peut combler...

Henri d'Étioles s'inclina très bas. Puis, avec la même lenteur, il se redressa, raffermit son attitude. Son visage prit une expression de menace effroyable. Sa voix devint sifflante :

– C'est la deuxième fois que vous me chassez, dit-il. Prenez garde à la troisième ! Car, cette fois, je vous obéirai, et alors !... Mais non, je veux être encore conciliant. Écoutez, il y a entre nous deux un malentendu. Vous me détestez et je vous aime, moi !

Jeanne frissonna à ce mot. Elle ne voulait plus rien entendre. Tout plutôt que de subir plus longtemps la présence du monstre !

– Prenez garde, madame ! dit tranquillement d'Étioles. Vous allez encore faire un geste qui pourrait nous coûter cher à tous... Vous ne comprenez pas ? Je vais vous dire. Au geste que vous feriez, j'obéirais, madame ! Et savez-vous ce qui arriverait alors ?... Ceci : dans un instant va entrer dans mon cabinet un homme qui m'apportera quelque chose à signer... un simple papier... la preuve des concussions de votre père !...

Jeanne écoutait, les yeux agrandis par l'épouvante.

– Or, continua Henri avec la même tranquillité féroce, si je suis ici... près de vous... si cet homme ne me trouve pas... il est bien évident que je ne pourrai signer... Au contraire, si vous me répétez l'ordre de me retirer, j'obéirai, madame ! Et cela nous coûterait cher à tous : à moi qui aime mon oncle, à vous... à lui surtout... si toutefois il tient à sa tête !

Jeanne chancela.

Le hideux gnome se croisa les bras.

Son masque de menaçante ironie tomba, et d'une voix rude, rauque, il acheva :

– Parlez, madame ! Dois-je m'en aller ?...

Le bras de Jeanne, qui avait recommencé le geste, retomba pesamment.

Elle inclina la tête et, brisée, domptée, vaincue, laissa couler ses larmes sans songer à les cacher !...

Henri d'Étioles eut un hideux sourire de triomphe.

Il reprit à voix basse :

– Ainsi je reste ?

Immobile, pareille à la statue du désespoir, elle parut n'avoir pas entendu.

– Je reste, insista le mari.

Et, cherchant à donner à sa voix un accent de passion, il ajouta :

– Je vous aime, Jeanne. Je vous aime vraiment d'amour. Il faut que vous le sachiez. Jugez-moi comme vous voudrez. Croyez-moi vil, infâme, criminel. Je suis tout cela par amour. M'entendez-vous, Jeanne ? Par amour ! Pour vous posséder, je commettrais encore d'autres crimes que celui de vous avoir menacée et de vous avoir fait pleurer ! Si je vous perdais, je mourrais ! Ne croyez pas un mot de tout ce que je vous ai raconté avant notre mariage. La vérité, c'est que je vous aime. Si on vous enlevait à moi, voyez-vous, si vous en aimiez un autre...

Jeanne tressaillit.

– Si cet autre vous aimait... eh bien, je le tuerais !

Jeanne eut un long frisson.

– Si loin ou si haut qu'il se place, je l'atteindrais ! Car je vous aime, et rien n'est impossible à l'amour ! Me croyez-vous, au moins ? Croyez-vous à cette passion insensée qui me dévore... moi si chétif... si laid... si affreux !

Oui !... Elle y croyait !

Il le vit bien à son attitude où il y avait presque de la pitié maintenant.

Car il jouait admirablement son rôle. Il avait la voix ardente, le geste exalté d'un fou... mais si Jeanne avait eu le courage de le regarder en face, elle aurait constaté cette chose effrayante :

Que le regard de ce fou d'amour demeurait glacial, terne, vitreux, sans une flamme !

Elle ne bougeait pas. Sa pensée était bien loin de ce qu'elle entendait.

Et pourtant les paroles d'Henri lui entraient dans la tête. Ce mot qu'il répétait : « Je vous aime ! » finissait par pénétrer profondément dans son esprit.

Lentement, il s'était approché, comme sans oser la toucher.

Mais il était tout contre elle.

Dans un de ces gestes de passion désordonnée qu'il multipliait, il sortit tout à coup son mouchoir et le tordit dans ses mains. En même temps, ces mains, il les tendait vers le visage de Jeanne dans un geste de supplication intense. Et en même temps aussi, lui-même rejetait le plus possible la tête en arrière.

– Je vous aime, continua-t-il en étudiant la physionomie de la jeune femme, je vous aime comme il est impossible que jamais homme ait aimé ! Mon cœur est plein de vous ! Pour vous seule, je rêve richesse infinie et puissance ! Jeanne, écoutez-moi, entendez-moi, je vous aime... je vous aime !...

Depuis un instant, une étrange torpeur s'emparait de la jeune femme. Il lui sembla tout à coup qu'un irrésistible besoin de dormir l'envahissait.

Elle voulut faire un effort, esquisser un geste, mais en vain. Ses paupières, lourdement, se fermèrent.

– Je vous aime... Je t'aime !... Ah ! tu es dans mes bras !... Jeanne, tu es à moi !...

Comme dans un cauchemar, elle entendit ces paroles... murmurées à son oreille, elle sentit que Henri d'Étioles la prenait dans ses bras, la soulevait... puis le sens des choses s'abolit en elle... elle tomba dans un profond sommeil...

Henri la déposa sur le lit.

Contre les narines de la jeune femme, il appuya alors son mouchoir et l'y maintint pendant deux ou trois minutes, continuant à répéter :

– Je t'aime, Jeanne, tu es moi !...

Comme s'il eût voulu que ces paroles, à travers les nuées du sommeil, parvinssent jusqu'à l'esprit de Jeanne et s'y incrustassent à jamais !

– Je t'aime... Jeanne... oui... crois-moi... c'est par amour que je suis devenu infâme à tes yeux... Mais je me réhabiliterai... car je t'aime... Et tu finiras par m'aimer... toi aussi... divine enfant !...

Quand il la vit insensible ; lorsque, l'ayant secouée, appelée à haute voix, il se fut convaincu qu'elle ne se réveillerait pas avant plusieurs heures, il replia son mouchoir en écartant soigneusement sa tête, et l'enfouit au fond de sa poche.

Alors il eut un haussement d'épaules et ricana :

– Ouf ! ce ne fut pas sans mal... mais enfin, me voilà seigneur et maître !...

XIII

François Damiens

Henri d'Étioles, sans plus s'occuper de la jeune femme étendue sur son lit, sans plus lui jeter un regard, se dirigea vers une tenture qu'il souleva. Il poussa un ressort, et une porte étroite qui se confondait avec la tapisserie s'ouvrit aussitôt.

Il laissa cette porte ouverte, traversa un boudoir dans lequel il venait de pénétrer, et parvint dans une pièce faiblement éclairée, – sorte de salle à manger pour tête-à-tête, la grande salle à manger de l'hôtel se trouvant au rez-de-chaussée.

Là, un homme attendait, immobile et debout...

Il portait, comme un laquais de confiance, une livrée sombre et sans ornement ni chiffre, qui se rapprochait de l'habit bourgeois, mais avec quelque chose de raide dans les lignes et de sévère dans la couleur.

Sans doute il était absorbé dans des pensées lointaines, car il n'entendit pas d'Étioles quand il entra, et il tressaillit violemment lorsqu'il se sentit touché au bras.

Cet homme, c'était François Damiens, le piéton poudreux de la clairière de l'Ermitage, l'homme au placet de l'hôtel d'Argenson, celui-là même qu'Henri d'Étioles avait fait monter dans son carrosse.

Une grande transformation s'était opérée en lui.

Outre le costume qui le rendait méconnaissable, sa tête avait pris un autre caractère : ses longs cheveux étaient coupés, sa barbe broussailleuse avait disparu ; son visage ainsi dégagé présentait une expression d'amertume plus accentuée. Il était peut-être moins sauvage d'apparence : il était plus terrible, plus fatal. Son large front se plissait sous l'effort d'une pensée tyrannique et il y avait une étrange profondeur dans ses yeux fixes.

– Eh bien, mon maître ? dit Henri d'Étioles.

– Pardonnez-moi, monsieur... me voici... à vos ordres...

– Bon, bon... remettez-vous, mon brave. Vous avez vos pensées comme j'ai les miennes, c'est tout simple... mais à quoi diable pouviez-vous bien songer ?

– Je ne songeais pas, monsieur ; je vous attendais, selon vos ordres.

Il parlait sans humilité, mais avec une sorte de timidité farouche.

– Eh bien, reprit d'Étioles, le service ne vous paraît pas trop dur ?...

– Jusqu'ici, monsieur, je n'ai rien eu à faire. Vous m'avez offert deux cents livres par mois, la nourriture, le logement et les habits, pour entrer chez vous en qualité de laquais...

– Fi donc !... de secrétaire !

– De laquais, monsieur ! Je n'ai pas l'instruction suffisante pour être votre secrétaire. Mais peu importe. J'ai accepté un emploi domestique pour gagner ma vie. Que suis-je après tout ? Rien ! moins que rien !... Et notre destinée à nous autres, du peuple, n'est-elle pas...

Sa voix, qui commençait à gronder, s'arrêta net. Une flamme avait jailli de ses yeux.

Il poursuivit plus doucement :

– Pardon, monsieur... Je voulais vous dire seulement ceci : Ce que vous me donnez comme gages est énorme...

– Je crois bien, mon cher ! Ce sont les appointements d'un sous-chef de bureau de ministère !

– C'est donc comme je vous dis : énorme. Or, jusqu'ici, vous ne m'avez pas encore dit ce que j'aurais à faire.

– Rien ! répondit d'Étioles.

Damiens jeta un profond regard sur son maître, et dit :

– C'est trop !... Laissez-moi m'expliquer... Si vous me donnez deux cents livres par mois pour ne rien faire, c'est que j'aurai à un moment donné contracté vis-à-vis de vous une dette terrible, et alors...

– Alors, interrompit d'Étioles, il n'y aura rien de changé. J'ai besoin d'un dévouement près de moi, voilà tout. Ce dévouement, je le paie. Vous me serez dévoué. Voilà votre service... Je vous demanderai, à vous, ce que je ne pourrais demander à personne, ami ou domestique ! Si j'entre en lutte contre de puissants personnages, si je me heurte à quelqu'un... fût-ce le roi !...

– Le roi ! gronda Damiens en pâlissant.

– Eh ! oui... alors, je vous demanderai de m'aider... Cela vous va-t-il ?...

– Oui ! fit Damiens, les dents serrées.

– Ce n'est pas tout, et vous allez voir que ce rien dont nous parlions pourrait bien devenir quelque chose. Je viens de me marier, mon cher...

De pâle qu'il était, Damiens devint livide. Un léger tremblement le secoua.

– Eh bien ! continua d'Étioles en l'examinant avec une attention soutenue, je me défie de ma femme... je crois qu'elle ne m'aime pas...

– Et alors ?...

– Alors ! s'il arrive que je sois obligé de m'absenter comme je vais le faire...

– Vous allez vous absenter ! s'écria Damiens avec un frémissement de joie furieuse. La nuit de vos noces !...

– Oui ! Il y a des choses plus graves que l'amour.

Que voulez-vous !... Eh bien, tout à l'heure, pendant le reste de cette nuit où des intérêts vitaux, immenses, m'appellent au dehors, je veux que ma femme ne soit pas seule...

– Monsieur ! monsieur ! haleta Damiens.

– Qu'est-ce qui vous prend ?...

– Demandez-moi de me faire tuer pour vous, mais, par pitié, ne me demandez pas d'être l'espion de... de... madame...

– Qui vous parle de cela ? Je vous dis que je ne veux pas laisser ma femme seule, voilà tout. Je ne puis me confier ni à une femme de chambre ni à qui que ce soit. Je vous l'ai dit. J'ai besoin d'un dévouement absolu... Alors... Vous ne comprenez pas ?...

– Non ! fit Damiens, dont le front ruisselait de sueur.

– Venez ! dit Henri d'Étioles.

Il entraîna Damiens dans le boudoir qu'il venait de traverser. La petite porte secrète était restée ouverte. Par cette porte, Damiens entrevit un coin de la chambre à coucher... Il frissonna de la tête aux pieds et baissa la tête.

– Voici ! dit alors Henri d'Étioles à voix basse. Ma femme est là qui dort... Moi, je vais sortir de l'hôtel... question de vie ou de mort... Je serai rentré à six heures du matin... Alors, vous qui n'êtes ni mon ami ni mon laquais, vous qui êtes un dévouement... vous comprenez ?... Vous vous installez ici...

– Ici ! râla Damiens.

– Dans ce boudoir. Oh ! rassurez-vous, pas pour espionner... mais, enfin, si quelqu'un entrait...

– Ah ! ah ! fit l'homme dont les poings se crispèrent.

– Vous tueriez ce quelqu'un... comme un chien !... Entendez-vous ?...

– Oui, oh ! oui !...

– Fût-ce le plus puissant des personnages ?...

– Oui, oh ! oui !...

– Fût-ce le roi !...

Cette fois, Damiens ne dit rien. Mais une telle expression de haine flamboya sur son visage qu'Henri d'Étioles tressaillit et un sourire de sombre satisfaction erra sur ses lèvres minces.

– Vous voyez, ajouta-t-il rapidement, je laisse la porte ouverte... afin que vous puissiez surveiller la chambre où *elle* dort... Adieu... je vous laisse !

Sur ces mots, il s'éloigna rapidement, laissant Damiens comme atterré. Mais Henri d'Étioles n'alla pas loin. Il s'arrêta dans la petite salle à manger intime, après avoir fermé derrière lui la porte à clef. Alors il dérangea un tableau sur un panneau de mur et, à travers un invisible treillis qui se confondait avec la tapisserie, il se mit à examiner Damiens.

– Oh ! murmura-t-il, je veux que dans le cœur de cet homme se déchaîne une effroyable passion ! Je veux que la folie de l'amour en fasse ma créature asservie ! Je veux que Louis, roi de France, trouve ici un rival inattendu... Quel rival !... Mon laquais !... Et alors... alors... il faudra bien que mes rêves se réalisent ! Il faudra bien que la vengeance et la haine qui, goutte à goutte, ont infiltré tant de fiel dans mon âme éclatent comme le coup de tonnerre qui foudroie sans prévenir !... Patience... Patience !...

Damiens était demeuré à la même place.

Il était agité de frissons convulsifs.

Parfois une rougeur de feu empourprait son visage ; puis cette rougeur disparaissait pour faire place à une lividité de cire...

Son regard ardent se fixait sur cette porte ouverte.

Mais ses pensées tournaient toutes autour de l'étrange situation où il se trouvait brusquement jeté. Par moments, il passait sur son front ses mains glacées et murmurait :

– Qu'a donc voulu cet homme ? Pourquoi m'a-t-il mis là ? Que cherche-t-il ?... À peine s'il me connaît ! À peine s'il m'a parlé !... Et cette preuve de confiance sublime... ou effroyable !... Que veut-il ?... Me tenter ?... Non ! Ce n'est pas possible !... Me faire surveiller cette chambre ?... Allons donc !... La nuit de ses noces !... Son histoire d'intérêts qui l'obligent à s'absenter est absurde !... Oh ! mais que veut-il donc, alors ?... Il me prend par la main, il m'entraîne, et me conduit où ?... Ici !... Près d'elle !...

Sur ce mot, ses pensées dévièrent.

Plus ardemment, il fixa ses yeux sur ce coin de chambre qu'il entrevoyait.

Des parfums, par bouffées, arrivaient jusqu'à lui.

Il demeura ainsi près d'une heure, immobile, les pieds rivés au tapis du boudoir.

Tout à coup, il fit un pas vers la porte. Mais aussitôt il recula avec une sorte d'épouvante.

– Que fais-je là ? balbutia-t-il. Que vais-je penser ? Quelle abominable idée profanatrice s'est glissée dans mon sein ?... Je n'entrerai pas ! Non ! Je n'entrerai pas !...

Au bout de quelques minutes, il revint à la place qu'il occupait d'abord.

Haletant, il se pencha, écouta... et il n'entendit que les battements sourds et précipités de son cœur.

– Eh quoi ! pas un bruit ! pas un froissement ! pas un soupir ! Est-ce possible ?...

La pensée que Jeanne n'était pas dans cette chambre lui vint tout à coup. Mais il la repoussa.

Non ! non !... Henri d'Étioles n'avait pas la physionomie de quelqu'un qui veut faire une expérience ! Sûrement, cet homme avait dans l'esprit quelque insondable pensée...

Brusquement, un cri rauque expira sur ses lèvres.

Une autre idée se présentait à lui, terrible, effrayante :

– Il l'a tuée !... Et il m'a posté là... afin... que l'assassin soit découvert tout à l'heure sur le lieu du crime !... On va entrer... je vais être saisi !...

La sensation fut si violente qu'il se retourna farouche, hagard...

Mais presque aussitôt ce mouvement instinctif de défense personnelle s'effaça de son esprit : il ne songea plus qu'à elle !... En ce laps de temps rapide comme un éclair, il se la représenta morte, étendue sur le lit... Il étouffa un rugissement :

– Oh ! s'il a fait cela, malheur ! malheur à lui !...

Et d'un bond il fut au milieu de la chambre à coucher !... Jeanne lui apparut tout habillée de son costume d'épousée, étendue sur le lit, comme il se l'était représentée...

Dans le boudoir, Henri d'Étioles, la figure collée au treillis, avait murmuré :

– Enfin !...

Damiens, avec un terrible sanglot, s'approcha du lit, se pencha...

– Morte ! Morte !...

Un simple coup d'œil lui prouva qu'il se trompait.

Jeanne était immobile, les bras allongés le long du corps, la tête appuyée sur l'oreiller de dentelles précieuses... mais son visage rose et paisible, dans le sommeil qui anéantissait toutes ses amères pensées, était plein de vie charmante.

Son sein se soulevait doucement, dans un rythme gracieux.

Un souffle léger s'exhalait de ses lèvres entrouvertes.

– Elle dort ! balbutia Damiens dans un inexprimable étonnement.

Et tout de suite, il s'aperçut que ce sommeil, pour inoffensif qu'il parût, n'était pas naturel.

– C'est lui qui l'a endormie ! ajouta-t-il. Pourquoi ?

Alors, toute inquiétude disparue de son esprit, certain que Jeanne vivait, qu'elle dormait d'un sommeil profond, mais paisible, il sentit un rapide frisson le secouer.

– Quelle est belle !...

Il se recula tout tremblant, mais son regard demeura rivé sur la jeune femme. Puis il se rapprocha. Un meuble qui craqua le fit bondir en arrière. Il haletait. Des souffles brûlants passaient sur son visage, et, en même temps, il se sentait glacé...

Cette femme si jeune, si belle, d'une si harmonieuse beauté ; cette femme étendue sur ce lit, profondément endormie par quelque narcotique, sans aucun doute ; cette femme enfin qui l'attirait comme un irrésistible aimant ; cette femme enfin qui était à sa merci... il eût donné sa vie pour un moment pareil !...

Elle était là... sous ses yeux... dans l'impossibilité de se défendre !...

Le cœur de Damiens battait à se rompre dans sa poitrine. Sa raison s'égarait.

Oh ! la prendre dans ses bras ! la serrer contre lui ! ne fut-ce qu'un instant ! Et mourir après !...

Qui l'en empêchait ?...

Rien !... Personne !...

Il n'avait qu'à vouloir !...

Il étendit les bras...

Et ce fut à ce moment précis qu'une pensée foudroyante traversa son cerveau :

– Si Henri d'Étioles m'a pour ainsi dire conduit jusqu'à cette chambre... ah ! c'est infâme !... c'est que lui... lui !... le mari !... eh bien... il a voulu !... oh ! l'infâme ! l'infâme !... Oh ! j'entrevois je ne sais quelle trame odieuse qui doit envelopper cet ange !... Et j'allais me faire l'instrument lâche et vil de l'opprobre dont on veut couvrir celle qui dort là, sous mes yeux... si belle... si confiante... si radieuse !...

Lentement, Damiens s'était agenouillé tout près du lit.

Il avait mis sa tête dans ses mains et pleurait sans bruit.

– Dors ! murmura-t-il. Dors paisible et tranquille pauvre femme ! Le maudit que je suis ne ternira pas la pureté de ton front de son souffle de damné !...

Alors, comme la main de Jeanne pendait légèrement hors du lit, il voulut baiser cette main fine, aux doigts d'albâtre...

Mais, cette fois encore, il se retint...

Et ce fut sur le bas de la robe, sur la longue traîne qui s'écroulait jusque sur le tapis, ce fut sur la soie blanche et virginale qu'il déposa le baiser si humble de son amour, et qu'il laissa tomber une larme...

Alors il se releva, et, à reculons, sans bruit, il sortit de la chambre, ferma la porte, et reprit sa place d'immobile et de pensive statue dans le boudoir.

Vers cinq heures du matin, Jeanne se réveilla. Elle se vit sur le lit, tout habillée. La pensée lui vint alors qu'elle avait dû s'évanouir, et qu'Henri d'Étioles, touché peut-être de quelque tardif repentir, l'avait laissée seule...

Lasse et la tête lourde, frissonnante, elle se déshabilla et se mit au lit.

Quant à Henri d'Étioles, au moment ou il avait vu Damiens entrer dans la chambre nuptiale, il avait remis en place le tableau et s'était, souriant d'un sinistre sourire, retiré dans son cabinet où il avait passé le reste de la nuit à écrire plusieurs lettres.

À sept heures seulement, il revint au boudoir où il vit Damiens immobile et comme pétrifié dans ses pensées.

D'Étioles le regarda fixement.

– Personne n'est venu ? demanda-t-il.

– Non, monsieur, personne ! répondit Damiens.

– Et... dites-moi, mon brave, la pensée... la curiosité... ne vous est pas venue...

– De quoi, monsieur ? demanda Damiens en frémissant.

– Mais d'entrer là ! répondit cyniquement d'Étioles en désignant la chambre à coucher.

– Non, monsieur ! dit Damiens sans une hésitation.

– Bon ! songea d'Étioles. Il ment, puisque je l'ai vu entrer !... Donc !... allons... tout va bien !...

Il passa rapidement dans la chambre, vit Jeanne couchée, sourit imperceptiblement, et, s'inclinant :

– Ma chère Jeanne, dit-il, l'excès de mon amour m'a cette nuit emporté un peu loin... j'ai... peut-être abusé de mes droits d'époux... je vous en demande pardon, Jeanne. À partir d'aujourd'hui, vous pouvez vous rassurer... je n'entrerai plus jamais ici... que s'il vous convient de m'y appeler !... Et quant à mon amour... eh bien, je souffrirai en silence, voilà tout !

– Abusé ! balbutia Jeanne avec épouvante quand elle se retrouva seule. Abusé de ses droits d'époux !... Oh ! qu'a donc voulu dire ce monstre !...

XIV

La Bastille

Huit jours après les événements que nous venons de raconter. C'est une belle et radieuse journée. Un dimanche. Les rues de Paris sont pleines de promeneurs en habit de fête. La grande ville a cet aspect de gaieté bruyante qu'elle prend à de certains jours où le soleil, du haut du ciel sans nuages, verse à flots la joie et la vie.

Rue Saint-Antoine, les passants étaient plus nombreux que partout ailleurs. En effet, la rue Saint-Antoine, c'était la grande artère qui conduisait à la place Royale. Et la place Royale, aujourd'hui pétrifiée dans le souvenir du passé, silencieuse comme un impassible témoin de l'histoire, la place Royale que les enfants – ces moineaux de Paris – et les moineaux – ces gavroches de la nature – animent seuls de leurs piaillements, la place Royale était alors, disons-nous, le rendez-vous à la mode de toute les élégances parisiennes. Jeunes marquises en falbalas, la main haut gantée appuyée sur la canne enrubannée ; jeunes seigneurs, le tricorne sous le bras, l'épée au côté ; roués et courtisans, femmes galantes et dames du monde y coquetaient à qui mieux, et, suivant le vieux mot français si joli, si expressif, y *fleuretaient* en minaudant et en faisant mille grâces. (Le mot a été hideusement tronqué et, sous prétexte de nouveauté, on en a fait, de l'anglais : *flirter.*)

Dans cette foule bariolée, enrubannée, paniers à fleurettes, chapeaux de paille à grands pompons, cheveux poudrés ; dans ces groupes qui se saluaient avec cette exquise afféterie, comme on se saluait dans les menuets ; parmi ces promeneuses et promeneurs qui erraient sous les quinconces de la place Royale, il n'était bruit que de la fête que messieurs de l'Hôtel de Ville devaient offrir au roi.

Et la grande joie, dans ce monde joli, pailleté, léger, c'était de pouvoir s'aborder en disant :

– C'est fait ! j'en suis ! j'ai mon invitation !

– Comment, chère marquise, vous n'y serez pas ?

– On dit des merveilles de la décoration...

– On parle d'un ballet où le roi figurera en personne. Cela

s'appelle le *Ballet de la clairière de l'Ermitage*, et c'est plein de chasseurs, de dianes chasseresses et de nymphes...

– On dit aussi que le ballet s'appellera : *La Fée de la clairière, ou le Cerf gracié...*

Dans la rue Saint-Antoine, les promeneurs, plus serrés que sur la place Royale, s'occupaient simplement du pain qui renchérissait dans des proportions effrayantes, et des dernières levées d'impôts qui venaient d'être proclamées au tambour.

C'est que, là, c'étaient des gens du peuple qui passaient leur dimanche au bon soleil, ce grand et bon père de l'humanité qui verse à tous, ses clairs regards, pauvres et riches.

Et, comme nous l'avons dit, le soleil était ce jour-là si rayonnant que la gaieté l'emportait encore sur les lourdes inquiétudes du peuple.

Tout à coup, dans cette foule, des cris s'élevèrent.

Un carrosse lancé à fond de train accourait au fond de la rue, se dirigeant vers la Bastille au galop de ses deux chevaux, et menaçant de renverser quiconque ne se rangeait pas assez vite.

On se bousculait, on s'écartait en toute hâte, des grondements contenus s'élevaient, mais nul n'osait élever la voix.

Le carrosse passait comme un tonnerre.

Plusieurs personnes, cependant, avaient reconnu le personnage qui avait si peu de souci de la vie des gens.

– C'est ce méchant roué... ce flagorneur du roi...

– Le comte du Barry !...

– Va donc ! hé ! comte de six liards ! cria un gamin.

Et aussitôt la colère qui commençait à gronder, cette colère qui, une cinquantaine d'années plus tard, devait si terriblement éclater, se fondait en une gaieté railleuse.

– Ohé ! criait l'un. Où court-il donc si vite ?

– Pardi ! Il va à la Bastille !

– Qu'il y reste !...

Bien entendu, on ne s'esclaffait ainsi que lorsque le carrosse était déjà bien loin...

C'était le comte du Barry, en effet. Et c'était bien à la Bastille qu'il se rendait !...

Il était assis dans le fond de sa voiture, sombre et dédaigneux comme à son habitude. Devant lui, sur la banquette, se tenait modestement un homme vêtu comme un bourgeois qui eût tenu à ne pas trop se faire remarquer.

Cet homme tenait ses yeux baissés, gardait les coudes au corps, rentrait les jambes sous les genoux ; bref, il semblait prendre à tâche de se faire aussi petit que possible, tandis que du Barry, au contraire, semblait, du haut de son jabot à dentelles, crier au simple piéton :

– Eh bien, oui, c'est moi ! Malheur à qui se trouve sur ma route !...

Le carrosse, toutefois, s'arrêta sans avoir causé d'autre accident que quelques bousculades et quelques contusions, devant la porte Saint-Antoine.

Les deux hommes mirent pied à terre, et, franchissant le pont-levis, entrèrent dans la haute et noire forteresse qui semblait menacer Paris de ce même air de morgue et d'insolence dont le comte du Barry avait menacé les promeneurs de la rue.

L'officier de garde au poste, reconnaissant un des familiers du roi, se précipita au-devant du comte, le chapeau à la main.

– Faites-moi conduire au gouverneur, dit du Barry.

– Je vais avoir l'honneur de vous conduire moi-même, répondit l'officier avec cette suprême politesse des gens de bon ton d'alors, quand toutefois ils avaient ce bon ton !

Du Barry acquiesça d'un signe de tête et se mit à marcher derrière l'officier.

Son silencieux et modeste compagnon l'escortait...

Mais tandis que le comte ne prêtait aucune attention à ce qui l'entourait, cet homme ne put réprimer un frisson en pénétrant dans une cour étroite, humide, sans air ni lumière, et en entendant la porte se refermer lourdement derrière lui.

Et si du Barry avait pu pénétrer la pensée de son compagnon, voici ce qu'il eût entendu au fond de cette pensée :

– Diable !... mais c'est une tombe... une triste tombe... que cette forteresse ! Dire que si on savait... si un mot maladroit échappait à ce du Barry... Oh ! je frémis à l'idée que je serais enfermé là pour toujours... à moins qu'une bonne corde au cou...

Il n'acheva pas.

L'aspect intérieur de la Bastille était en effet terrible. Il régnait là une atmosphère mortelle ; de hautes murailles noires où poussaient des mousses verdâtres, quelques étroites ouvertures dont les épais barreaux semblaient mettre une séparation suprême contre le monde des vivants et des malheureux qui gémissent dans ces cachots... voilà ce qu'on voyait...

Le pas monotone des sentinelles, le fric-frac sinistre d'un porte-clefs qui passe, le cri de ronde du sergent faisant une tournée... voilà ce qu'on entendait...

L'officier franchit une porte basse et monta un escalier tournant, aux marches de pierre à demi usées comme par des larmes, entre des murs où le salpêtre reluisait par places en brillants cristaux.

Au premier étage, il s'arrêta, donna un mot de passe à un factionnaire qui montait la garde devant une porte, frappa à cette porte et parlementa quelques instants avec le valet qui était venu ouvrir et qui rentra dans l'intérieur en faisant signe d'attendre.

Quelques instants plus tard, le comte du Barry et son compagnon étaient introduits dans un vaste cabinet sévèrement meublé, orné de vieilles tentures qui sentaient le moisi, et surtout de redoutables casiers qui portaient des numéros.

C'était bien là le cabinet d'un geôlier en chef.

Le gouverneur de la Bastille, vieillard au regard vitreux, entra, salua le comte avec une certaine déférence et coula vers l'étranger un mince regard qui fit frémir celui auquel il s'adressait.

– Quelles nouvelles, mon cher comte ? demanda le gouverneur. Car dans ce trou je ne vois rien, je n'entends rien, je ne sais rien... Ah ! vous êtes bien heureux, vous, de vivre à la cour !... Est-ce que mademoiselle de Châteauroux règne toujours sur le cœur de notre bien-aimé souverain ?

Le comte du Barry tressaillit.

L'homme silencieux regarda le gouverneur avec une profonde attention, et murmura :

– Si cet homme-là n'est pas un imbécile, c'est un être redoutable... À surveiller !...

– Mlle de Châteauroux est morte, dit le comte du Barry, et si loin que vous viviez de la cour, vous ne me ferez pas croire...

– Bah !... dit flegmatiquement le gouverneur. D'honneur !... j'ignorais ! Ah ! elle est morte, cette pauvre Châteauroux !... Le ciel ait son âme !... Le grand Frédéric ne l'appellera plus Cotillon III.

Cette fois, l'homme silencieux se mordit les lèvres et du Barry devint livide.

– De quel grand Frédéric parlez-vous ? balbutia-t-il.

– Mais... de l'unique, de l'illustre, du triomphateur... de l'ami de M. de Voltaire... du roi de Prusse, enfin !... Mais laissons cela, et voyons ce qui me procure le trop rare plaisir de votre visite...

– Simplement ceci, dit le comte en se remettant.

En même temps, il sortait de sa poche un papier timbré du sceau royal qu'il tendit au gouverneur.

Celui-ci parcourut le papier, jeta un regard de surprise sur le compagnon de du Barry, et dit :

– Ordre du roi... je m'incline !... Je suis à votre disposition, monsieur...

– Monsieur Jacques, dit vivement du Barry en faisant un peu tard la présentation.

L'homme qui s'appelait de ce nom, peut-être un peu trop modeste, se leva, salua profondément et, d'une voix sans accent, une de ces voix qui semblent couler sans vouloir laisser d'impression, il prononça :

– Je vous remercie, monsieur le gouverneur... Je m'intéresse vivement à ce jeune homme... M. le comte a bien voulu se charger des démarches, et...

– Il suffit ! dit le gouverneur. Vous comprenez, cela m'est bien égal, à moi ! Du moment que vous m'apportez un ordre signé d'Argenson et contresigné Berryer, le reste ne me regarde pas !... Cependant, ce n'était vraiment pas la peine, alors, de me donner l'ordre de tenir ce... jeune homme... au secret le plus rigoureux... Je vais vous faire conduire...

Il appuya sur un timbre. Un valet parut.

– Faites-moi venir le porte-clefs n° 9, dit le gouverneur.

Quelques minutes plus tard, le porte-clefs indiqué faisait son apparition dans le cabinet.

– Conduisez monsieur à la cellule du numéro... voyons... quel numéro, déjà ?...

Le gouverneur se leva, alla aux casiers, chercha un instant, puis, se retournant :

– Au numéro 214.

Comme on voit, ce gouverneur ne voulait connaître le nom ni de ses geôliers ni de ses prisonniers. Il avait coutume de dire que lui-même s'appelait le numéro 1. Pas de noms, à la Bastille ! Rien que des numéros !...

Le geôlier fit un signe à M. Jacques, lequel, ayant salué le gouverneur avec toute la gaucherie dont il fut capable, sortit du cabinet.

– Un bien digne homme, ce M. Jacques ! dit alors du Barry en se levant. Mon cher gouverneur, mille remerciements pour votre amabilité...

– Mais pas du tout... puisque vous m'apportiez l'ordre !... Vous n'attendez pas votre M. Jacques ?

– Ma foi, non... j'ai hâte de respirer l'air du dehors...

– Je comprends cela ! fit le gouverneur avec un soupir.

Du Barry échangea les salutations en usage et se retira.

Quand il fut dehors, il donna l'ordre au postillon de son carrosse d'attendre où il se trouvait, et, se rapprochant de la place Royale, entra dans la petite rue du Foin, puis, non sans s'assurer qu'on ne le surveillait pas, pénétra rapidement dans une petite maison basse de modeste apparence.

Cette maison, c'était celle de M. Jacques !

Celui-ci avait suivi le geôlier, – le porte-clefs n° 9, comme disait le gouverneur. – Le geôlier descendit l'escalier, traversa cette cour étroite et sombre qui avait si vivement impressionné M. Jacques, longea un humide couloir, monta un escalier où, d'étage en étage, on rencontrait des sentinelles à qui il fallait donner le mot de passe, entra dans un long corridor, et s'arrêta enfin devant une solide porte dont il s'apprêta à tirer les verrous.

À ce moment, M. Jacques le toucha au bras :

– Pardon, mon ami, un mot, s'il vous plaît.

– Dix, si vous voulez !

– Savez-vous comment s'appelle le prisonnier qui est là ?

– Le 214 ?...

– Oui ! Le 214 !...

– Vous ne savez pas son nom ?

– Je me suis chargé de lui faire une petite commission... on m'a dit son nom... mais j'avoue que je l'ai oublié...

– Eh bien, il s'appelle le chevalier d'Assas !...

Au moment où, devant Saint-Germain-l'Auxerrois, le chevalier avait été arrêté, son premier mouvement tout instinctif avait été de tirer son épée et de se défendre.

Mais tout aussitôt le découragement s'empara de lui.

– À quoi bon être libre, maintenant ! À quoi bon vivre ! Puisqu'elle en épouse un autre ! Puisqu'elle ne m'aime pas !... Disparaissons donc du monde des vivants !

Et, sans la moindre résistance, il entra dans le lourd véhicule vers lequel on le poussait et dont on ferma à clef les mantelets. Vingt minutes après cette arrestation qui n'avait causé aucun bruit, aucun scandale, le chevalier d'Assas entrait à la Bastille, suivi les soldats et les geôliers sans savoir où on le conduisait, marchant comme en rêve, et était enfin enfermé à triple verrou dans la chambre n° 214.

Ce mot « chambre » était officiel, par opposition avec les cachots qui se trouvaient dans les sous-sols. Mais qu'il n'aille pas évoquer l'image de quelque pièce claire et propre, avec son lit, ses meubles...

La chambre 214 n'était ni plus ni moins qu'un cachot un peu moins sombre que les cachots souterrains.

Une étroite couchette en bois, vissée au mur, avec une simple couverture pour toute literie, un escabeau à trois pieds, une planchette supportant un pain, une cruche pleine d'eau, voilà quel était l'ameublement de cette pièce.

La muraille avait huit pieds d'épaisseur. Une double rangée d'épais barreaux de fer défiait toute tentative d'évasion. L'air et la lumière ne pénétraient là qu'avec parcimonie.

Le premier jour, le chevalier ne prêta aucune attention à ces détails. Il ne vit ni l'horreur des voûtes qui surplombaient, ni la moisissure des murs, ni l'épaisseur des barreaux... il ne mangea pas... il se jeta sur l'étroite couchette, ferma les yeux, se croisa les bras sur la poitrine et se mit à songer à elle !...

Tout son bonheur était là, en effet !

À cet âge de charme et d'illusion, au printemps de la vie, lorsque l'homme à sa vingtième année ouvre ses ailes vers cet abîme de l'existence qui lui paraît tout azur et qui bientôt lui semblera peut-être bien noir, à l'âge du chevalier, l'amour est la grande, l'unique pensée du cœur et de l'esprit.

Que peuvent être les catastrophes auprès de cette douleur : ne pas être aimé de celle qu'on aime !

Le chevalier d'Assas aimait aussi profondément que s'il eût connu depuis des années « l'objet de sa flamme », comme on disait alors dans ce style précieux qui paraît un peu ridicule à notre époque de chiffres, mais qui, sous sa préciosité même, était au fond si juste et si joli...

Il ne connaissait Jeanne que depuis quelques heures, il savait à peine son nom depuis la matinée même ; et l'image adorée était burinée dans son imagination comme une de ces eaux-fortes, ineffaçable, et le nom chéri venait à ses lèvres comme un de ces chants dont on ne peut plus se défaire.

Le chevalier était de ces âmes généreuses qui se donnent une fois dans un grand coup de passion et qui ne se reprennent plus. Un autre se fut dit :

– Puisqu'elle se marie à un autre, puisqu'elle ne m'aime pas, je vais arracher cet amour de mon cœur, faire l'impossible pour n'y plus penser !

Lui constata simplement que toute sa vie il aimerait la jeune fille en rose de la clairière de l'Ermitage. Il comprit que c'était fini, que plus rien au monde n'existait qu'elle dans sa pensée, et que cet amour était inguérissable.

Seulement, il comprit en même temps qu'il en mourrait.

Où ? Quand ? Comment ? Il ne chercha pas à se le demander.

Il en mourrait, voilà tout !...

Cette première journée de captivité et celle du lendemain se passèrent donc dans une prostration complète.

Mais si le chevalier était à l'âge des passions absolues, il était aussi à l'âge où la vie afflue au cerveau, ardente, impérieuse. De plus, son tempérament combatif devait rapidement le pousser à une sorte de révolte.

Il commença par se dire que puisqu'il ne pouvait vivre sans Jeanne, puisqu'il devait mourir, la prison était une mort comme une autre. La Bastille tuait vite.

Et, au besoin, il aiderait à la prison. Un jour, à la première occasion, il menacerait le gouverneur. Alors on le descendrait dans l'un de ces cachots où l'on récoltait le salpêtre à la pelle, où l'on devenait poitrinaire en trois mois, tombes affreuses qui absorbaient des vivants et ne rendaient que des cadavres...

Puis il sentit monter en lui comme une furieuse colère.

Il se dit que cette mort serait indigne de lui... d'elle !

Il voulait mourir, mais au grand jour, en pleine liberté... mourir peut-être sous ses yeux, à elle !...

Alors, il se mit à tourner comme un fauve dans sa prison, ébranla les barreaux, secoua la porte, se démena, cria, rugit, le tout en pure perte...

Et alors aussi se posa dans son esprit cette question à laquelle il n'y avait pas de réponse possible :

– Pourquoi suis-je à la Bastille ? Pourquoi m'a-t-on arrêté ?... Qu'ai-je fait ?...

Il interrogea le geôlier qui lui apportait à manger : et le geôlier lui répondit qu'il lui était défendu de parler aux prisonniers. Il demanda à voir le gouverneur, et il lui fut dit que le gouverneur avait bien autre chose à faire que de se rendre aux appels des pensionnaires de la Bastille.

À mesure que le chevalier se rendait mieux compte de sa

situation, à mesure qu'il comprenait qu'il ne sortirait jamais de cette affreuse prison, son désir de liberté devenait plus frénétique.

Il eut des accès de colère furieuse, il eut des crises de désespoir.

Et il en vint à se dire :

– Qu'elle ne m'aime pas, soit !... Je ne demande pas qu'elle m'aime ! Mais ne plus la voir ! Jamais ! Jamais ! Oh ! ceci est atroce !... Je veux la revoir, ne fût-ce qu'une seule fois, ne fût-ce que pour lui dire que je meure d'amour et que je meure en l'adorant !... Oui, oh ! oui, la revoir... à tout prix !...

Alors, il se mit à chercher un moyen d'évasion.

Mais il dut se rendre à l'évidence : à moins d'un prodigieux hasard, il lui fallait compter au moins plusieurs années de travail assidu avant de pouvoir réaliser un projet offrant une chance de réussite...

Vivre jusque-là sans la revoir, c'était impossible !...

Dès lors, une mortelle angoisse s'empara de lui. Et comprenant qu'à creuser toujours cette même idée, à se repaître du désespoir de ne plus voir celle qu'il adorait, il allait devenir fou, il prit la résolution de se tuer...

Comme il venait de s'étendre sur sa couchette pour chercher un moyen de suicide prompt et sûr, la porte de son cachot s'ouvrit brusquement ; un homme qu'il ne connaissait pas entra, et repoussa derrière lui la porte tandis que le geôlier demeurait dehors...

Cet homme s'approcha du chevalier qui, hagard, haletant, s'était soulevé sur sa couchette.

Il s'assit sur l'escabeau, sourit mystérieusement, plaça un doigt sur sa bouche pour recommander le silence, et, à voix basse, prononça :

– Je vous apporte des nouvelles de Jeanne !...

XV

Monsieur Jacques

Nous prierons le lecteur de vouloir bien revenir avec nous sur la place Saint-Germain-l'Auxerrois, à la minute précise où, après la cérémonie du mariage, Jeanne sortait de l'église, où la jeune femme apercevant Louis XV au balcon du Louvre s'évanouissait dans les bras de Tournehem, et où enfin le chevalier d'Assas, accoté à un arbre, assistait désespéré à cette double scène.

À dix pas de lui, il y avait un homme qui, confondu dans la foule des badauds, n'avait pas perdu un détail de tout ce que nous avons raconté.

Cet homme avait vu apparaître le roi, et il avait tressailli.

Il avait vu Jeanne lever un long regard d'angoisse et d'amour sur le balcon, et alors ses poings étaient crispés dans un imperceptible mouvement de colère vite réprimé.

Alors son regard était tombé sur le chevalier d'Assas.

Avec la rapidité de conception qui était une des grandes forces de cet inconnu, il avait étudié cette charmante et loyale physionomie, si belle, si jeune et si douloureuse. Il y avait lu comme à livre ouvert l'amour le plus pur, le courage le plus aventureux, le désespoir le plus effrayant.

Et il avait souri... d'un mince et livide sourire !...

– Tiens, tiens ! avait-il murmuré... mais voilà une carte dans mon jeu sur laquelle je n'avais pas compté... Allons, tout peut s'arranger !... Ne perdons pas de temps !...

Le chapeau à la main et le sourire aux lèvres, il s'était alors avancé vers le chevalier... Mais à ce moment, il avait vu surgir les sbires, et pour un pas qu'il avait fait en avant, il en fit trois en arrière... le chevalier fut arrêté, jeté dans la voiture qui allait l'entraîner dans l'antre formidable de la Bastille.

L'homme se retourna très désappointé, et aperçut alors le comte du Barry qui causait vivement à voix basse avec le lieutenant de police, M. Berryer. Il constata que le regard du comte du Barry suivait la voiture qui emportait le chevalier. Il vit sur sa figure la haine satisfaite comme il avait vu le désespoir sur celle du jeune homme.

Alors il attendit que le lieutenant de police se fût éloigné ; il se rapprocha vivement de du Barry qui s'éloignait à son tour, le frôla comme eût pu faire un passant, et, en le frôlant, murmura :

– Ce soir chez moi !...

Puis il passa sans s'arrêter, gagna la rue Saint-Antoine, atteignit la rue du Foin et entra dans cette maison modeste dont nous avons parlé, et où nous avons vu du Barry, au sortir de la Bastille, pénétrer mystérieusement.

Cette maison, en effet, était celle de M. Jacques, et cet homme, c'était M. Jacques lui-même.

Il s'enferma dans un cabinet dont il ferma la porte à clef, tira les rideaux épais sur la fenêtre, et, sûr que nul ne pouvait le voir, fit jouer un ressort caché dans la muraille : une sorte de placard s'ouvrit. Dans ce placard, il y avait des papiers soigneusement rangés et étiquetés, sans compter des traites de change sur les principaux financiers de Paris, sans compter un coffre plein d'or.

M. Jacques tira une des liasses de papier, la compulsa longuement, annota quelques feuilles au crayon, puis remit la liasse à sa place.

Alors il s'assit à une table et se mit à écrire une longue lettre en caractères bizarres qui n'étaient sûrement ni des caractères français ni des caractères d'aucune langue connue.

Pendant trois heures, il poursuivit son travail qui devait être grave, car parfois il s'arrêtait, mettait sa tête dans ses mains, fronçait le sourcil et méditait longuement.

Quand il eut fini, il plaça les huit feuillets qu'il venait de remplir dans une enveloppe, et écrivit l'adresse dans cette écriture inconnue que nous venons de signaler.

Tout en écrivant cette adresse, il murmurait du bout des lèvres :

– Pour remettre... en main propre... à... Sa Majesté... Frédéric II... roi... de Prusse... Là ! voilà qui est fait... Pourvu qu'on m'écoute là-bas, tout ira bien !

Enfin, il glissa le tout dans une épaisse enveloppe qu'il cacheta à la cire, et sur laquelle il écrivit, en français, cette fois :

À Monsieur Wilfried Yungman,

marchand d'épices coloniales.

Wilhelmstrasse.

Berlin (Royaume de Prusse.)

(Commande de poivre et *gingembre très pressée.)*

Alors, il ferma le mystérieux placard, ouvrit la porte du cabinet, tira les rideaux, souffla le flambeau qu'il avait allumé, et, passant dans une sorte de salle à manger très modeste, il frappa sur un timbre.

Un homme parut, vêtu comme un domestique de bourgeois médiocre.

M. Jacques lui remit la lettre qu'il venait d'écrire, et d'une voix brève prononça :

– Un courrier à l'instant pour ceci. En toute hâte, baron, entendez-vous ?

L'homme s'inclina profondément et dit :

– Bien, monseigneur !...

M. Jacques, après la sortie de ce domestique, auquel il donnait le titre de baron, s'assit dans un mauvais fauteuil, croisa ses jambes l'une sur l'autre, ferma les yeux et parut se livrer aux douceurs d'un innocent sommeil.

Il était environ huit heures du soir lorsque le comte du Barry fut introduit.

– Eh bien, mon cher comte, demanda aussitôt M. Jacques, ce mariage ?

– C'est fait, comme vous avez pu voir. Je sors de l'hôtel d'Étioles. Je crois que nous avons là un rude adversaire.

– Et la petite ?...

– Jeanne Poisson ? Elle se comporte admirablement.

– Oui, c'est une vaillante, fit lentement M. Jacques. Là est le danger pour nous. Quel malheur que je ne sois pas tombé tout de suite sur une fille pareille !... Et encore !... Non... elle aime trop le roi... elle n'eût pas fait mon affaire...

– Notre affaire, voulez-vous dire ! fit railleusement le comte.

M. Jacques lui jeta le regard de dédain de l'homme supérieur. Mais il sourit aussitôt, et reprit :

– C'est ce que je voulais dire, comte... Mais, voyons, que pensez-vous de la situation présente ?

– Je pense, dit du Barry en pâlissant de fureur, que ce d'Étioles est le plus redoutable des intrigants, et que s'il se met en travers de ma route, je le tuerai !...

– Tuez-le, si cela vous fait plaisir, dit froidement M. Jacques. En attendant, il faut absolument empêcher la petite Poisson... pardon : Mme d'Étioles, d'arriver jusqu'au roi. Vous comprenez ? Absolument, il le faut !...

– Et le moyen ! gronda du Barry. Le roi en est féru. Le roi l'a vue à la clairière de l'Ermitage où d'Étioles et la Poisson avaient amené la petite. Elle a produit son effet ! Le roi a été se promener sous ses fenêtres comme un jouvenceau amoureux ! Le roi s'est mis à son balcon du Louvre pour la voir sortir de l'église. Tout le monde à la cour dit que c'est une grande passion qui commence ! Il fallait voir d'Étioles aujourd'hui ! Tous nos courtisans étaient là, tâchant déjà d'attirer un regard de cette petite !... Et ce d'Étioles... si vous aviez vu le regard de triomphe qu'il m'a jeté !...

– Oui... mais elle !... Elle ne se doute de rien encore ! Elle ne sait pas !... Je vous le dis ; il ne faut pas que Mme d'Étioles et le roi se parlent une seule fois !...

– Le moyen ? répéta du Barry.

– Le moyen ? fit lentement M. Jacques, c'est de mettre dans le cœur de la petite d'Étioles un autre amour... une autre passion !... Supposez un jeune cavalier beau, brave, hardi, intelligent, et par-dessus tout amoureux, mais amoureux d'une de ces passions fougueuses auxquelles les femmes ne résistent pas !... Nous prenons le jeune homme, nous l'amenons chez la d'Étioles, et nous lui disons : Fais-toi aimer !...

– Très bien ! fit du Barry. La difficulté ne serait donc que de trouver... Oh ! dans mon entourage, je connais vingt gentilshommes capables de jouer ce rôle.

– Vous n'y êtes pas : il ne s'agit pas d'un rôle à jouer ! Il s'agit de trouver un gentilhomme tel que je vous l'ai dépeint et qui, réellement, sincèrement, aime assez la petite d'Étioles pour s'en faire aimer...

– Je chercherai, dit du Barry.

– Ne cherchez pas : le jeune homme en question est tout trouvé. Et il est tel que, dans les circonstances présentes, je n'eusse jamais espéré en trouver un pareil.

– Et c'est ?... fit du Barry non sans une secrète inquiétude et une sorte de jalousie contre cet inconnu qui pouvait diminuer sa propre situation déjà si précaire.

– Comment appelez-vous le jeune homme que vous avez fait arrêter ce matin ? demanda brusquement M. Jacques.

Du Barry bondit.

– Celui-là !... gronda-t-il. Ah ! jamais !...

– Ne dites donc pas de sottise, mon cher comte, fit doucement M. Jacques.

– C'est mon ennemi ! grinça du Barry.

– Je vous ai demandé son nom.

– Chevalier d'Assas ! haleta le comte dominé par l'impérieux regard de M. Jacques.

Celui-ci réfléchit un instant.

– Chevalier d'Assas ? finit-il par murmurer. Oui... il me semble que je connais cela... bonne famille de province... courage, fierté, pauvreté... toute l'histoire de la famille est dans ces trois mots... Eh bien, voilà notre affaire !

– Mais je vous dis que je le hais ! de toutes mes forces ! de toute mon âme !

– Bah ! Et pourquoi donc ?...

– Il m'a blessé !

– Preuve qu'il se bat bien, puisque vous êtes la meilleure lame de Paris... mais après lui, paraît-il.

– Il m'a insulté !...

– Bah ! quelque méchante querelle de cabaret : cela s'oublie.

– Oh ! gronda le comte écumant. Cet homme, voyez-vous, je l'étranglerais de mes mains...

– Non ! Vous lui tendrez la main, vous lui sourirez, et vous serez son ami...

– Jamais !...

– Je le veux !...

Du Barry se redressa. Un instant toute la morgue de sa race remonta à son front en une ardente bouffée...

Mais sous le regard de M. Jacques, il frissonna, pâlit... et il baissa la tête.

D'une voix haletante, il tenta une dernière défense.

– Mais il est à la Bastille !

– C'est vous qui l'avez fait arrêter, n'est-ce pas ? Eh bien, faites-le sortir ! Arrangez-vous comme vous voudrez ; ce n'est pas mon affaire. Ici commence votre besogne. Je vous donne huit jours, pas plus. Dans huit jours vous m'apporterez deux choses : d'abord une autorisation pour moi de communiquer avec le prisonnier, sans témoins ; et ensuite un ordre de mise en liberté immédiate... Dites ce que vous voudrez... Vous avez dû inventer une histoire pour le faire arrêter, inventez-en une autre pour le faire relâcher... dites que vous vous êtes trompé... enfin, faites comme vous voudrez... mais dans huit jours... est-ce entendu ?

– C'est impossible !

– Impossible ? répéta Jacques. Vous me dites, à moi, que c'est impossible ?

– Je vous le jure !

– Sur quoi ? Serait-ce sur votre honneur de gentilhomme ?

Le comte du Barry eut une suprême révolte :

– Monsieur... Monsieur !

M. Jacques eut un sourire de tranquille menace.

– Ah ça ! vous avez donc hérité ?

– Malheureusement, non !

– Alors, vous n'avez plus besoin d'argent ?

– Jamais je n'en ai eu si grand besoin, au contraire.

– Vous oubliez peut-être... notre pacte ?

– Je n'oublie rien.

– Eh bien ! je ne vous comprends pas. Expliquez-moi ce mystère ?

– C'est bien simple. Le chevalier d'Assas a osé outrager, provoquer son roi !

– Crime de lèse-majesté. N'est-ce que cela ?

– Mais vous voulez donc ma mort !

– Non, je veux votre vie... heureuse et riche. Et pour cela il faut encore m'obéir. Est-ce dit, mon cher comte ?

– Oui, fit du Barry dans un souffle de rage.

– Très bien. Avez-vous besoin d'argent, cher comte ?... Si, si !... Je vois cela à votre air ! Ah ! ces jeunes gentilshommes parisiens ! toujours à court !... quels paniers percés ! Allons, voici pour consoler votre grande haine contre ce pauvre jeune homme qui n'en peut mais... voici un petit bon de trente mille livres en attendant mieux... c'est-à-dire vingt-cinq mille pour le permis de communiquer, et le reste pour l'ordre de mise en liberté de votre farouche ennemi... qui me fait l'effet d'un charmant garçon... Allons, allons, au revoir, mon cher comte... je vous attends dans huit jours...

En parlant ainsi, M. Jacques poussait doucement du Barry vers la porte.

Lorsque le comte se retrouva dans la rue, il crispa les deux poings, et, livide, les dents serrées, murmura :

– Pris !... Je suis pris dans un inextricable réseau ! Je n'ai plus le droit ni d'aimer ni de haïr !... Je ne suis plus qu'un misérable instrument aux mains de cet homme !... Oh ! mais... patience ! comme il dit lui-même quelquefois !...

Cependant, peu à peu le comte se calma. En somme, M. Jacques payait quatre-vingt mille livres la mise en liberté du chevalier d'Assas. Savoir : un bon de trente mille livres que du Barry alla toucher séance tenante, et deux bons de vingt-cinq mille livres promis par le mystérieux personnage qui jusqu'ici avait rigoureusement tenu toutes les promesses de ce genre qu'il avait pu faire.

C'était donc une excellente affaire. Du Barry réfléchit que le plus pressé pour lui était de gagner les cinquante mille livres qui lui restaient à encaisser ; quant au chevalier d'Assas, il lui chercherait quelque bonne querelle et le tuerait.

Ou mieux... il ne manquait pas à Paris d'honnêtes bravi qui, moyennant finances, opéraient en douceur et sans esclandre...

Ce fut en roulant ces hideuses pensées, – argent, trahison, haine, sang, tout cela se tenait et s'enchaînait en lui, – ce fut en songeant aussi à d'autres projets plus profonds que le comte du Barry commença aussitôt le siège du lieutenant de police, du garde des sceaux et du roi lui-même. Il n'eut aucune peine à triompher. En somme, toute l'accusation contre le chevalier d'Assas venait de lui. Et c'était chose si rare que d'entendre du Barry chercher à innocenter quelqu'un, qu'on pouvait l'en croire sur parole quand la chose lui arrivait.

Au jour dit, le comte apportait à M. Jacques les deux papiers demandés, et l'emmenait dans son carrosse à la Bastille. Nous avons vu comment M. Jacques avait été présenté au gouverneur, puis conduit par un porte-clefs jusqu'au cachot du chevalier d'Assas.

XVI

Le tentateur

– Je vous apporte des nouvelles de Jeanne !

Tel fut le premier mot du visiteur.

Et l'effet que ce mot produisit sur le chevalier fut prodigieux. D'Assas qui voulait mourir l'instant d'avant, d'Assas qui s'était étendu sur sa triste couchette pour chercher un moyen de se tuer, d'Assas qui était plongé dans ce désespoir d'amour qui est à coup sûr le plus redoutable des désespoirs, d'Assas bondit, les yeux étincelants, et, de ses mains tremblantes, saisit les mains de l'étrange personnage. Il voulut l'interroger, prononcer quelques mots, et n'y parvint pas.

– Calmez-vous, mon enfant, dit M. Jacques en jetant sur le jeune homme un regard de sombre satisfaction. Les nouvelles que je vous apporte ne sont d'ailleurs pas aussi importantes que vous pouvez vous l'imaginer...

– Ah ! monsieur, murmura le chevalier avec ferveur, qui que vous soyez et quoi que vous ayez à me dire, je vous bénis !... Parlez, parlez, je vous en supplie... qu'avez-vous à m'apprendre ?...

M. Jacques garda un instant le silence, tandis que d'Assas l'examinait avec une angoisse grandissante.

– Vous l'aimez donc bien ? demanda-t-il brusquement.

– Je l'adore ! fit le chevalier avec cette charmante naïveté des vrais amoureux qui éprouvent le besoin de raconter leur passion à tout l'univers. Je l'adore, monsieur ! Je donnerais ma vie pour la revoir, ne fût-ce que quelques instants...

M. Jacques poussa un soupir.

Qui sait si cet effrayant personnage qui disposait d'une puissance occulte capable d'ébranler le monde n'enviait pas à ce moment ce pauvre prisonnier !

C'est que sa puissance, à lui, était faite de ténèbres ! C'est que le cachot rayonnait de la jeunesse et de l'amour de son prisonnier !

Si ce sentiment pénétra jusqu'à l'âme obscure de M. Jacques

comme un rayon de soleil peut pénétrer au fond d'un souterrain noir, humide et chargé de miasmes délétères, ce rayon s'effaça aussitôt, ce sentiment disparut sans retour.

– Ainsi, reprit le visiteur, vous voudriez la revoir ?

– Je vous l'ai dit : que je puisse une fois encore éblouir mon regard de cette adorable vision... et que je meurs ensuite !...

– Il ne s'agit pas de mourir ! Vous êtes jeune, vous avez de longues années à vivre, l'amour et peut-être la richesse et la puissance vous attendent. Si la richesse et le pouvoir ne vous charment pas, l'amour du moins peut faire de votre vie un long délice. Je vous apporte le moyen de la revoir, non pas pour une minute ou un instant comme vous le demandez, mais de la revoir tous les jours, de l'aimer... d'en être aimé peut-être ! Non pas pour mourir à ses pieds, mais pour y vivre en l'adorant... en vous enivrant de ses baisers...

D'Assas joignit les mains, et, haletant, murmura :

– Vous me rendez fou, monsieur !... ou plutôt... vous vous jouez de mon désespoir !...

– Jeune homme, fit M. Jacques avec une sorte de sévérité, je ne suis pas de ceux qui jouent avec un cœur d'homme...

– Vous savez pourtant que je suis prisonnier ! Vous savez, vous devez savoir qu'on ne sort pas de la Bastille lorsque c'est le caprice du roi qui vous y jette !

M. Jacques, sans répondre, se fouilla et lui tendit un papier. Le chevalier le lut et bondit.

Ce papier, c'était un ordre de mise en liberté immédiate !...

D'Assas poussa ce rauque mugissement qui éclate dans la gorge de l'homme lorsque la joie est trop puissante pour se faire jour tout à coup. Il tendit vaguement les bras à ce sauveur inconnu qui venait d'entrer dans sa prison, lui apportant le double rayon vital de l'amour et de la liberté.

Mais alors, il pâlit soudain... il lui sembla que la figure de ce sauveur prenait subitement de formidables proportions, que, du haut de cette joie imprévue, il était précipité tout à coup dans un abîme de désespoir plus profond... que la porte entrouverte de son cachot se refermait à tout jamais !...

En effet, M. Jacques avait repris le papier, l'avait plié, l'avait froidement remis dans sa poche, et il avait dit :

– Maintenant, mon cher ami, asseyez-vous et causons !...

Le chevalier, alors, regarda avec attention cet homme qui lui parlait ainsi, avec une ironie menaçante qu'il démêla aisément, si voilée qu'elle fût sous une froide et glaciale politesse.

M. Jacques paraissait environ cinquante ans. Il était de taille moyenne. Son visage eût semblé insignifiant de modestie bourgeoise à quiconque ne l'eût pas étudié avec la double vue de la philosophie humaine. Son regard, d'habitude terne et presque toujours voilé, par les paupières baissées, lançait parfois des éclairs contenus. Ses mains étaient fort belles... on eût dit des mains de prélat. Lorsqu'il était seul et qu'il ne se surveillait pas, il y avait dans ses attitudes une sorte de majesté dédaigneuse, un orgueil tranquille et puissant, un dédain d'homme très supérieur au reste de l'humanité. Cet homme-là devait sans doute se jouer de la gloire des monarques, déchaîner à son gré des guerres sanglantes, et, d'un signe, faire régner la paix sur le monde.

Tout cela, d'Assas ne le comprit pas, mais il le sentit confusément.

Il comprit du moins qu'il se trouvait en présence de quelque chose d'effrayant, d'inconnu, qui pouvait être excessif de force et de pouvoir.

Et comme il était brave, il éprouva non pas l'effroi qu'on avait peut-être voulu lui inspirer, mais cette sorte de joie sourde qui s'empare de l'homme jeune, chevaleresque et hardi, lorsqu'il se trouve devant la bataille.

– Qui êtes-vous, monsieur ? demanda-t-il.

– Je m'appelle M. Jacques, dit lentement le visiteur ; je suis un paisible bourgeois, allié lointain de la famille Poisson... si lointain d'ailleurs que je crois cette parenté parfaitement ignorée de mes cousins. Quoi qu'il en soit, j'ai pu voir de près Jeanne qui se trouve être ma nièce ; sa beauté m'a intéressé ; je crois qu'elle n'est pas heureuse et je cherche le moyen d'assurer son bonheur. Voilà qui je suis, jeune homme. Ces explications vous suffisent-elles ?

– Non ! répondit d'Assas froidement ; car elles n'expliquent rien. Et surtout, elles ne me disent pas comment vous, bourgeois modeste, avez pu obtenir du roi ce qu'un ministre obtiendrait difficilement, c'est-à-dire un ordre de mise en liberté immédiate.

– Nous sommes bien près de nous entendre, mon cher enfant. Car vous êtes doué d'une rare intelligence et l'intelligence facilite les transactions. Donc vous ne croyez pas à mon invention du bourgeois ?

– Non, monsieur, dit d'Assas qui se sentait gagné par un indéfinissable malaise.

– Et vous avez raison. Je vois que je suis obligé de parler net et franc.

– C'est le meilleur, monsieur.

– Et le plus court, jeune homme. Avez-vous entendu parler du cardinal Fleury ?

– L'éducateur du roi ? Certes !

– Eh bien ! je suis son successeur, ou pour mieux dire son continuateur.

– C'est donc à un homme d'église que j'ai l'honneur de parler ?

– Oui, monsieur : à un homme d'église ! répondit M. Jacques. Et cette fois, il y eut un tel accent de vérité profonde dans sa voix, une telle majesté dans son attitude que d'Assas, un instant hésitant, s'inclina profondément.

M. Jacques reprit alors son masque de modestie et poursuivit :

– Je n'occupe pas le rang élevé et la haute situation que remplissait si noblement Monseigneur Fleury. Je n'en serais pas digne. Mais ce qui est sûr, c'est que je suis animé de la même foi profonde que mon illustre prédécesseur : je ne fais d'ailleurs que me conformer rigoureusement à la tradition qu'il m'a transmise ; et si j'ai résolu de demeurer toujours dans la coulisse et de ne jamais me mêler des affaires de l'État, je n'en ai pas moins conquis une précieuse influence sur l'esprit du roi en ce qui concerne la direction de sa vie privée... Comprenez-moi bien, monsieur. En maintenant le roi de France dans la voie des vertus domestiques, je crois rendre au royaume un signalé service... Ce n'est pas seulement sur les champs de bataille ou dans les conseils de ministres qu'on peut utilement servir son pays. Mon rôle est modeste, l'histoire ne l'enregistrera pas, mais, en sauvant Louis XV des tentations de l'amour, n'est-il pas vrai que j'épargne à la France bien des misères et peut-être bien des catastrophes ?

– Vous avez raison, monsieur, dit le chevalier avec un respect qu'il ne songea pas à dissimuler. Vous faites là de bonne et profonde politique. Un roi désordonné, vicieux, c'est le malheur d'un royaume, ce sont les folles dépenses, ce sont les levées d'impôts, ce sont les émeutes, ce sont les guerres pour conquérir l'or nécessaire à satisfaire les insatiables maîtresses qui...

Le chevalier s'arrêta soudain, livide et frissonnant.

– Oh ! murmura-t-il. Et elle ! elle ! elle qu'il aime !... Oui ! le roi l'aime !... Malheureuse !...

M. Jacques saisit la main de d'Assas et dit sourdement :

– Vous venez de prononcer de terribles paroles, jeune homme ! C'est de Jeanne-Antoinette Poisson que vous parlez, n'est-ce pas ? De celle que vous aimez !... Eh bien, oui ! le roi l'aime ! Et c'est ce qui m'amène ici !... Écoutez-moi !...

D'Assas passa sur son front ses mains tremblantes. Cet amour du roi, il l'avait presque oublié !... qu'allait-il apprendre ?

– Le roi, reprit M. Jacques, s'est épris de cette belle enfant...

– Mais elle est mariée, maintenant ! s'écria d'Assas. Son mari...

– Elle n'aime pas son mari ! Elle ne l'aimera jamais ! Comment cet ange de beauté pourrait-il aimer ce monstre de hideur qu'est M. Henri Le Normant d'Étioles ?...

– Oui ! oui ! murmura ardemment le chevalier, vous avez raison... elle ne peut aimer cet homme... mais alors ! ajouta-t-il avec une plainte déchirante... elle aime le roi !...

– Pas encore ! dit M. Jacques.

D'Assas était pantelant. Il ne pouvait plus douter maintenant de la loyauté absolue de l'homme qui lui parlait. L'accumulation des détails exacts correspondant à tout ce qu'il savait eût suffi pour lui enlever ses derniers doutes.

Mais comme il souffrait, le pauvre enfant ! Sous la main de fer de cet homme, sous cette parole habile à le faire passer brusquement par tous les degrés de l'espérance et du désespoir, son cœur se tordait en d'affreuses angoisses.

M. Jacques ne le perdait pas de vue un instant.

– Mme d'Étioles, reprit-il, n'aime pas encore le roi. Mais elle ne tardera pas à l'aimer...

– Oh ! rugit d'Assas.

– Est-ce improbable ? Je la connais. Je l'ai étudiée. C'est un cœur d'or. Elle ignore tout de la vie. Elle exècre son mari. Le roi est encore jeune, encore beau, et surtout auréolé de son élégance, de son prestige royal. Comment voulez-vous que cette pauvre enfant ne succombe pas bientôt ?...

– Oui ! oh ! oui !... Ah ! que je souffre !...

– Il ne faut pas que cela soit ! Pour le repos de la France et surtout pour le repos de cette pauvre reine qui a déjà tant souffert, à laquelle je suis, moi, profondément dévoué, il ne faut pas que Louis commette cette nouvelle faute ! Il ne faut pas que la misérable duchesse de Châteauroux, qui a tant fait pleurer la reine, qui a mis le royaume à deux doigts de sa perte, soit remplacée par une nouvelle maîtresse d'autant plus redoutable qu'elle serait plus jeune et plus belle !...

D'Assas étouffa un sanglot que M. Jacques recueillit avec une joie soigneusement dissimulée sous un masque de pitié profonde.

– Vous me plaignez ? fit le chevalier.

– De tout mon cœur. Qui ne vous plaindrait ? Si jeune et si sincère dans votre amour !

– Mais, reprit tout à coup d'Assas, qui vous a donné l'idée...

– De venir vous trouver ? interrompit M. Jacques. C'est elle-même ! C'est Jeanne !

– Elle ! s'exclama le chevalier dans un cri de joie délirante.

– Vous comprenez bien que mon premier soin a été de la faire surveiller, de savoir ce qu'elle dit, ce qu'elle pense. Or, depuis quelques jours, et surtout la veille de son mariage, elle n'a parlé que d'un chevalier d'Assas qu'elle cherchait à revoir.

Le jeune homme palpitait et murmurait extasié :

– Elle a parlé de moi ! Elle s'est souvenue de moi...

– Je me suis informé. J'ai appris que ce chevalier d'Assas était à la Bastille pour une faute inconnue. J'ai habilement interrogé le roi.

Il m'a dit qu'il ne tenait nullement à garder en prison ce d'Assas auquel il avait voulu simplement donner une leçon. J'ai fait agir tous mes amis, et notamment le comte du Barry que vous avez blessé, paraît-il, mais qui ne vous en a pas gardé rancune. Bref, j'ai obtenu votre élargissement et me voici !...

– Vous voici ! répéta machinalement le chevalier. Mais... que... voulez-vous donc de moi ?

– Quoi ! Vous ne le comprenez pas ?

– Excusez-moi... j'ai la tête perdue... parlez clairement, je vous en supplie.

– C'est bien simple, dit M. Jacques. Je crois fortement que Jeanne aimera le roi à bref délai. Mais je crois non moins fortement que prudente, intelligente comme elle est, elle ne se lancera dans cette aventure que par désœuvrement de cœur. Si ce cœur est pris, Jeanne est trop fière pour sacrifier un amour véritable à la vanité d'être la maîtresse du roi... Voulez-vous être cet amour ? Voulez-vous devenir l'infranchissable obstacle qui se dressera entre Jeanne et Louis XV ?

– C'est sur moi que vous avez compté pour ce rôle ! s'écria d'Assas en frémissant.

– J'avoue que la chose est dangereuse, dit doucement M. Jacques. Pour être aimé à jamais... pour sauver du déshonneur et du désespoir celle que vous adorez... il faudra lutter contre la puissance royale... risquer d'être brisé... pulvérisé !... Je comprends votre hésitation ! Si amoureux que vous soyez... vous êtes jeune et vous tenez à la vie... Dans la première effervescence de votre amour, vous vous dites prêt à mourir pour revoir un instant la femme aimée... puis vous songez aux dangers que vous allez courir... C'est tout naturel, je ne vous en blâme pas... et vous réfléchissez qu'après tout, la vie vaut bien le sacrifice d'une passionnette de jeunesse... je le comprends... Mais je vois à regret que Dieu m'abandonne... que j'avais en vain compté sur votre vaillance... Allons, c'en est fait ! La pauvre reine pleurera encore, Louis XV ne trouvera aucun hardi chevalier sur sa route... et Jeanne sera déshonorée !... Adieu, monsieur !...

– Arrêtez, par le Ciel...

D'Assas s'élança entre la porte et M. Jacques.

Il avait écouté avec une indicible terreur les dernières paroles de cet homme. Il se représenta Jeanne dans les bras de Louis XV... Tout ! oui, tout plutôt que de voir s'accomplir la sinistre prophétie !

– Que faut-il faire ? demanda-t-il haletant, brisé, vaincu.

– Rien, dit M. Jacques. Rien que ce que je vous ai dit : sauver Jeanne ! parce que sauver Jeanne, ce sera sauver la reine d'une nouvelle douleur, le roi d'une passion dangereuse, et le royaume de nouvelles tristesses !...

– Ah ! s'écria d'Assas en se courbant, vous êtes vraiment un homme de Dieu ! Pardonnez-moi, j'ai soupçonné... j'ai redouté un instant quelque marché...

– Devant lequel se fût révoltée votre conscience ! Je vous comprends, mon enfant, dit M. Jacques avec mélancolie. Mais, vous le voyez, pas de marché. La clarté, la limpidité. Il s'agit d'un poste d'honneur...

– Oui, oui ! Dussé-je y mourir !...

– Eh bien, mon enfant, attendez-moi. Je vais faire remplir les formalités nécessaires. Dans une demi-heure, vous serez libre.

– Libre ! libre !... la liberté ! murmura d'Assas extasié.

– Et l'amour, dit M. Jacques qui sortit aussitôt, laissant le chevalier en proie à mille sentiments contradictoires, à mille conjectures qui se heurtaient dans sa tête.

M. Jacques se rendit aussitôt dans l'appartement du gouverneur de la Bastille, toujours accompagné du porte-clefs... Ce gouverneur s'appelait Louis, marquis de Machault.

C'était celui-là même qui devait être garde des sceaux un peu plus tard.

C'était un homme retors, adroit courtisan, diplomate redouté, pour le moment en disgrâce dans ce poste de gouverneur d'une prison d'État où il s'ennuyait à mourir, et que lui avait voulu la malice de Mme de Châteauroux, alors toute-puissante. L'année précédente, le marquis de Machault, retour d'une ambassade à Berlin, s'était permis de dire que le grand Frédéric appelait Cotillon III la maîtresse de Louis XV. Mme de Châteauroux se plaignit au roi.

– Que voulez-vous que j'en fasse ? demanda Louis XV.

– Envoyez-le à la Bastille, Sire !...

– Diable, ma chère ! Si je mets mes gentilshommes en prison pour si peu...

– Mais, Sire, fit la duchesse en se mordant les lèvres, car elle voyait déjà son pouvoir lui échapper, qui vous parle d'emprisonner M. de Machault ? Nommez-le gouverneur de votre Bastille, il n'aura rien à dire et sera tout de même embastillé !

Le roi se mit à rire, et signa séance tenante la nomination de M. de Machault qui la reçut en pestant fort, mais qu'en habile courtisan, il dut accepter avec grands remerciements. Il se vengea en passant son temps de captivité, comme il disait, à tourner des quatrains contre Mme de Châteauroux.

La puissante maîtresse du roi avait fini par perdre tout crédit ; comme nous l'avons dit, elle avait été, à la lettre, chassée honteusement depuis deux mois. Mais Machault, oublié, continuait à gouverner la Bastille et commençait à se demander avec inquiétude s'il était destiné à mourir dans ses murs comme un prisonnier.

Lorsque M. Jacques se présenta devant lui, le gouverneur, qui n'avait cessé de l'examiner pendant la précédente entrevue avec du Barry, le reçut avec une froideur glaciale.

– Eh bien, monsieur... Jacques, je crois ?

– Oui, monsieur le gouverneur... M. Jacques !

– Eh bien, vous avez vu votre homme ? Vous êtes content ? Adieu, donc ! Vous pouvez vous retirer.

– Pardon, monsieur le gouverneur, c'est que... fit humblement M. Jacques.

– Qu'y a-t-il encore ? Je vous préviens que je suis pressé.

– Soit. Veuillez donc, s'il vous plaît, me remettre M. le chevalier d'Assas que j'emmène.

Le gouverneur bondit, non pas tant de la surprise que lui causait cette nouvelle, que du ton d'autorité qu'avait pris soudain M. Jacques.

– Ah ! çà !... vous devenez fou !... Je vous assure que nous avons des cabanons ici, qui...

– Lisez ! fit impérieusement M. Jacques.

Le marquis de Machault saisit le papier que lui tendait M. Jacques, et le parcourut d'un coup d'œil.

– C'est un ordre d'élargissement tout à fait en règle, dit-il au bout d'un instant. Diable, mon cher monsieur... Jacques, vous êtes puissant... Car voilà un papier que peu de personnes pourraient arracher à Sa Majesté... On sait assez que le roi déteste la manie qu'ont certaines gens de vouloir sortir de la Bastille... témoin moi qui y suis encore... Peste ! mes compliments... Au fait ! qui sait si, grâce à vous, je ne pourrais pas, moi aussi, gagner ma liberté ?... Monsieur Jacques, je ne vous laisserai pas sortir, à moins que vous ne me promettiez votre protection !

M. Jacques s'inclina sans répondre.

Quant au gouverneur, il parlait, comme on dit, pour parler, et examinait l'étrange visiteur avec plus d'attention que jamais.

– J'y suis ! fit-il tout à coup, d'une voix changée.

– Où êtes-vous ? demanda ironiquement M. Jacques.

– Je me demandais où je vous avais vu, et je viens de trouver !

– Ah ! ah ! dit M. Jacques en dissimulant un tressaillement.

– Oui... c'est bien cela ! Je vous ai vu à Berlin... pendant mon ambassade auprès de l'illustre Frédéric, roi de Prusse !

M. Jacques ne fit pas un geste. Mais tout doucement, d'un mouvement imperceptible, il tourna en dehors le chaton d'une énorme bague qu'il portait à l'index de la main droite.

– Savez-vous que vous êtes diantrement changé ! continuait M. de Machault. Je vous trouve ici en pauvre petit bourgeois très humble... Vous étiez là-bas un grand seigneur ayant rang à la cour et salué très bas par les plus puissants... Ah çà ! monsieur Jacques, c'est bien vous, n'est-ce pas, que j'ai vu à Berlin ?...

– C'est possible, dit M. Jacques d'une voix blanche, j'ai beaucoup voyagé. Mais il ne s'agit pas de moi, monsieur le gouverneur. Il s'agit de ce pauvre prisonnier. L'ordre est en règle, vous l'avez dit vous-même.

– Parfaitement en règle, trop en règle !

– Alors, je puis emmener le chevalier d'Assas ?

– C'est grave. Vous comprenez, moi je ne demande pas mieux. Mais il se passe parfois des choses si bizarres ! Supposez un instant, – tout arrive ! – que la signature du roi et celle de M. Berryer soient fausses...

– Il y a les cachets, dit M. Jacques sans nullement paraître offensé.

– Oui, je sais bien, il y a les cachets ! Mais si on a pu imiter la royale signature, on a pu tout aussi bien pénétrer dans les bureaux... c'est si facile !... On prend un cachet, on timbre... et le tour est joué !...

– Tout cela est en effet possible, dit M. Jacques sans un frémissement. Et alors, que comptez-vous faire ?

– Deux choses, mon cher monsieur Jacques ! fit M. de Machault qui, en même temps, appuya sur un bouton correspondant à un timbre extérieur.

Presque aussitôt, M. Jacques entendit des pas nombreux de soldats qui s'arrêtaient dans l'antichambre. Mais il demeura impassible. À peine si une légère pâleur apparut sur son visage que le gouverneur ne quittait pas des yeux.

– Voyons les deux choses, dit paisiblement le mystérieux personnage.

– D'abord, il faut que je m'assure que cet ordre de mise en liberté n'est pas faux !

– Combien de temps vous faut-il pour cela ?...

– Trois jours.

– C'est trop, monsieur le gouverneur. Il me faut mon prisonnier séance tenante.

Le marquis de Machault demeura stupéfait. Il croyait avoir écrasé son homme sous cette formidable accusation de faux, à peine voilée par de prétendues nécessités de service.

– Il paie d'audace ! pensa-t-il. Assommons-le !...

Et il reprit :

– Quant à la deuxième chose...

– Ah ! oui... voyons la deuxième chose...

– C'est de vous faire jeter, vous, honnête et digne bourgeois, dans mon cachot le plus secret, le plus infranchissable... jusqu'à ce que...

– Jusqu'à quand ? voyons ! fit M. Jacques avec un calme terrible.

– Jusqu'à ce que je sache comment un papier de cette importance, concernant un prisonnier d'État, peut se trouver dans les mains d'un espion de la Prusse !

En même temps, le gouverneur se dirigea vivement vers la porte pour faire entrer les soldats qu'il avait appelés. Mais, plus prompt que la foudre, M. Jacques s'était jeté entre le gouverneur et cette porte !

D'une voix basse, ardente, emplie d'une sorte de majesté puissante, il gronda :

– À genoux ! Et demande pardon !...

Et, d'un geste d'une indicible dignité, il tendit sa main, à l'index de laquelle étincelait le large chaton d'une bague monstrueuse.

Le marquis fixa sur les signes mystérieux tracés sur ce chaton des regards hébétés. Puis, ce regard, avec une terreur insensée, remonta jusqu'au visage flamboyant de l'homme... et alors, il fut pris d'un tremblement convulsif, et s'abattit sur les genoux en balbutiant :

– Le général !... Le chef suprême de la Compagnie de Jésus !...

– Ô Père ! Ô mon Père ! pardon, pardon ! murmura le marquis de Machault.

– Silence ! dit le Père, et relevez-vous !

Le gouverneur obéit en toute hâte.

– Voyez, dit le général des Jésuites, voyez, mon enfant, où m'a conduit votre obstination... vous m'avez forcé de me révéler à vous...

– Ah ! Monseigneur, qui aurait pu supposer... prévoir...

– Songez qu'une indiscrétion de votre part pourrait avoir de funestes conséquences. Le roi de France déteste notre saint ordre, vous le savez ! S'il me savait en France... à Paris ! qui sait s'il ne me ferait pas jeter dans quelque prison d'État... dont vous ne seriez pas le gouverneur, mon cher fils !

– Ah ! maudit soupçon que j'ai eu ! Jamais je ne me pardonnerai !...

En même temps, Machault considérait l'illustre visiteur avec une sorte d'effroi mêlé de respect et de vénération.

– Oui, dit le Père, mais moi, je vous pardonne... Au contraire, votre promptitude, votre sagacité me révèlent en vous des qualités que j'ignorais et que j'utiliserai... Voyons, mon fils, quel rang occupez-vous dans la partie laïque de l'ordre ?...

– Le septième, Monseigneur. Votre haute bienveillance a bien voulu me faire passer du huitième au septième, voici trois ans.

– Bien, à partir d'aujourd'hui, vous passez au cinquième rang, franchissant ainsi le sixième. Vous vous ferez initier à vos charges, devoirs et droits nouveaux par M. de Bernis...

– Quoi ! ce petit poète !...

– Troisième rang, mon fils !...

Le marquis de Machault s'inclina profondément.

– C'est un homme profond et qui vous étonnera quelque jour. C'est en tout cas votre supérieur. Je lui donnerai mes instructions, et vous serez initié à votre nouvelle dignité.

– Comment vous remercier, Monseigneur !...

– En servant notre ordre, en tenant scrupuleusement le serment que vous avez fait en y entrant de vous dévouer à lui corps et âme et d'obéir sans discussion, *perinde ac cadaver...* comme un cadavre sans volonté !

– Je suis prêt à vivre et à mourir *ad majorem Dei gloriam !*

– C'est bien, mon fils... je vous connais, je vous suis des yeux...

– Je suis confus de vos hautes bontés, Monseigneur...

– N'en parlons plus. Vous recevrez des instructions sur quelque besogne qui doit s'accomplir à Paris. Quant au présent, j'ai un ordre rigoureux à vous donner.

– Je suis prêt, Monseigneur.

– Très bien. Voici l'ordre : oubliez à l'instant même quel personnage se trouve en votre présence, et oubliez-le de telle sorte que jamais personne, pas même vous, ne se doute à qui vous avez parlé...

À peine le général eût-il donné cet ordre que le gouverneur de la Bastille reprit en une seconde son air de lassitude ennuyée, de hautaine protection et d'impertinence vis-à-vis du petit bourgeois qu'était M. Jacques.

M. Jacques avait tourné en dedans le chaton de sa bague ; la redoutable vision du chef suprême des Jésuites disparut, et il n'y eut plus là que l'humble M. Jacques.

Le marquis de Machault alla alors ouvrir lui-même la porte : l'antichambre était pleine de soldats que commandait un officier.

– Faites enregistrer cet ordre de mise en liberté, dit-il d'une voix nonchalante à une sorte de commis. Il concerne monsieur... voyons... M. le chevalier d'Assas... Veuillez, ajouta-t-il en s'adressant à l'officier, veuillez m'amener le n° 214 : le roi fait grâce !

Dix minutes plus tard, le chevalier d'Assas paraissait devant le gouverneur et, toutes formalités étant remplies, sortait de la Bastille.

Le pont-levis une fois franchi, le chevalier, tout pâle de cette liberté imprévue, respira à grands traits en murmurant :

– Mordieu, que c'est bon ! que Paris est beau ! qu'il fait bon vivre !...

Et se tournant vers M. Jacques qui le regardait en souriant :

– Que puis-je faire pour vous remercier ?

– Être heureux ! répondit M. Jacques.

Aussitôt, il s'éloigna, laissant le chevalier ivre de bonheur et de liberté, un peu étourdi de l'étrangeté de ce personnage. Lorsqu'il revint au sens de la situation, d'Assas voulut rejoindre M. Jacques ; mais déjà celui ci avait disparu au détour de l'une des étroites ruelles qui avoisinaient la Bastille et formaient autour du sombre monument un réseau à mailles serrées...

XVII

La fille galante

Monsieur Jacques rentra dans son logis de la rue du Foin et y trouva le comte du Barry qui l'attendait, en trempant des biscuits dans du frontignan dont il venait d'absorber une demi-bouteille.

– Voilà qui est fait, dit-il en entrant. Votre farouche ennemi est en liberté. Mais pas de bêtises, n'est-ce pas ? Songez que le chevalier d'Assas est désormais votre ami... et le mien !

– Le vôtre, peut-être ! mais...

– Mon cher, dit M. Jacques en regardant durement du Barry, le frontignan ne vous vaut rien. Il vous inspire des pensées de révolte... Voici les deux bons que je vous ai promis. Cinquante mille livres pour être l'ami d'un petit cornette au régiment d'Auvergne, il me semble que c'est bien payé !

Du Barry saisit les deux papiers, les empocha, et s'inclina en grondant :

– C'est bien, je suis l'ami du chevalier.

– À telles enseignes que vous allez me procurer pour lui une invitation au bal de l'Hôtel de Ville où Sa Majesté doit paraître.

– Mais on n'invite que les dignitaires ou gens de cour !

– Ceci ne me regarde pas, dit froidement monsieur Jacques. Ayez-moi l'invitation dès demain. Ah ! à propos, j'allais oublier : il faut aussi une invitation pour une demoiselle... une dame... que j'espère vous présenter.

– Belle ?

– À damner un saint.

– Noble ?

– Elle s'appelle Juliette Bécu.

Du Barry secoua la tête.

– Bien entendu, reprit alors M. Jacques, l'invitation ne sera pas au nom de Juliette Bécu. Donnez-lui un nom qui la rende possible. Et tenez... j'y pense... pourquoi ne s'appellerait-elle pas tout simplement comtesse du Barry ?

– Tout simplement ! s'écria le comte suffoqué. Mais je ne suis pas marié !...

– Bah !... Vous vous seriez marié secrètement. Des raisons intimes vous auront obligé à cacher la comtesse quelque temps... cela attirera l'attention sur elle... et peut-être que le roi daignera la voir et remarquer sa beauté.

Du Barry était pâle comme un mort. Il eut une de ces révoltes, derniers ressauts non pas de la conscience, mais de la morgue de race.

– Monsieur, fit-il à voix basse et les dents serrées, prenez garde de trop me demander ! Prenez garde de m'acculer à la révolte !

– Et alors ?

– Alors, monsieur !... perdu pour perdu, je dirais...

– Nos conventions ?... Eh bien ! dites-les !... On saura ainsi que vous avez voulu mourir dans la peau d'un espion à la solde de la Prusse !... Quant à moi, mes précautions sont prises. Adieu, comte ! dès aujourd'hui vous n'existez plus pour moi !

– Grâce ! râla du Barry en s'abattant à genoux. J'obéirai.

– Soit ! fit M. Jacques en levant les épaules. Vous êtes un enfant. Allons, à demain, n'est-ce pas ?

– Oui ! dit le comte en se relevant.

– Avec deux invitations.

– Je les aurai !

– L'une pour le chevalier d'Assas !

– Oui... oui !...

– Et l'autre pour Mme la comtesse du Barry !

À bout de forces, le comte fit un signe de tête désespéré et sortit, la rage dans le cœur.

M. Jacques attendit quelques minutes que du Barry se fût éloigné. Alors, il ferma les portes, tira les rideaux et ouvrit l'armoire secrète d'où il tira quelques papiers qu'il se mit à annoter.

Puis il écrivit une vingtaine de lettres.

Ces diverses besognes l'occupèrent jusqu'au soir... Vers huit heures, il dîna. Son repas se composait, presque invariablement, comme des notes du temps nous l'apprennent : d'un potage, d'un poisson, d'un peu de blanc de volaille et d'eau légèrement rougie. Le matin, le poisson était remplacé par un légume vert, et le blanc de volaille par un peu de viande ou des œufs.

Il faisait nuit noire lorsque M. Jacques acheva ce dîner modeste, qui lui fut servi par un domestique silencieux comme une ombre.

Alors il se leva, et, ayant consulté un carnet rempli de notes, il sortit.

Par des chemins compliqués, il parvint à l'ancienne rue des Barres et pénétra dans une maison de pauvre apparence. Tout était noir et silencieux aux environs. Tout paraissait dormir dans la maison.

Cependant M. Jacques, sans hésitation, pénétra dans une allée que n'éclairait aucune lampe, et se mit à monter un escalier très raide, en se tenant d'une main à la corde qui servait de rampe. Il arriva ainsi tout en haut de la maison, hésita un instant, puis frappa à une porte.

Au bout de quelques secondes on vint ouvrir, et une jeune femme parut, tenant une lampe à la main, et considérant avec une curiosité hardie ce nocturne visiteur.

M. Jacques mit le chapeau à la main, s'inclina, et, d'une voix presque respectueuse, il dit :

– Mademoiselle, voulez-vous, malgré l'heure tardive, me permettre de vous entretenir quelques minutes ?...

Mademoiselle !... L'heure tardive !... Ces deux mots amenèrent un sourire vite réprimé sur les lèvres de la jeune femme qui répondit :

– Entrez, monsieur, on ne me dérange jamais... quand toutefois je suis seule comme ce soir.

M. Jacques entra, s'assit dans le fauteuil que lui désignait la maîtresse de céans ; et de ce rapide coup d'œil qui jugeait vite et bien, il inspecta la chambre d'abord, la femme ensuite.

La pièce, à demi-salon, à demi-chambre à coucher, contenait un lit assez beau, des fauteuils, un clavecin et quelques toiles suspendues aux murs couverts de brocatelle.

Tout cela était usé, pauvre, et sentait la misère décorée et savamment déguisée.

La femme était étrangement belle. C'était une magnifique créature rayonnante de jeunesse, avec des yeux de velours noir que faisait briller davantage le contraste d'une opulente chevelure d'un blond ardent. Elle portait une toilette d'intérieur d'un goût qu'on était étonné de lui voir. Elle s'exprimait avec aisance, et sa voix n'avait aucune de ces intonations canailles qu'on retrouve si souvent chez les malheureuses filles d'amour.

Car cette jeune femme était une fille galante !...

M. Jacques, ayant achevé son double examen, tendit le bras vers le clavecin et demanda :

– Vous faites de la musique ?

– Oui... assez bien pour être entendue sans ennui. Voulez-vous...

Déjà elle se levait, docile, prête à contenter la musicale envie qu'elle supposait au visiteur que lui envoyait le hasard, – pensait-elle.

– Merci, dit M. Jacques en la contenant d'un geste. Simple curiosité. Excusez-moi. Mais dites-moi, je vois à ces murs des toiles non signées...

– Elles sont de moi, monsieur. Je m'exerce à la peinture, et vous voyez, je ne réussis pas plus mal qu'un autre. Voici une copie du *Voyage à Cythère* qu'on a bien voulu...

– Je vois, je vois... Demeurez assise, mon enfant. Ainsi, peintre et musicien... tant mieux...

– Pourquoi tant mieux ? se demanda la jeune femme étonnée.

– Dites-moi, reprit M. Jacques, c'est bien vous qui vous appelez Mlle Juliette Bécu ?...

– Oui, monsieur... mais j'ai changé mon nom que je trouvais un peu... vulgaire.

– Oui, je sais... vous vous faites appeler mademoiselle Lange ?

– L'Ange ! dit Juliette Bécu en riant. C'est bien cela. Ange un peu déchu, par exemple ! mais que voulez-vous... il faut vivre !...

– Je sais… je sais… dit M. Jacques en hochant la tête. Vous menez une triste existence, mon enfant, et ce doit être bien pénible pour vous, intelligente, belle comme vous êtes.

– Seriez-vous prêtre ? fit Juliette Bécu non sans quelque inquiétude.

– Je ne dis pas non, répondit M. Jacques. Croyez de moi ce que vous voudrez. Peu importe. C'est de vous qu'il s'agit, et ce qui importe, c'est…

À ce moment, d'une pièce voisine, partirent des cris d'enfant qui se réveille et appelle.

Juliette Bécu se leva précipitamment en disant :

– Excusez-moi une minute, monsieur, c'est l'enfant qui demande à boire, la pauvre chérie !… Me voici ! me voici ! Ne pleure pas, mignonne !…

En même temps, elle entra vivement dans la pièce voisine et alla se pencher sur un berceau où une fillette de trois ans environ, un joli petit ange aux yeux mordorés, aux cheveux bouclés, était couchée dans de la dentelle.

Car si tout était triste d'usure en ce logis, le berceau était au contraire une merveille de riche élégance.

L'enfant tendit ses petites mains, et voyant Juliette, s'apaisa aussitôt et se mit à sourire. Juliette lui offrit à boire un peu de lait tiède dans une tasse de porcelaine qu'elle prit sur une veilleuse. L'enfant but, embrassa Juliette, laissa retomber sa tête sur l'oreiller, et presque aussitôt se rendormit, toute souriante.

La fille galante, devenue soudain très grave, se pencha alors, déposa un baiser léger comme un souffle sur le front de ce pauvre petit ange, et se reculant de deux pas, la contempla avec une indicible expression de tendresse.

– Votre fille ? interrogea une voix qui fit tressaillir Juliette.

Elle se retourna, vit son visiteur qui, curieusement, était entré et avait assisté à toute cette scène intime.

– Non, fit-elle à voix basse, ce n'est pas ma fille.

Et lorsqu'ils furent revenus dans la première pièce, elle continua :

– C'est Anne... ma petite sœur...

Oui ! Cette enfant s'appelait Anne Bécu !... Elle devait plus tard s'appeler, elle aussi, Mlle Lange, comme sa sœur Juliette dont elle devait hériter... Et plus tard encore, le 8 décembre 1793, elle devait porter sa tête sur l'échafaud !...

Mais demeurons dans le cadre de notre récit.

– Une bien jolie enfant, reprit M. Jacques, et que vous semblez aimer de tout votre cœur ?...

– C'est vrai, monsieur !... Tenez, je vois bien que vous avez quelque chose à me dire... que vous ne venez pas pour... comme les autres, enfin ! Cela m'inspire confiance, et je puis vous le dire : cette enfant, c'est toute ma joie dans ce monde. Lorsque ma pauvre mère est morte, il y a deux ans, elle m'a montré d'un regard la pauvre petite qui allait se trouver sans mère... Alors, que voulez-vous, je me suis mise à être sa mère ! Et moi qui dois jouer la comédie de l'amour si je veux vivre, eh bien, j'en suis arrivée à me figurer que j'ai aimé réellement, moi aussi ! Que moi aussi, j'ai été aimée ! Que j'ai eu une petite fille ! Quand je suis seule, près du berceau de ma petite Anne, ces idées me passent par la tête, et alors, je pleure... tenez, comme en ce moment !...

Juliette Bécu – ou Mlle Lange, ou encore mademoiselle L'Ange, comme ou voudra l'appeler – essuya ses yeux où brillaient quelques larmes.

– Me suis-je trompé ? gronda M. Jacques entre ses dents. Suis-je tombé sur une fille qui a du cœur ? Ce serait jouer de malheur !

– Que dites-vous, monsieur ?

– Rien. Je réfléchissais à la singulière destinée qui pousse hors de leur route naturelle certains hommes et certaines femmes. Vous, par exemple, d'après votre attitude, d'après tout ce que je vois et entends, depuis que je suis ici, vous étiez née pour être une bonne femme de ménage, heureuse et fière d'être fidèle à votre époux, élevant avec amour vos enfants...

Juliette eut un éclat de rire qui découvrit l'éblouissante rangée de perles qui brillait entre le double corail de ses lèvres.

Ce rire soudain, cette mobilité dans les idées parurent rassurer le digne M. Jacques.

– Vous êtes étonné ? s'écria Juliette en riant toujours. Je ris... excusez-moi. Mais c'est si étrange, ce que vous me dites !... Pour les enfants, je ne dis pas non. Je crois que je les eusse aimés. Et encore, ma petite Anne... ce n'est pas la même chose !... Mais quant à la fidélité... quant à l'époux... ah ! non, c'est trop drôle !... Le pauvre malheureux ! Je le plains !... Tenez, je suis en veine de confession, ce soir...

– Parlez, parlez tout à votre aise, ma chère enfant... je parlerai ensuite, moi !

– Soit ! Vous n'avez pas l'air de vous douter de ce qui nous entraîne, nous autres, créatures de joie, à une existence que vous jugez sans doute très immorale. Pour les unes, c'est la misère... c'est vrai pour le plus grand nombre. Pour d'autres... et c'est mon cas, c'est la soif des plaisirs, l'amour de tout ce qui brille, les belles toilettes, les brillants...

– Ah ! ah ! interrompit M. Jacques avec une parfaite tranquillité. Permettez-moi donc de vous offrir ceux-ci !

En même temps, il tira de sa poche une petite boîte de chagrin qu'il ouvrit et fit briller aux yeux éblouis de Juliette une paire de boucles... deux solitaires d'une eau magnifique et gros comme des petites noisettes.

Elle saisit la boîte en tremblant, et murmura :

– Oh ! monsieur... vous voulez vous moquer d'une pauvre fille !...

– Pas le moins du monde : ces diamants sont à vous !

– À moi ! À moi !... Mais ces deux boucles valent au moins trente mille livres !...

– Quarante mille chacune, mon enfant : cela fait quatre-vingt mille...

Juliette demeura suffoquée, toute pâle. Puis elle devint pourpre, et courant vers une haute glace qui occupait tout un panneau, elle essaya d'accrocher les boucles à ses oreilles. Mais ses mains tremblaient trop.

– Permettez-moi, fit M. Jacques avec la même tranquillité.

Et en un tour de main, avec une habileté que lui eût enviée plus d'un roué, il attacha les boucles.

Devant la glace, Juliette se tournait et se retournait.

– Que c'est beau, mon Dieu ! que c'est beau !...

– Allons... venez vous asseoir... vous contemplerez ces bijoux à votre aise quand je serai parti...

– Oh ! laissez-moi vous remercier au moins !...

– Avec plaisir. Mais la meilleure manière de me remercier, c'est d'achever votre confession...

Juliette, encore toute bouleversée, vint reprendre sa place, et cette fois, avec un sérieux où perçait tout son respect pour la fabuleuse générosité de cet inconnu, elle reprit :

– Ma confession n'est pas longue, monsieur ! Je raffole de la danse, j'adore les bijoux, j'ai une passion pour les toilettes... Tenez, toute ma vie, j'ai fait un rêve qui jamais ne se réalisera : souvent, quand je pense à ces choses, je me vois dans une magnifique salle de bal...

– Vous seriez habillée comme une reine, interrompit M. Jacques en souriant, vous seriez vêtue et parée comme une de ces belles dames de la cour que vous allez voir passer lorsqu'il y a soirée de gala...

– C'est cela ! oh ! c'est cela ! s'écria Juliette en battant des mains.

– Vous entreriez dans la salle de bal qui se trouverait être au Louvre, par exemple, ou quelque chose d'approchant... Vous descendriez de votre carrosse tout de satin, en donnant la main à quelque beau gentilhomme, en retroussant votre jupe de soie, et en jetant un regard sur l'admiration du peuple rangé pour vous voir passer...

– Mon Dieu ! Mon Dieu ! C'est comme si j'y étais !... Vous dites mot à mot ce que je pense !...

– Poursuivons, reprit M. Jacques en souriant. Vous porteriez des bijoux splendides, tout comme une duchesse, ou tout au moins une comtesse... Sur votre beau front, la couronne en brillants, à vos oreilles, les deux solitaires qui y brillent en ce moment, à votre cou une rivière de perles, à vos doigts les saphirs et les émeraudes...

– Ah ! monsieur, vous êtes un grand poète, ou un bien profond philosophe...

– Dans la salle de bal, vous seriez admirée, fêtée, les plus illustres gentilshommes brigueraient l'honneur de danser avec vous, mais vous n'accorderiez cet honneur qu'aux plus magnifiques... il vous faudrait des princes... peut-être le roi...

Juliette Bécu jeta un cri qui ressemblait à de l'effroi.

– Monsieur ! fit-elle d'une voix tremblante, finissez je vous en supplie. Vous me faites peur, vous devinez tout ce que je pense... et puis, cela est cruel de me laisser ainsi entrevoir le paradis pour me laisser ensuite retomber du haut de ces rêves.

– Mon enfant, dit simplement M. Jacques, ce rêve sera une réalité quand vous voudrez !

– Folie ! Imagination ! murmura Juliette.

– Est-ce de la folie ? Est-ce de l'imagination, ces deux brillants que vous portez aux oreilles ?

– C'est vrai, monsieur ! dit tristement Juliette. Mais des diamants, pour si beaux qu'ils soient, se peuvent acheter. Il ne suffit pour cela que d'être riche. Mais ce qui ne s'achète pas, c'est un titre de noblesse, c'est la considération, c'est l'époux, c'est la couronne comtale, c'est tout ce qui permet d'entrer dans ces fêtes triées où ne sont admises que les dames les plus illustres...

M. Jacques s'était levé.

– Venez, dit-il.

– Où cela ? fit Juliette étonnée.

– Venez toujours. Je suppose que vous n'avez pas peur avec moi ?

M. Jacques sortit de l'appartement dont la fille galante referma la porte. Ils se trouvaient alors sur un palier où s'ouvraient deux portes : à droite, celle de Juliette ; à gauche, celle d'un logement inoccupé depuis trois mois.

À la grande stupéfaction de Mlle L'Ange, M. Jacques tira une clef de sa poche et ouvrit cette porte de l'appartement vide. Ils entrèrent. Et il poussa derrière lui la porte.

Ils étaient dans une pièce qu'éclairait un seul flambeau, d'une lumière triste. La pièce était nue. Il n'y avait pas un meuble, pas une chaise...

– Veuillez entrer dans cette chambre, dit alors M. Jacques en désignant une épaisse tenture qu'il suffisait de soulever pour pénétrer dans la pièce voisine.

Juliette Bécu souleva cette tenture et, jetant un léger cri, s'arrêta stupéfaite, comme devant un conte des *Mille et une Nuits* soudain réalisé !...

– Je rêve ! Je rêve ! balbutia-t-elle.

– Entrez donc ! fit M. Jacques en la poussant doucement.

La chambre devant laquelle s'était arrêtée Juliette avec une extase d'admiration et presque de terreur était de belles dimensions, magnifiquement meublée et éclairée par la vive lumière de deux candélabres à six flambeaux.

Juliette entra sur la pointe des pieds, avec une sorte de religieux respect.

Et ce fut un fantastique spectacle qui s'offrit à ses yeux éblouis.

Sur le canapé et les fauteuils étaient disposés les diverses pièces d'un costume de cour, tel qu'une haute et noble dame pouvait le porter en grande cérémonie. Aucun détail n'était oublié dans ce flot de soies, de fines batistes, de dentelles : jupons garnis de valenciennes, jupe à paniers en lourde faille de Lyon, corsage à manches courtes, avec entre-deux en point d'Alençon, bas de soie rose ajourés, garnitures de satin rose, souliers à minces talons cambrés comme les portaient les élégances de l'époque.

Juliette, prise par l'instinct de la coquetterie, oubliait M. Jacques. Et, en plein ravissement, fouillait parmi ces richesses qu'une fée bienfaisante semblait avoir déposées là pour elle.

Que fût-ce lorsque, s'étant retournée, elle vit, rangés sur une table de laque, plusieurs écrins tout ouverts !...

L'un d'eux contenait une rivière de perles d'une eau magnifique.

Dans un autre, se trouvait une délicieuse couronne de comtesse, perles et diamants.

En d'autres enfin, c'étaient des bagues, des bracelets où les émeraudes, les saphirs, les rubis croisaient leurs feux étincelants ou sombres.

Il y avait là de quoi parer la reine Marie Leszczynska dans les rares soirées où la pauvre délaissée était admise par son royal et dédaigneux époux.

En réalité, c'était toute une fortune qui venait de surgir aux yeux affolés de Juliette, comme à un coup de baguette magique.

Et, ne trouvant aucun mot, aucun geste qui pût exprimer son émotion, elle se mit à genoux et pleura.

Le général des Jésuites la contempla un instant avec la sombre et hautaine satisfaction de l'homme supérieur à ces féminines faiblesses, puis il la toucha à l'épaule et dit :

– Venez, maintenant !...

Juliette tressaillit.

Rapidement, M. Jacques éteignit toutes les bougies, et plongée soudain dans l'obscurité, la fille galante murmura :

– Ce n'était qu'un rêve !...

Monsieur Jacques la saisit par la main, la releva, l'entraîna sur le palier, referma la porte du féerique appartement et reconduisit Juliette chez elle.

– Eh bien ? demandait-il alors en souriant.

La pauvre fille palpitait.

– Ah ! monsieur, dit-elle, pourquoi m'avoir fait entrevoir le paradis, pour me replonger ensuite dans mon obscurité et ma misère !... Ceci est cruel, savez-vous !

– Allons ! fit M. Jacques d'un ton soudain grave et presque menaçant, je vous en ai fait voir assez pour vous prouver que je ne parle pas en vain, que je dispose de richesses royales, et que je puis à mon gré vous hausser jusqu'à ce paradis que vous avez entrevu ou vous laisser sinon dans l'enfer, du moins dans le triste purgatoire qu'est votre existence actuelle. Écoutez-moi donc avec toute votre attention. De vous, de vous seule en ce moment dépend votre fortune.

– Parlez, monsieur, dit Juliette d'une voix tremblante.

Le chef suprême de la puissante Compagnie se recueillit un instant. Puis il dit :

– Vous êtes pauvre ; vous êtes misérable ; vous êtes méprisée ; vous habitez dans une maison sordide un triste appartement dont tout votre bon goût et votre propreté ne parviennent pas à déguiser la misère ; vous avez une petite sœur que vous aimez comme si elle était votre enfant, et cette petite fille est destinée aux mêmes hontes que vous-même. Tout cela est-il vrai ?

– Hélas ! oui... en ce qui me concerne... mais quant à ma petite Annette, je vous jure bien que je saurai la préserver !...

– Voulez-vous, reprit le mystérieux personnage, comme s'il n'eût pas entendu, voulez-vous devenir riche, considérée, adulée ? Voulez-vous habiter un hôtel princier ? Voulez-vous assurer à la petite innocente un avenir heureux, paisible, facile, et à vous-même un avenir éblouissant de fêtes ?

Juliette, frémissante, joignit les mains.

– Votre petite sœur, je m'en charge, reprit-il ; je la ferai élever à la campagne près de Paris, dans un village où vous pourrez la voir tant que vous voudrez. Et plus tard, je lui ferai donner une brillante éducation dans quelque pension. Acceptez-vous ?...

Juliette, trop émue pour répondre, fit oui de la tête.

– Bien. Quant à vous, voici quelle sera désormais votre vie. Vous irez habiter un hôtel que je vais vous désigner. Cet hôtel, un des plus vieux et des plus beaux de Paris, est situé en l'île Saint-Louis, quai d'Anjou... J'avais d'abord acquis pour vous l'hôtel même de la duchesse de Châteauroux, sur le quai des Augustins, mais, ajouta-t-il avec un sourire livide, j'ai dû le céder dès le lendemain à un de mes amis... M. d'Étioles... et tout est mieux ainsi...

M. Jacques demeura quelques instants sombre et pensif, les yeux perdus dans le vague. Juliette le considérait avec une secrète épouvante. Qu'était-ce donc que cet homme formidable qui surgissait tout à coup dans sa vie de pauvre fille, allongeait sur elle sa main puissante, l'arrachait à sa misère et lui faisait entrevoir une existence de reine ?

Vers quelles grandes ou terribles destinées allait-elle être entraînée ?

Quel rôle mystérieux et redoutable lui était donc destiné ?

Elle se rendait parfaitement compte que si cet inconnu l'avait choisie entre mille, – sans doute qu'il avait dû étudier, – c'est que sa beauté et peut-être ses appétits pouvaient lui être utiles...

À quoi ?... Sans aucun doute à l'accomplissement de quelque œuvre géante !...

– Donc, reprit M. Jacques, vous irez habiter l'hôtel qui vous sera expressément désigné sous deux jours. Vous le trouverez tout installé, avec chaise peinte par Watteau, carrosse, chevaux, robes et bijoux pareils à ceux que je viens de vous montrer... Acceptez-vous ?...

– J'accepte ! dit la fille galante d'une voix que l'émotion faisait trembler.

– Une fois là, continua M. Jacques, vous vivrez la vie des grandes dames. Une comédienne du théâtre de Sa Majesté viendra vous donner des leçons de maintien et vous enseignera les révérences. D'ailleurs, pour vous, ce sera chose facile que d'apprendre ces fadaises. Vous recevrez, vous donnerez à souper et à danser. Vous regarderez beaucoup, et parlerez le moins possible... Enfin, dans quelques jours, quand vous serez installée, vous recevrez, ainsi que votre mari, une invitation pour le bal de l'Hôtel de Ville...

– Mon mari !... s'exclama sourdement Juliette.

– Oui : un galant parfait gentilhomme que vous avez épousé secrètement, il y a deux ans, dont de puissantes raisons de famille vous ont tenue éloignée, à votre grand chagrin, et que vous rejoignez enfin dans la capitale avec toute la joie possible... car ce mari, vous l'aimez, vous l'adorez...

– Je comprends, balbutia Juliette.

– Ne craignez rien, d'ailleurs. Vous trouverez dans une cassette sur la cheminée de votre chambre tous les papiers de famille qui vous seront nécessaires... Poursuivons... Donc, avec votre mari, vous vous rendrez à la fête que Paris donne à son roi dans le vieil Hôtel de Ville...

Et M. Jacques s'arrêta encore.

Juliette comprit que le point capital de cet étrange entretien était atteint.

– Et que faut-il que je fasse au bal de l'Hôtel de Ville ? demanda-t-elle.

M. Jacques jeta un regard d'inquiétude sur la fille galante.

– Est-ce qu'elle serait trop intelligente ? gronda-t-il en lui même.

Au fait... cela vaut mieux ainsi !...

Et il répondit :

– Ce que vous devrez faire ?

– Oui ! je vous demande ce que je devrai faire à ce bal.

– Vous faire aimer ! dit le général d'une voix sourde.

– De qui ? haleta Juliette.

– De l'homme qui vous sera désigné... par...

– Par... ?

– Par votre mari !...

Il y eut entre ces deux personnages une minute de silence sinistre. C'était pourtant bien simple en apparence : se faire aimer !... Mais Juliette comprenait que cet amour qu'elle devait imposer n'était que le commencement des besognes redoutables qu'on attendait d'elle.

Quant au puissant et sombre personnage dont nous essayons d'esquisser ici la formidable silhouette, il réfléchissait profondément.

Hésitait-il ?...

Ou plutôt, s'irritait-il des moyens qu'il était obligé d'employer pour assurer sa puissance et combattre le roi ?

Qui sait !...

– Tout cela est bien compris et bien convenu, n'est-ce pas ? reprit-il tout à coup.

– Disposez de moi corps et âme, dit Juliette.

– Quant à votre discrétion... votre fortune à venir m'en répond. Maintenant, mon enfant, maintenant que nous sommes d'accord, faisons comme tous les bons commerçants, qui ne se contentent pas de vaines paroles. Comme arrhes, je viens de vous donner quatre-vingt mille livres représentées par ces deux brillants, et cela sans savoir si vous étiez bien celle qui me convenait. À votre tour...

– Que puis-je donc vous donner ? bégaya Juliette.

– Votre signature. *Verba volant, scripta manent.* Entendez-vous le latin ?

– Non... on a oublié de me l'apprendre.

– Tant pis !... Mme d'Étioles le sait, elle !... Et elle sait bien d'autres choses...

– Mme d'Étioles ?...

– Ai-je dit Mme d'Étioles ?... Peu importe. En tout cas, *verba volant* signifie que les paroles s'envolent, tandis que les écrits restent : *scripta manent...* Voici donc un papier en bonne et due forme que je vous prie de vouloir bien signer en le datant d'aujourd'hui, et en le certifiant de tous points conforme à la vérité.

Juliette prit le papier que lui tendait M. Jacques, et alors elle pâlit.

Ce papier dépassait toutes les violentes surprises qu'elle avait éprouvées en cette soirée.

Voici en effet comment il était libellé :

« Moi, comtesse du Barry, maîtresse en titre et favorite de Sa Majesté le roi Louis XV, affirme et certifie que je m'appelle en réalité Juliette Bécu ; que c'est par suite d'un vol de papiers que j'ai pu me faire passer pour une dame de noblesse ; que, moyennant la somme de cinq cent mille livres qui m'était promise, sans compter d'autres avantages, moi pauvre fille galante, rebut de la société, j'ai entrepris de me faire aimer de ce roi pour lequel je n'ai d'ailleurs que du mépris sans nulle haine ; je certifie qu'avant d'atteindre la haute situation où je suis placée, j'ai vécu d'amour, j'ai vendu mes sourires au plus offrant et dernier enchérisseur, et que le triste sire qui s'imagine m'avoir possédée le premier ne vient qu'après un nombre d'amants qui eût suffi à deux ou trois filles de mon espèce. »

Juliette Bécu devint pourpre, et puis, très pâle.

Quelque chose comme une larme brillante parut dans ses yeux.

– Signez-vous ? fit rudement M. Jacques. Si vous signez, c'est la fortune. Car jamais je n'aurai occasion de me servir de ce papier... si vous m'obéissez toutefois.

– Comtesse du Barry ! maîtresse du roi ! balbutia Juliette éperdue.

– Favorite de Louis XV !... C'est-à-dire une fortune inouïe : le droit de commander en France, et peut-être à l'Europe ! Des fêtes ! Des honneurs ! Tous les trésors de l'Inde à vos pieds !...

– Je signe ! haleta Juliette.

Et se levant d'un bond, elle courut à un secrétaire, data, parapha le papier.

– Maintenant, dit M. Jacques, recopiez-le tout entier de votre main, et signez le nouveau papier...

La fille galante obéit.

M. Jacques relut soigneusement les deux papiers, les fit sécher, les plia et les enfouit dans un portefeuille qui fermait à clef et qu'il portait suspendu au cou par une chaînette, sous ses vêtements.

Alors il remit son chapeau sur sa tête et se dirigea vers la porte.

– Un instant, monsieur, dit Juliette. Quand vous reverrai-je ?

– Peut-être cette nuit, peut-être jamais...

– Si je ne vous revois jamais, comment connaîtrai-je vos intentions ?

– Ne vous en inquiétez pas. Où que vous soyez, humble fille ou favorite du roi, sachez seulement que mon regard et ma main sont sur vous...

– De quel nom dois-je vous appeler ? reprit Juliette frémissante et courbée.

– Je m'appelle M. Jacques, dit paisiblement l'étrange et terrible visiteur.

Lorsque la fille galante, lorsque Juliette Bécu se redressa, M. Jacques avait disparu et elle put se demander si tout cela n'était pas un rêve prodigieux... si elle ne s'était pas endormie dans son fauteuil, si elle n'avait pas eu une vision de cauchemar...

À ce moment, elle se regarda dans la glace, et vit les deux solitaires qui resplendissaient à ses oreilles... Non, non ! elle n'avait pas rêvé !...

XVIII

L'hôtel d'Étioles

Lorsque le chevalier d'Assas, ayant franchi la porte de la Bastille, eut respiré cinq ou six grands coups d'air libre ; lorsqu'il se fut assuré que son libérateur avait disparu, le débarrassant de sa présence et de l'étrange malaise qu'il lui occasionnait, – malaise que le jeune homme se reprochait comme une noire ingratitude, – lorsque, enfin, il fut bien convaincu qu'il était libre, ou du moins ce qui s'appelait libre à cette époque où, sur dix passants, il y avait un agent secret chargé de surveiller les neuf autres, le chevalier prit en toute hâte le chemin de la rue Saint-Honoré.

Il marchait gaillardement, le nez au vent, la main sur la poignée de l'épée qu'on lui avait rendue au corps de garde de la sombre forteresse.

Il n'eût pas fait bon le regarder de travers en ce moment.

En effet, le chevalier sentait son cœur bondir à la pensée de ce que lui avait révélé le digne M. Jacques : cette sorte de conspiration qui devait jeter Jeanne dans les bras du roi de France !...

Lui, un simple cornette, un pauvre officier subalterne, il allait se trouver en lutte avec la personne royale ! avec Louis XV !...

Pareil à ces chevaliers errants des époques héroïques, il se disait que, pour sauver la dame de ses pensées, il était prêt à donner sa vie !...

La lutte serait effrayante ! Mais son courage se haussait à cette entreprise titanesque où il s'agissait de sauver une douce et belle créature des embûches qui l'entouraient sans doute, de la sauver d'elle-même ; au besoin ! Et lui, contre ce dévouement qui le mènerait peut-être à l'échafaud, ne demanderait rien.

Non ! Rien !... En somme, le chevalier raisonnait comme un don Quichotte, mais comme un don Quichotte plein de jeunesse, don Quichotte, moins le ridicule, plus la beauté !

Le bon apôtre ne s'avouait pas que, sous tout ce beau dévouement, il y avait bel et bien un amour sans guérison possible, une passion ardente qui l'entraînait malgré lui. Et il avait raison de ne pas se faire cet aveu, car l'amour pur est au fond la forme la plus idéale du dévouement.

Crâne, et le tricorne sur l'oreille, la pâleur de la prison déjà disparue sous ces roses que la marche au grand air et la joie mettent sur un jeune visage, le chevalier d'Assas atteignit donc rapidement l'auberge des *Trois-Dauphins* au moment où maître Claude, le digne hôtelier, s'apprêtait à faire porter son portemanteau à la halle aux hardes pour se dédommager de la dépense demeurée impayée.

Maître Claude ne put dissimuler une grimace en apercevant le chevalier.

La belle Claudine, sa femme, devint au contraire rayonnante dès que le jeune homme eut mis le pied dans la grande salle commune.

– Ah ! mon Dieu ! s'écria-t-elle gentiment, c'est bien vous que je vois, monsieur le chevalier ! Quelles inquiétudes nous avons eues !...

– Surtout pour mon argent, grommela Claude.

– Merci, ma bonne madame Claude, fit le chevalier. J'ai dû entreprendre tout à coup un voyage imprévu, et, vous le voyez, me voici... mourant de faim et de fatigue, je vous l'avoue !

– Pierre ! Jeannette ! cria la belle Claudine, vite, un couvert pour monsieur le chevalier qui a faim ! vite qu'on bassine le lit du 14 !... Si monsieur le chevalier le désire, on va lui monter son dîner dans sa chambre...

– Non, non, mille mercis, ma chère dame... Je dînerai ici, près de ces magnifiques fourneaux si agréables à voir... et à flairer, ajouta le chevalier en riant. Quant à bassiner mon lit, pas davantage ; il me suffira de prendre une heure de repos dans un bon fauteuil.

– À la bonne heure ! s'écria maître Claude qui, flatté des éloges accordés à ses fourneaux, se rua aussitôt en cuisine et se mit à préparer un déjeuner succulent, digne d'un client sérieux.

Le chevalier s'assit à une table que déjà une servante couvrait de son couvert d'argent et sur laquelle Mᵐᵉ Claude – la belle Claudine – déposait un flacon de beaujolais.

– C'est curieux, se disait le chevalier lorsqu'il attaqua la tranche de pâté que l'hôtesse venait de déposer dans son assiette ornée du chiffre de la maison : trois dauphins or sur azur, c'est curieux, ce matin, je voulais absolument mourir et je n'eusse pas racheté ma peau six liards. Par la tête ! par le ventre ! par le diable cornu ! qu'on est bête quand on est triste ! C'était la prison, sans doute ! c'était cet air méphitique et fade qui me portait au cerveau ; c'était cette obscurité qui me mettait du noir dans l'âme... Et maintenant, morbleu ! j'ai envie de rire, de chanter ! J'ai envie d'embrasser l'hôtesse !...

– Prendrez-vous bien une aile de ce perdreau ? soupira la belle Claudine. On vient de le rôtir à votre intention, tout bardé de lardillons et enveloppé de feuilles de vigne...

– Une aile, madame Claude ? Les deux ailes, voulez-vous dire ! Et les deux cuisses ! Et la carcasse, et les pattes, et la tête ! À moi le perdreau ! Vous êtes charmante, madame Claude, et votre perdreau est divin...

La belle Claudine, pourpre de plaisir, découpa le volatile qui répandait en effet un merveilleux fumet, et qui reposait douillettement sur un canapé de choux tendres à souhait. *Canapé* fut dit par l'hôtesse. Et c'était déjà le terme officiel en gastronomie.

– Je suis bien... bien heureuse, murmura Claudine.

– De quoi donc, ma belle hôtesse ? fit le chevalier étonné.

– De... de vous revoir... c'est-à-dire de vous voir si bon appétit. C'est un honneur pour ma maison.

– Ah ! c'est que je reviens d'un pays où l'on jeûne avec furie, avec extravagance ; voilà huit jours que j'enrage de faim et de soif.

– Pauvre garçon ! soupira Claudine qui, voyant le flacon de Beaujolais entièrement vide, s'empressa de courir en chercher un deuxième.

– Moi aussi, j'ai soif ! dit à ce moment une voix.

– Et moi aussi, j'enrage ! ajouta une deuxième voix.

Ces deux exclamations furent ponctuées par deux coups de poing assénés sur une table voisine, par deux consommateurs qui venaient d'entrer et de prendre place l'un vis-à-vis de l'autre.

– Une bouteille de vin d'Anjou ! tonna le premier.

– Pardon ! rugit le deuxième, une bouteille de champagne !

– Monsieur Prosper Jolyot de Crébillon, vous m'insultez !...

– Monsieur Noé Poisson, vous m'excédez !...

– Allez-vous encore me faire la guerre ?

– Allez-vous encore me soutenir que le champagne n'est pas le nectar des dieux, que Jupiter et Apollo ne l'ont pas exprès créé pour les poètes, c'est-à-dire pour moi !

– Votre M. Jupiter est un faquin, dit Noé Poisson ; et votre M. Apollo un cuistre, incapable de distinguer l'âge et le cru d'un flacon.

– Poisson, dit le poète en larmoyant, je t'assure que tu me fais de la peine...

– Et toi, Crébillon, tiens, tu me fais pleurer... tel un veau !

Les deux ivrognes, en effet, qui étaient entrés pour près et furieux, sans doute à la suite de cette intéressante discussion commencée dans la rue, se mouchèrent bruyamment et essuyèrent leurs yeux. Mais à ce moment, le garçon d'auberge plaçait devant eux une bouteille de saumur et un flacon de champagne tout débouchés. Mais, comme il n'était pas au courant de l'éternel sujet de dispute qui divisait ces deux parfaits amis, si étroitement liés d'ailleurs, il plaça le champagne devant Noé Poisson qui ne pouvait pas le sentir, disait-il, et offrit le vin d'Anjou à Crébillon qui le détestait, prétendait-il.

Ils trinquèrent après avoir consciencieusement essuyé leurs larmes.

– Poisson, mon cher Noé, dit Crébillon en avalant d'un trait son verre de vin d'Anjou, je te jure que tu as tort de ne pas goûter à ce champagne ! C'est sec, pétillant, la mousse vous chatouille, cela vous a un fumet de pierre à feu...

– Crébillon, reprit Noé de son côté, Dieu me damne si ce verre de saumur n'est pas la véritable liqueur digne d'un grand poète comme toi ! Bois du saumur, mon ami ! bois...

En même temps, il absorbait une forte rasade de champagne.

– Exquis ! fit-il en remplissant à nouveau son verre.

– Délicieux ! ponctua Crébillon en caressant le goulot du flacon d'Anjou.

Cependant, le chevalier d'Assas qui, comme tous les amoureux, éprouvait le besoin de se raconter à lui-même son amour, le chevalier continuait le monologue que nous avons esquissé plus haut.

– Oui, continuait-il, je voulais mourir ! Est-ce bête ? Or çà, pourquoi donc suis-je si gai, maintenant ? Est-ce parce que je suis libre ? Hum ! Il y a un peu de vrai là-dedans, mais enfin, parce que je puis aller et venir à ma guise, ce n'est pas une raison suffisante pour trouver que Paris a embelli depuis une dizaine de jours que je le quittai !... Voyons, est-ce parce que ce vénérable inconnu... non, non... ce n'est pas cela ! Et puis, est-il si vénérable que cela, mon sauveur ? Il a une tête qui ne me revient qu'à demi !... Alors ?... Ma foi, j'y renonce, je suis gai parce que je suis heureux, et heureux parce que je suis gai, voilà tout !

La vérité que le chevalier ne voulait pas avouer et que nous avons, nous, le droit de dégager, la voici : dans la conversation qu'il avait eue avec M. Jacques, d'Assas avait été vivement frappé par deux choses : la première, c'est que le roi Louis XV aimait bien Jeanne, c'est vrai, mais que Jeanne ne l'aimait pas encore, puisque le digne précepteur du roi tentait de sauver Louis de cet amour. La deuxième, c'est que Jeanne était mariée, c'était encore vrai, c'était là une catastrophe irréparable... pour le moment, mais Jeanne n'aimait pas son mari !

Non seulement elle ne l'aimait pas, mais encore elle en avait horreur !

La situation paraissait donc très nette et très franche au jeune homme, qui se disait avec juste raison qu'en de semblables conditions il avait le droit d'espérer.

Enfin, s'il faut tout dire, le chevalier « se forçait » un peu à l'espoir et à la joie.

Il avait tant souffert en ces quelques jours !...

Quel bouleversement dans sa vie !...

Il était venu à Paris pour obtenir la protection du duc de Nivernais et surtout du maréchal de Mirepoix sur lequel il comptait pour passer du régiment d'Auvergne aux chevau-légers du roi. Et, certes, il ne pensait guère à l'amour lorsqu'il s'était mis en selle pour entreprendre ce long voyage, avec un congé régulier et deux mois de solde dans la poche !

Il ne rêvait alors que batailles, avancement et gloire, tout ce qui peut hanter la tête d'un jeune officier de fortune, qui ne peut guère compter que sur sa vaillance et sa bonne mine pour faire son chemin.

Et il avait suffi de la rencontre, dans une clairière empourprée par l'automne, d'une petite fille qui l'avait regardé de ses yeux doux, railleurs et profonds, pour donner à sa vie une orientation toute nouvelle !

Voilà à quoi songeait le chevalier d'Assas en remontant dans sa chambre, le fameux 14 d'où on avait une si belle vue sur les jardins du couvent des Jacobins.

Comme il l'avait annoncé, le chevalier prit aussitôt ses dispositions pour dormir une heure ou deux dans un fauteuil. Habitué aux nuits de corps de garde, aux alertes et à la dure, il ne doutait pas que ce court sommeil ne réparât en partie ses forces épuisées par la mortelle angoisse de la prison.

Il venait donc de s'installer de son mieux dans le fauteuil susdit et déjà il fermait les yeux, lorsqu'on frappa légèrement à la porte.

– Entrez, dit le chevalier qui, soit insouciance ou habitude, ne s'enfermait jamais à clef...

L'hôtesse, la belle Claudine, parut aussitôt, tenant une lettre à la main. Mais cette lettre n'était au fond qu'un prétexte pour elle ; ce qu'elle voulait, surtout, c'était revoir le joli chevalier, s'assurer qu'il ne manquait de rien, soupirer, le regarder de ses yeux langoureux, enfin se livrer à tout ce manège à demi amoureux qui donnait satisfaction à son âme sentimentale et très bourgeoise.

– Voici une lettre pour vous, monsieur le chevalier, dit-elle.

– Pour moi ! s'écria d'Assas très étonné ; car, à part du Barry et d'Étioles, il ne connaissait personne à Paris qui sût déjà son adresse.

– Oui, reprit Claudine, elle vous a été apportée le jour même de votre départ, juste au moment où vous sortiez, pour ne plus revenir qu'aujourd'hui... J'ai même couru après vous dans la rue... mais vous étiez loin déjà... vous couriez si vite... à quelque rendez-vous... d'amour, sans doute...

En même temps, elle tendait la lettre au chevalier qui l'ouvrit machinalement.

Mais à peine y eut-il jeté un coup d'œil qu'il se dressa tout debout, devint très pâle et courut à la fenêtre pour la relire avec plus d'attention.

– Et vous dites que ce billet m'est parvenu au moment même où je sortais ?

– Oui, monsieur ! Ah ! mon Dieu ! serait-ce quelque malheur !...

– Et vous dites que vous avez couru après moi ?...

– En vous appelant ! Mais vous ne m'entendiez pas sans doute !...

– Fatalité ! murmura le chevalier.

Il demeura un moment accablé. Cette lettre, c'était celle que Jeanne avait fait porter par Noé Poisson, et où elle appelait le chevalier à son secours !...

Dix jours s'étaient écoulés depuis !...

Le chevalier chancelant alla retomber dans son fauteuil. La belle Claudine l'examinait avec un intérêt facile à comprendre et, oubliant ce commencement d'amour qui germait dans son cœur, cherchait, dans un sentiment presque maternel, comment elle pourrait se rendre utile.

– Chère madame Claude, fit tout à coup le chevalier, qui a apporté cette lettre ?

– Ma foi, monsieur, répondit Claudine, en ceci du moins, vous jouez de bonheur. L'homme qui vous apportait ce billet, et que vous avez du reste heurté en sortant, a voulu goûter à notre vin et le trouva fort bon, en sorte que, depuis, il revient tous les jours avec un de ses amis, et qu'ils vident à eux deux force flacons, en sorte que, enfin, cet homme est en ce moment en bas, en train de boire...

– J'y cours, dit le chevalier. Ou plutôt non... priez-le de monter... et puis, chère madame Claude, je compterai sur vous pour ne pas être dérangé dans l'entretien que je veux avoir avec cet homme... vous êtes si aimable et si intelligente que je ne doute pas...

Claudine, charmée, s'élança sans attendre la fin de la phrase et, quelques minutes plus tard, elle introduisait non pas un homme, mais deux...

C'était Noé Poisson et son inséparable ami le poète Crébillon.

Le chevalier fit un signe que comprit l'hôtesse, car elle se pencha sur la rampe et cria :

– Deux flacons d'anjou et deux bouteilles de champagne pour le n° 14.

– Oh ! oh ! fit Noé Poisson en faisant claquer sa langue et en arrondissant les yeux.

– Quatre flacons de champagne eussent mieux valu, murmura Crébillon.

À cet instant, une servante déposait sur la table les bouteilles et les verres. Puis le chevalier, Noé Poisson et Crébillon se trouvèrent seuls.

– Messieurs, dit d'Assas d'une voix altérée, lequel de vous deux m'a apporté une lettre, il y a une dizaine de jours ?...

– C'est moi ! fit Noé. Je vous remets à présent. C'est vous qui m'avez fait asseoir sur le derrière en passant.

– Je vous prie de m'en excuser, monsieur, j'étais fort pressé ; en mémoire de cet événement, je suppose que vous voudrez bien boire avec moi à la santé du roi ?... ainsi que monsieur votre ami ?...

– De grand cœur ! firent les deux ivrognes qui s'assirent sans façon.

– Seulement, continua le chevalier, quand nous aurons trinqué, je prierai monsieur votre ami de nous laisser seuls... car je voudrais vous entretenir particulièrement...

– Impossible, monsieur ! dit Noé d'un air majestueux.

– Tout à fait impossible ! ajouta Crébillon en avalant un verre de vin.

– Oreste et Pylade, Castor et Pollux, deux doigts de la même main, deux cœurs qui battent à l'unisson, mêmes pensées, mêmes goûts...

– Soit donc ! fit d'Assas avec une certaine inquiétude. Et en lui-même il ajouta :

– Que pourrai-je tirer de ces fieffés suppôts de *Bacchus* ? Rien ou pas grand chose...

– Ah ça ! mais, s'écria tout à coup Crébillon, c'est bien vous, mon beau jeune homme, que nous avons trouvé évanoui et fort mal en point, dans la rue des Bons-Enfants, en face de l'hôtel où nous vous transportâmes...

– Ah ah ! c'est donc vous qui m'avez ramassé et porté ? Touchez là ! Vous êtes tous deux des amis du chevalier d'Assas !

Les deux inséparables s'inclinèrent non sans quelque dignité.

– Mais, dites-moi, reprit vivement le chevalier, avez-vous pu voir celui qui, lâchement et par derrière, m'avait porté ce terrible coup ?

– Nous n'avons rien vu... que vous, très pâle, comme je vous disais... la rue était déserte.

– Quoi qu'il en soit, merci de tout mon cœur. Vous m'avez rendu là un service que je n'oublierai pas. Comptez sur ma gratitude.

– Il est tout plein gentil ! murmura Crébillon à l'oreille de Poisson.

– Et il nous fait boire du fameux ! ajouta Noé sur le même ton.

D'Assas garda une minute le silence, puis, d'une voix qui tremblait légèrement, il dit :

– Messieurs, le service que vous m'avez rendu tous les deux fait que je parlerai à cœur ouvert, comme à des amis... Monsieur, ajouta-t-il en s'adressant spécialement à Noé, à votre air, à votre costume, je vois bien que vous ne pouvez être un simple serviteur de la personne qui a écrit la lettre... qui vous a envoyé... Cette personne, monsieur, la connaissez-vous ?... entendons-nous, la connaissez-vous assez pour...

– Je crois bien ! interrompit Noé avec un rire épais. C'est ma fille !

– Votre fille ! s'écria le chevalier stupéfait, abasourdi.

– Oui, monsieur, dit majestueusement l'ivrogne ; c'est moi, Noé Poisson, le mari d'Héloïse Poisson, père de Jeanne-Antoinette Poisson, aujourd'hui madame Le Normant d'Étioles...

– Votre fille ! balbutia d'Assas.

– Je vois ce qui vous étonne. Vous vous demandez comment il se fait qu'un homme aussi fort, aussi solide, aussi puissant que moi peut être le père d'une pareille mauviette ? Car ma fille est une faiblarde, monsieur ! Pas pour deux liards de muscles ! Incapable de vider seulement la moitié d'un verre dans tout un repas ! Des vapeurs avec cela ! Des larmes, des vertiges, des évanouissements pour un rien !...

D'Assas considérait Poisson avec une stupeur voisine de l'effroi.

... Cet homme ! le père de Jeanne !... Ce n'était pas possible ! Comment cet ivrogne se trouvait-il assez riche pour posséder un hôtel magnifique, plein de bibelots coûteux ? Comment cet être dégradé avait-il pu songer à donner à Jeanne l'éducation de princesse qu'elle avait reçue ?

Il y avait là un mystère. Mais il comprit que ce n'était pas Noé Poisson ni Crébillon qui l'aideraient à l'approfondir.

– Permettez-moi de vous féliciter, dit-il ; mademoiselle Jeanne...

– Pardon : Mme d'Étioles !...

– C'est vrai... Mme d'Étioles est une véritable reine par la beauté, l'esprit, l'éducation...

– Je m'en flatte, dit Noé.

– C'est moi qui lui ai enseigné la poésie ! ajouta Crébillon. En ce sens, elle est un peu ma fille à moi aussi ! Et vous savez, *talis pater, talis filia* : c'est vous dire qu'elle tourne le vers à ravir.

– Et musicienne, monsieur !

– Et peintre ! graveur ! Elle dessine, elle joue du clavecin, c'est une artiste !

– Une fée ! dit Poisson.

– Une muse ! conclut Crébillon.

Le chevalier demeurait comme atterré. Les deux amis trinquèrent, vidèrent leurs verres, et ils préparaient une nouvelle avalanche d'éloges, lorsque d'Assas reprit :

– Monsieur, je vous en supplie, rappelez bien vos souvenirs. Puisque vous êtes le père de... madame d'Étioles, vous devez tenir à ce qu'elle soit heureuse...

– Je vous garantis qu'elle l'est !

– Soit ! Mais le jour où elle vous a chargé de porter cette lettre, ne s'était-il rien passé d'anormal... d'étrange... de dangereux pour elle ?

– Rien de rien !

– Elle ne vous a point paru triste, inquiète, agitée ?...

– Elle ?... Jamais je ne l'ai vue si gaie. La preuve, c'est qu'elle m'a donné douze louis rien que pour me dépêcher, ne pas m'arrêter en route. Et je vous assure que j'ai bien gagné mes douze louis. À ta santé, Crébillon ! À la vôtre, monsieur le chevalier d'Assas !

– Rien ! Rien ! murmura avec angoisse le chevalier. Je ne tirerai rien de ces ivrognes !

Tout à coup, il se frappa le front. Un éclair illumina son regard.

Il saisit la main de Noé Poisson et dit :

– Monsieur, voulez-vous rendre à votre fille un grand service ?

– Parbleu !...

– Et moi donc ! fit Crébillon.

– Eh bien, en ce cas, conduisez-moi près d'elle. Introduisez-moi dans l'hôtel qu'elle habite. Faites que je puisse l'entretenir une minute sans témoins... Ah ! monsieur, je vous jure que le souci de son bonheur me guide seul... et que nulle pensée, dans votre susceptibilité paternelle...

– Mais tout cela est facile ! interrompit Noé Poisson avec un calme qui désarçonna d'Assas.

– Ainsi, continua le chevalier, vous acceptez ?...

– À l'instant même !...

– Messieurs, veuillez m'attendre dans la salle commune. Le temps de m'habiller, et je vous rejoins !...

« Quel père étrange, songea le chevalier quand il fut seul et tout en s'apprêtant fébrilement. Tout est donc mystère chez cette fille extraordinaire !... »

D'Assas employait et pouvait employer sans scrupule le mot « fille », qui n'avait pas à cette époque le sens oblitéré qu'il a fini par prendre de nos jours. De même, quand un galant homme disait alors « ma maîtresse » en parlant d'une femme, cela signifiait simplement qu'elle était la dame de ses pensées, qu'il était aux petits soins pour elle, sans que cela pût éveiller l'idée de la faute.

Le chevalier retrouva dans la salle commune Crébillon et Noé Poisson qui achevaient une dernière bouteille. Tous trois se mirent en route et gagnèrent le quai des Augustins où se trouvait l'hôtel d'Étioles.

Ils furent introduits dans un petit salon qui était une merveille de grâce et de richesse.

Poisson demanda sa femme.

Madame était sortie... Héloïse était en consultation chez Mme Lebon, la tireuse de cartes.

– Tant mieux ! grommela Noé qui, aussitôt, se fit conduire auprès de Mme d'Étioles, laissant là Crébillon, qui s'endormit sur un fauteuil, et le chevalier tout palpitant...

Au bout de quelques minutes, un laquais galonné vint chercher le chevalier et le conduisit à travers une série d'escaliers et de pièces ; – les escaliers étaient ornés d'objets d'art, statues, lampadaires de bronze, rampes en fer doré, tapis épais sur le marbre des marches, – les pièces étaient des merveilles de richesse, et chacune d'elles représentait une fortune.

Le pauvre chevalier, quelle que fût sa préoccupation, fut tout ébloui.

Plus que jamais il comprit la distance qui le séparait de celle qu'il osait aimer.

La jolie petite fille de la clairière de l'Ermitage disparut de son imagination, qui se représenta dès lors la grande dame que devait être Jeanne d'Étioles.

Il trembla. Tel est l'effet que produit la vue de l'opulence même sur les âmes blasées. Or, le chevalier était tout jeune. C'était un pauvre petit officier qui, en fait de faste, ne connaissait encore que les corps de garde et les chambres d'auberge.

Il eut alors la sensation douloureuse qu'il entreprenait une démarche extravagante.

Que venait-il faire là ? Qu'allait-il dire à la haute et puissante maîtresse de ce palais qui l'écrasait de son luxe insolent ?

Tout à coup, il la vit !...

On venait de l'introduire dans une sorte de boudoir d'une adorable simplicité. Peut-être Jeanne, dont le cœur connaissait toutes les délicatesses et dont l'esprit subtil devinait avec tant d'acuité la pensée des autres, avait-elle voulu montrer au chevalier que pour lui elle était encore la jolie fée sylvestre de l'étang.

Elle s'avança vers lui, les deux mains tendues.

Et lui, déjà enivré, troublé jusqu'au plus profond de l'être, s'inclinait en tremblant sur ces deux petites mains et les baisait, avec la tentation de se mettre à genoux...

Jeanne se dégagea doucement, lui désigna un fauteuil et s'assit elle-même.

– Je vous attendais, chevalier, dit-elle en souriant.

– Vous m'attendiez, madame !... Hélas ! j'arrive un peu tard sans doute... mais j'ai une excuse : je viens de lire seulement il y a une heure la lettre que vous m'avez fait l'honneur de m'adresser : je sors de la Bastille !

– De la Bastille !... Vous n'aviez donc pas reçu ma lettre le soir où...

– Où vous m'avez sauvée, madame ! Car c'était vous ! Dans le sommeil de plomb où j'étais plongé, dans cette impuissance où je me trouvais de faire un geste, de prononcer un mot, je vous ai reconnue...

– Oui, c'était moi, dit simplement Jeanne, et une ombre de mélancolie voilà son front. Ainsi, à ce moment-là, vous n'aviez pas encore lu...

– Non, madame... je me trouvais rue des Bons-Enfants... et... je m'étais arrêté sous vos fenêtres... tout à coup, j'ai vu quelques hommes qui, dans l'ombre, considéraient votre maison... j'ai cru que c'étaient des malfaiteurs... je me suis avancé vers eux... ce n'était pas un malfaiteur qui était là, madame !... c'était le roi de France !...

Jeanne devint très pâle, puis soudain, pourpre.

Le chevalier poussa un soupir amer : l'effet produit par ses paroles dépassait tout ce qu'il avait pu redouter.

– Continuez, je vous prie, dit faiblement madame d'Étioles.

– Hélas ! madame, reprit alors le chevalier d'une voix tremblante, que vous dirai-je ?... Oserai-je vous dire la douleur qui m'étreignit lorsque je reconnus que j'avais un rival !...

– Chevalier !...

– Ah ! je vous en supplie, laissez-moi répandre à vos pieds l'amertume et le désespoir qui débordent de mon cœur !... Je vous aime, madame ! Vous le savez bien, mon Dieu !... Vous l'avez vu du premier coup... Je vous aime en insensé, car je vois ma passion sans issue, et je sens que je vous aimerai toute la vie !... Un rival !... Quel rival !... Le roi !...

Jeanne palpitait. Son sein se soulevait. Les paroles du chevalier la plongeaient dans un inexprimable ravissement. Était-ce possible ! Le roi était venu rôder sous ses fenêtres !... Oh !... mais il l'aimait donc !...

Et, en même temps, elle était bouleversée par la passion si vraie, si ardente, si impétueuse, de ce jeune homme si beau dont le regard de flamme la pénétrait jusqu'à l'âme.

– Je vous en supplie, murmura-t-elle, achevez votre récit...

– C'est bien simple, madame ! Au moment où je demeurais tout atterré de cette rencontre, la gorge serrée par une terrible angoisse, je reçus par derrière un coup violent à la tête. Je tombai. Je perdis connaissance. Je vous entrevis, penchée sur moi... je revins à moi pour apprendre que vous étiez à Saint-Germain-l'Auxerrois... j'y courus... et je vis que c'était votre mariage qu'on venait de célébrer... C'est à ce moment que je fus arrêté...

– Pourquoi ?...

– Voilà ce que je ne saurai jamais, sans doute... Mais mon arrestation ne vous semble-t-elle pas la suite toute naturelle du coup que je reçus... lorsque j'eus reconnu... le roi !...

Jeanne, elle aussi, le pensait !... Et, malgré elle, elle ne pouvait s'empêcher de songer que si d'Assas eût été le roi de France, il n'eût pas employé un pareil moyen pour se débarrasser d'un rival !... Mais si c'était Louis XV qui avait fait arrêter le jeune homme, pourquoi l'avait-il fait relâcher si vite ? Elle savait parfaitement que s'il était très facile d'entrer à la Bastille, il était horriblement difficile d'en sortir... Il y avait là une question à laquelle le chevalier répondit en reprenant :

– Quelqu'un qui s'intéresse à moi et qui est haut placé a pu obtenir mon élargissement.

On vient donc de me remettre seulement la lettre que vous m'adressiez... Vous m'appeliez à votre secours, madame !... Eh bien, me voici ! Dites ! que faut-il faire, qui faut-il provoquer ?...

Jeanne garda un moment le silence.

Elle considérait avec une émotion dont elle ne pouvait se

défendre cette loyale figure si rayonnante de jeunesse et d'amour.

Il n'y a rien de contagieux comme l'amour sincère.

Et elle éprouvait peut-être en ce moment un peu plus que de la pitié pour ce charmant cavalier dont les yeux exprimaient un si pur dévouement et un si profond désespoir.

– Chevalier, dit-elle doucement, écoutez-moi... je veux vous parler comme à mon meilleur ami, mon seul ami dans la situation où je me trouve... mon frère !...

D'Assas eut un geste de résignation : ce n'est pas ce mot-là que son cœur espérait !...

– Je vous ai appelé, reprit Jeanne avec cette netteté qui la distingua toujours, parce que j'étais sur le point d'épouser un homme que je hais. Apprenez la vérité, chevalier : M. Poisson, que vous avez vu, n'est pas mon vrai père... Mon père, c'est M. de Tournehem.

– Le fermier général ?

– Oui, chevalier. Or, M. d'Étioles est son sous-fermier. Il a relevé dans les comptes de mon père des exactions vraies ou fausses, mais qui, certainement, n'ont pas été commises par M. de Tournehem. Armé de ces chiffres, M. d'Étioles m'a donné à choisir. Ou je l'épouserais, ou il dénoncerait mon père...

– Horreur ! Comment cet homme peut-il descendre à ce degré d'infamie et de lâcheté ?

– M. d'Étioles y est descendu, fit sourdement Jeanne, et peut-être descendra-t-il plus bas. Enfin, lorsque j'ai pensé à vous, je me disais que peut-être, l'épée à la main, pourriez-vous imposer à M. d'Étioles une plus juste notion de l'honneur...

– Merci ! oh ! merci, madame ! murmura ardemment d'Assas.

– N'en parlons plus ! La fatalité s'en est mêlée. Tout est fini, puisque je m'appelle Mme d'Étioles. Mais vous l'avouerai-je ? cet homme me fait plus peur encore qu'avant mon mariage. Il me semble qu'il veut me pousser à je ne sais quelle sinistre aventure... Je ne puis rien dire à mon père de mes craintes, non seulement parce que je ne veux pas le replonger en de nouveaux chagrins – il a déjà tant souffert ! – mais encore parce que l'horrible d'Étioles est toujours armé, lui !... Alors, écoutez... voulez-vous que nous fassions un traité ?...

– Ah ! madame... qu'est-il besoin de traité !... Vous savez bien que vous pouvez disposer de moi à votre gré !...

– Eh bien, soit !... J'accepte votre généreux dévouement... Si j'ai besoin de quelqu'un pour me défendre c'est vous qui serez mon chevalier !...

D'Assas tomba à genoux.

Il lui parut que le ciel s'entrouvrait.

Dans l'émotion de Jeanne, il vit ce qui y était peut-être en ce moment : un commencement d'amour !

Alors il se sentit fort comme Samson quand il marchait contre les Philistins ! Il se sentit de taille à lutter contre le roi lui-même ! Et saisissant les mains que Jeanne lui abandonnait, il les couvrait de baisers ardents...

– Relevez-vous, chevalier, dit-elle doucement.

Il obéit.

– Quand faut-il attaquer ? demanda-t-il.

– Je vous le dirai ! D'ici là, si vous rencontrez M. d'Étioles, il faut prendre sur vous de lui faire beau visage...

– Le pourrai-je !...

– Il le faut !... Il faut que vous soyez reçu ici en ami, que vous puissiez entrer à toute heure...

– Oui, oui !... s'écria d'Assas enivré.

Jeanne lui jeta un adorable sourire.

Et il est certain qu'à cette minute, l'image du roi pâlissait dans son cœur, et que l'amour éclatant du beau chevalier la troublait beaucoup plus qu'elle ne le croyait elle-même.

Tout à coup on frappa à la porte, et Henri d'Étioles entra en s'écriant :

– Ah ! chère amie, je vous cherche partout !... Oh ! pardon, ajouta-t-il en feignant d'apercevoir d'Assas, je ne vous savais pas en compagnie... Eh ! mais... c'est le vaillant chevalier d'Assas ! Un de mes meilleurs amis !...

Et il courut à d'Assas en lui tendant une main que le chevalier prit en frissonnant.

Jeanne était devenue de glace.

Mais Henri d'Étioles n'eut pas l'air de s'en apercevoir.

Il sortit d'un élégant portefeuille en maroquin deux carrés de carton, qui, sur le recto, portaient un dessin signé Boucher et, sur le verso, quelques lignes imprimées.

– Devinez ce que je vous apporte là ? dit-il en souriant.

– Comment le devinerais-je, monsieur ?

– Eh bien, ce sont... dame, cela m'a coûté gros... mais pour vous, chère amie, il n'est rien qui me coûte... et puis je sais que vous mourez d'envie de voir de près notre bon sire Louis quinzième... le Bien-Aimé !...

– Le roi ! balbutia Jeanne en devenant très rouge.

– Le roi ! répéta sourdement d'Assas en devenant pâle comme un mort.

– Oui ! Le roi, pardieu !... Eh bien, ces deux cartons, ce sont deux invitations obtenues à prix d'or pour le bal que l'Hôtel de Ville offre à Sa Majesté... Vous ne me remerciez pas ?...

En même temps, il déposa les deux cartons sur un guéridon.

Jeanne, palpitante, les dévorait des yeux.

– Je vous emmène, chevalier, reprit d'Étioles.

– À vos ordres...

D'Assas s'inclina profondément devant Jeanne qui lui rendit la révérence. Sur le pas de la porte, il se retourna et la vit qui allongeait la main vers les cartons !...

– Cher ami, dit Henri d'Étioles quand ils furent dehors, est-ce qu'il vous plairait d'assister à cette fête ?... Je puis, si vous le voulez... vous procurer une invitation... si, si... ne dites pas non... c'est entendu, vous recevrez votre invitation aux *Trois-Dauphins*...

– Eh bien, oui ! fit d'Assas, les dents serrées, j'accepte !...

Et ils partirent voir ensemble une paire de chevaux que d'Étioles voulait acheter et sur lesquels, disait-il, il tenait à avoir l'avis du chevalier.

XIX

L'hôtel de ville

Une petite pluie fine tombait sur Paris ; mais malgré cette sorte de brouillard froid qui pénétrait et faisait grelotter les gens, la place de l'Hôtel de Ville était noire de peuple.

De tout temps, une des grandes distractions du peuple a été de regarder les riches s'amuser.

Il y a toujours des spectateurs transis à la porte du théâtre pour voir les gens qui entrent.

C'est la part de ceux qui ne s'amusent pas.

Donc, il y avait grande foule sur la place où une compagnie de chevau-légers maintenait les curieux. Et malgré la pluie qui avait éteint beaucoup de verres de couleur et de lanternes vénitiennes, les illuminations de la façade avaient fort bon air.

À chaque instant des équipages s'arrêtaient devant la grande porte de droite et des murmures d'admiration parcouraient la foule lorsqu'on voyait quelque somptueuse toilette passer rapidement, et disparaître sous la tente qui avait été installée pour servir d'entrée.

Vers neuf heures, dans l'intérieur de l'Hôtel de Ville, se pressaient les courtisans, les dames de la cour, les dignitaires, maréchaux en grande tenue, littérateurs célèbres, peintres, financiers, enfin tout ce qui, dans Paris, portait un nom connu.

Les vastes salons de l'Hôtel de Ville étaient bondés, et cependant, les invitations avaient été lancées avec parcimonie ; environ quatre mille invités avaient pu pénétrer dans ces salons ; mais il faut songer que le nombre des personnes qui avaient fait valoir leurs droits à une invitation, soit à Paris, soit en province, s'éleva à soixante mille ; il faut songer que le sire de Maigret – un hobereau de l'Anjou – se tua de désespoir pour n'avoir pu obtenir d'être invité à cette fête célèbre.

Et maintenant, qu'on se représente ces salons décorés avec cet art précieux et raffiné de l'époque, splendidement éclairés par les flambeaux de cire placés à profusion, les fleurs, les massifs des plantes rares venues à grands frais d'Italie et d'Espagne ; qu'on se figure la salle de la collation où cinq cents maîtres d'hôtel dressaient la table pour le souper que deux cents cuisiniers et marmitons avaient élaboré ; qu'on imagine les costumes somptueux des seigneurs, les robes des dames, les diamants, les pierres précieuses étincelant de mille feux, cette foule d'une suprême élégance qui marivaudait, tournoyait lentement, tout ce monde dans l'attente de l'arrivée du roi, chacun voulant être vu, obtenir un regard du monarque ; qu'on écoute les mélodies des violons et des harpes dans les salles de danse, et on aura une faible idée du spectacle réellement magique qui se déroulait dans l'Hôtel de Ville.

Pénétrons dans le salon central.

Dans la foule se produisit tout à coup un remous.

Deux groupes venaient d'y entrer, l'un par une porte, l'autre par la porte d'en face.

Dans chacun de ces groupes il y avait une femme ; et c'étaient ces deux femmes qui produisaient cette sensation, ce remous dont nous venons de parler...

Le premier se composait du comte du Barry, du comte de Saint-Germain, d'un seigneur étranger que nul ne connaissait, et d'une femme éclatante de beauté.

Cette femme, c'était la fille galante... Juliette Bécu.

Ce seigneur étranger, c'était M. Jacques... l'homme du mystère.

Pâle sous le regard de M. Jacques, le comte du Barry donnait la main à Juliette et, s'arrêtant de groupe en groupe, murmurait quelques mots.

Alors Juliette faisait une révérence que les plus sévères jugeaient impeccable ; on lui répondait par d'autres révérences, et le comte passait à un autre groupe...

Du Barry présentait aux dames de la cour la comtesse du Barry !...

La courtisane, Juliette, était profondément émue ; mais elle jouait son rôle en comédienne admirable. Sa démarche gracieuse quoique un peu imposante, sa beauté parfaite, la magnificence inouïe de son costume provoquaient des murmures d'envie et d'admiration. Elle marchait sous le feu croisé des regards sans paraître intimidée ; mais elle avait su prendre un air de modestie et presque de mélancolie qui lui seyait à ravir.

M. Jacques, comme nous avons dit, escortait le comte et la comtesse du Barry, et sans doute ce mystérieux personnage ne pouvait se défendre d'admirer la belle créature sur laquelle il comptait pour une œuvre de ténèbres, car parfois son regard se posait sur elle avec une satisfaction non dissimulée.

Le comte de Saint-Germain suivait ces trois personnages, très intéressé, paraissait-il, et un sardonique sourire aux lèvres. Lui aussi était le point de mire des regards. Il les supportait avec une noble aisance.

Contre son habitude, il n'était pas chargé de diamants.

Seulement, il portait trois émeraudes dont chacune représentait une fortune plus qu'ordinaire.

Deux d'entre elles fixaient ses jarretières et la troisième était placée au pommeau de son épée de parade ; et ces trois pierres vertes jetaient un éclat étrange, des feux pour ainsi dire sataniques ; il avait l'air, à chaque mouvement, de s'envelopper des reflets de l'enfer.

Le deuxième groupe dont nous avons signalé l'entrée se composait de M. de Tournehem donnant la main à Jeanne, de M. d'Étioles et de quelques financiers.

Jeanne portait une toilette d'une exquise simplicité qui était l'exacte reproduction de celle qu'elle avait dans la clairière de l'Ermitage.

Seulement, elle était faite des satins les plus coûteux, des dentelles les plus précieuses.

D'Étioles la couvait des yeux. Il semblait rayonner du succès de sa femme.

Tournehem, un peu grave peut-être, ne paraissait pas moins heureux.

Parfois, il se penchait vers sa fille et murmurait :

– Es tu contente, ma Jeannette ?...

– Oui, oh ! oui... Comment ne le serais-je pas ?...

À ce moment, les yeux de Jeanne se croisèrent avec ceux de Juliette... de la comtesse du Barry...

M. Jacques se pencha à l'oreille de Juliette et dit :

– Vous avez vu cette jeune femme si belle, si exquise d'élégance et de grâce ?...

– Oui !...

– Eh bien ! C'est votre rivale !... Tâchez de vaincre !...

Déjà Juliette était passée. Mais le regard qu'elle avait jeté à Jeanne avait eu sans doute quelque chose de menaçant, car Jeanne avait pâli.

– Quelle est cette femme ? demanda-t-elle à Tournehem.

– Je l'ignore, mon enfant. Pourquoi me demandes-tu cela ?

– Pour rien, fit Jeanne qui, à aucun prix, ne voulait inquiéter son père.

À cet instant, elle vit quelqu'un s'incliner devant elle en murmurant :

– Permettez-moi, madame, de déposer à vos pieds mes très humbles et respectueux hommages...

L'homme qui parlait ainsi se redressa alors et Jeanne reconnut le comte de Saint-Germain...

Ils étaient arrivés au bout du grand salon, à l'entrée d'une sorte de pièce qui était réservée pour le roi, au cas où Sa Majesté eût été indisposée, ou simplement eût voulu se reposer.

Jeanne s'assit dans un fauteuil que lui céda galamment un seigneur qui s'y trouvait.

En même temps, elle répondait à Saint-Germain :

– Merci, monsieur, de votre hommage ; il m'est d'autant plus précieux qu'on le dit rare et sincère.

– En effet, madame, dit le comte avec une gravité mélancolique, je ne l'adresse qu'à ceux qui le méritent...

Tournehem, voyant Jeanne engagée dans un entretien qui semblait fort l'amuser, se mit à examiner l'assemblée, et peu à peu se perdit dans la foule.

– Et quelles sont, reprit Jeanne, les personnes qui vous semblent mériter votre hommage ?

– Il y en a fort peu, madame, parce que, en regardant les gens d'assez près, on finit toujours par leur découvrir une tare, un vice caché... Or j'ai le malheur d'être curieux, et le malheur plus grand encore de voir trop bien...

– Oui : on dit que vous avez la double vue...

– Vraiment ? fit le comte, on dit cela ? Eh bien, il faut laisser dire. Mais pour en revenir à la question que vous me faisiez l'honneur de m'adresser, j'ajouterai que personne, au fond, ne mérite entièrement l'hommage du philosophe...

– Merci ! fit Jeanne en riant.

– Seulement, il est des gens auxquels un homme de cour comme moi ne peut se dispenser d'adresser un salut de respect apparent et de pitié réelle...

– Quelles gens ?...

– Mais d'abord le souverain !... Il est impossible de ne pas saluer le souverain, si vicieux et taré qu'il soit...

– Ensuite ? fit Jeanne en pâlissant.

– Ensuite... la souveraine !...

– Et puis ?...

– Et puis, c'est tout !...

– Ainsi, comte, vous ne vous croyez tenu à l'hommage qu'en vers le roi et la reine ?

– C'est vrai, madame...

– Et pourtant, vous m'avez offert cet hommage !... Je ne suis pas reine, moi !...

– Bah ! Si vous ne l'êtes pas, vous le deviendrez, dit Saint-Germain avec un calme glacial.

– Monsieur ! monsieur ! que voulez-vous dire ? balbutia Jeanne.

– Rien que ce qui doit être, madame ! fit le comte d'une voix basse et rapide. Mme de Châteauroux l'est bien devenue, elle !... Et d'autres !... Ah ! prenez garde, mon enfant, ajouta-t-il en changeant brusquement de ton, c'est là une triste royauté... indigne de vous, de votre belle intelligence et de votre noble cœur... tenez, je vous dirais que je salue les souverains d'un respect apparent et aussi d'une pitié réelle... La pauvre reine Marie mérite cette pitié... prenez garde de la mériter aussi un jour !...

– Taisez-vous, monsieur ! balbutia Jeanne épouvantée par cet homme qui lisait à livre ouvert au plus secret de son cœur. Taisez-vous, je vous en supplie !...

– Soit ! fit le comte. Ne parlons plus de votre souveraineté... parlons des joies plus vraies, plus profondes et plus humaines auxquelles vous étiez destinée... L'amour, madame, le véritable amour appuyé sur le dévouement d'une âme pure et généreuse... voilà ce qui devrait tenter une nature d'élite comme vous !... Je vous le dis : vous avez à choisir entre le bonheur et la souveraineté... La souveraineté, c'est Louis XV qui vous l'offre...

– Et le bonheur ? demanda Jeanne pensive.

– Regardez ! dit le comte.

Et, d'un coup d'œil, il désigna le chevalier d'Assas qui s'avançait vers Jeanne.

En même temps l'étrange personnage disparut dans un groupe d'invités, laissant la jeune femme profondément troublée, effrayée, palpitante...

Elle leva son doux regard sur le chevalier qui venait à elle en souriant, en mettant dans ses yeux tout ce qu'il avait d'adoration dans le cœur...

Ah ! celui-là l'aimait ardemment, pour la vie, de tout son être !...

– Choisir ! murmura Jeanne. La souveraineté !... Le bonheur !... Et elle allait tendre la main au chevalier. Elle le regardait déjà avec une expression qui mettait une extase dans le cœur de d'Assas...

Tout à coup, de violents remous se firent dans le salon... Des cris éclatèrent...

– Le roi !... Le roi !... Vive le roi !...

La foule passa rapide, violente, exaltée, entre Jeanne et le chevalier qui furent refoulés, chacun de son côté. Jeanne s'était dressée toute droite, avec une effrayante palpitation de cœur.

À cette minute, elle comprit que tout était vain, hormis son amour pour le roi !

Bonheur, dévouement, pureté, loyauté, plus rien ne comptait... puisque la seule annonce de l'arrivée du roi lui causait un tel bouleversement !...

Et soudain, elle le vit !...

Il s'avançait, dans la gloire des vivats, dans le resplendissement des lumières, dans l'ivresse de cette foule somptueuse qui s'inclinait, l'acclamait... et tout ce décor lui donnait une sorte de rayonnement...

Par lui-même, Louis XV était un fort élégant cavalier, bien qu'il commençât à s'empâter un peu.

Mais en cette soirée, sanglé dans un costume qui éclipsait tous les costumes présents en élégance et en richesse, fardé soigneusement, il paraissait à peine vingt-cinq ans. Il était en plein éclat de jeunesse, et nul n'eût pu lire sur son visage les traces que les débauches y avaient déjà marquées. Il avait encore au suprême degré cette grâce un peu dédaigneuse qui le faisait prince de l'élégance...

Bientôt, il devait la perdre, cette grâce qui avait permis au peuple d'accepter le surnom de Bien-Aimé, qu'un poète, plat courtisan et adulateur de la puissance comme la plupart des poètes de tous les temps, lui avait donné.

Mais demeurons dans le cadre de notre récit qui eût dû plus justement s'appeler : *La Jeunesse de la marquise de Pompadour*, car nous n'avons d'autre prétention que de montrer comment cette si jolie fille devint la marquise au nom fameux.

Le roi s'avançait, souriant, heureux, dosant autour de lui les gestes gracieux avec une admirable science instinctive des préséances.

Jeanne, en le voyant, se recula presque défaillante pour s'appuyer à la muraille.

Mais cette muraille, elle ne la trouva pas : elle se trouvait devant la porte du petit salon destiné au roi, et comme le passage était ouvert, elle entra dans cette pièce, sans presque s'en apercevoir, heureuse seulement d'échapper à la cohue et espérant pouvoir se remettre là de son émotion...

Le chevalier d'Assas, bien que séparé d'elle, ne l'avait pas perdue des yeux.

Il se dirigea, lui aussi, vers le petit salon et y entra.

À ce moment, Louis XV arriva à l'entrée, et, d'un geste, pria que la fête continuât...

Jeanne le vit entrer !...

De saisissement, elle laissa tomber le mouchoir de dentelles qu'elle tenait à la main.

D'Assas fit un mouvement pour ramasser le mouchoir.

Mais plus prompt, et surtout plus impérieux, quelqu'un avait fait trois pas rapides.

C'était Louis XV !...

Le chevalier d'Assas, pâle d'amour et de désespoir, se recula en tremblant tandis que le roi ramassait le mouchoir.

– Sire ! balbutia Jeanne éperdue.

Le roi jeta autour de lui un rapide regard, déposa un baiser sur le mouchoir qu'il cacha aussitôt dans son sein et murmura d'une voix ardente :

– Je le garde... Je l'eusse payé d'une de mes provinces, serez-vous assez cruelle pour me le reprendre ?...

Et comme Jeanne baissait les yeux, incapable de trouver un mot, angoissée au point de défaillir presque, il reprit :

– Dites... faut-il vous le rendre ?... faut-il le garder ?... Mon sort est dans la parole qui va tomber de vos lèvres...

Jeanne pantelante, pâle comme une morte, répondit dans un souffle :

– Gardez, Sire !...

Un gémissement étouffé se fit entendre à deux pas. Mais ils étaient lui trop occupé, elle trop émue pour l'avoir seulement entendu.

Ce gémissement, c'était le pauvre chevalier d'Assas qui l'avait poussé !...

À demi caché dans la tenture de la portière vers laquelle il s'était retiré au moment où le roi l'avait devancé, il avait tout vu, tout entendu !... Le désespoir dans l'âme, il franchit la porte devant laquelle était amassée une foule de courtisans.

En franchissant le pas, il s'accrocha à la portière, qui jusqu'ici était demeurée soulevée, pour ne pas tomber. Le malheureux jeune homme chancelait...

Or, dans le mouvement qu'il fit pour se retenir à la tenture de velours, il la décrocha de sa patère !...

Et lorsqu'il fut passé, la tenture retomba !...

Jeanne et le roi étaient seuls !...

D'Assas, pâle comme un spectre, cherchait à fendre la foule pour gagner le dehors, lorsqu'une main saisit la sienne, et quelqu'un lui dit en riant d'un rire étrange :

– Merci, chevalier ! Vous venez de me rendre un tel service que c'est maintenant entre nous à la vie, à la mort !

Cet homme, c'était d'Étioles !...

Le chevalier, hagard, le regarda comme un fou, sans comprendre, peut-être sans avoir entendu.

Il continua son chemin. Dix pas plus loin, quelqu'un le prit par le bras. Cette fois, c'était le seigneur étranger qui accompagnait du Barry. D'Assas reconnut M. Jacques.

– Que me voulez-vous ? gronda-t-il... Qui êtes-vous ? vous qui m'avez empêché de mourir ! vous qui m'avez bercé d'un espoir insensé ! vous qui vous dites prêtre et qui revêtez tous les costumes excepté celui du prêtre !... Laissez-moi !... Vous me faites horreur !...

– Allons donc ! murmura M. Jacques. Tenez-vous bien, morbleu ! On vous regarde !... Vous êtes fou, mon cher !... Vous croyez la partie perdue parce que vous êtes désespéré !... Vous n'avez perdu que la première manche ! Tout peut encore se réparer !... Jeanne vous aimera... si vous voulez m'écouter !...

– Que dites-vous ? balbutia l'infortune en se raccrochant à l'espoir.

– La vérité !... Où puis-je vous voir ?...

– Aux *Trois-Dauphins*, rue Saint-Honoré !...

– C'est bien... attendez-moi chez vous, demain... Je vous apporterai des nouvelles, et de bonnes, je vous le garantis !...

Sur ce mot, M. Jacques se perdit dans la multitude.

D'Assas, un instant réconforté, retomba dans son morne désespoir. Il secoua la tête et se dirigea vers la sortie, la tête en feu, la fièvre aux tempes, la gorge sèche.

Comme il allait atteindre l'escalier, il fut une troisième fois arrêté par un homme qui lui prit les mains et, d'une voix très douce, très paternelle, lui dit :

– Pauvre enfant !... Où allez-vous !... Où courez-vous si vite !...

Et, cette fois, c'était le comte de Saint-Germain. Mais, cette fois, le chevalier sentait une réelle et profonde sympathie chez celui qui lui parlait et comme le comte, le tenant toujours par la main, le conduisait dans une pièce retirée, solitaire, il se laissa faire comme un enfant.

Saint-Germain ferma la porte, tandis que le chevalier, à bout de forces, tombait dans un fauteuil.

– Voyons, où alliez-vous ainsi ? dit le comte en revenant à d'Assas.

– Mais, comte... je... je rentrais chez moi... cette fête me fatigue... j'ai eu tort d'y venir...

– Oui, dit gravement Saint-Germain, vous avez eu tort de venir ici, – et plus grand tort encore de demeurer à Paris. Ah ! chevalier, je vous avais pourtant bien prévenu que l'air de Paris ne vous vaut rien. Mais ne parlons pas du passé. Le mal est fait. Vous êtes empoisonné.

– Empoisonné !... Monsieur... vous me tenez là d'étranges discours, il me semble !

– C'est le discours que je tiens à ceux que j'aime... et, croyez-moi, ils sont bien rares, dit le comte d'un ton de douce autorité qui courba la tête du jeune homme. Voyons, reprit-il en haussant les épaules, vous ne m'avez pas encore dit où vous alliez... où vous couriez si vite !

– Je vous l'ai dit, il me semble ; je rentrais chez moi...

– D'Assas !...

– Comte !...

– Vous mentez !...

– Monsieur !...

– Vous mentez, vous dis-je !... Voulez-vous que je vous le dise, moi, où vous alliez ?... Vous alliez tout de ce pas au Pont-au-

Change !...

Le chevalier frissonna et jeta un regard d'épouvante sur le comte.

– Vous vous trompez, balbutia-t-il.

– Je ne me trompe pas !... Noble cœur que vous êtes, vous n'avez pas voulu employer l'épée pour un misérable suicide ! Alors, vous vous êtes dit d'abord : je rentrerai dans ma chambre et je me fracasserai la tête d'un coup de pistolet !...

– Monsieur ! Monsieur !... qui donc êtes-vous !...

– Puis, continua le comte, vous avez eu peur de vous manquer, de vous défigurer ! Et alors vous avez pensé à la Seine ! On arrive sur un pont, on enjambe le parapet, on fait le plongeon et tout est dit ! Voilà la vérité, d'Assas !...

Le chevalier haletait. Ses yeux brûlants appelaient vainement les larmes qui les eussent rafraîchis.

Il leva sa tête douloureuse vers l'homme qui lui parlait ainsi.

– Et quand cela serait ! fit-il avec un emportement farouche. Quand j'aurais pris la résolution de me tuer parce que je souffre trop ! Est-ce vous qui m'en empêcherez ?... Qui êtes-vous ? Êtes-vous mon ami ? mon frère ? Enfin, de quel droit vous dressez-vous entre moi et le suprême repos ?...

– Nul ne peut empêcher ce qui doit être, dit gravement le comte de Saint-Germain. Si j'essaie de vous arracher à la mort, c'est que l'heure de mourir n'a pas sonné pour vous... Vous me demandez si je suis votre ami, votre frère... je suis plus que tout cela ! Je suis quelqu'un qui a pitié de vous parce que vous êtes infiniment digne de la pitié ! De quel droit je m'interpose ? Du droit de celui qui sait ! De celui qui a sondé le néant des passions humaines, qui a terrassé la mort et contemplé la vie face à face !...

En parlant ainsi, le comte se transfigurait.

Une sorte de majesté sereine envahissait son visage.

Le chevalier le considérait avec un étonnement voisin de l'effroi, avec une sorte de respect dont il ne pouvait se défendre.

– Pourquoi voulez-vous vous tuer, d'Assas ? reprit Saint-Germain. Si vous étiez une nature vulgaire, je pourrais vous dire d'espérer ; je vous prouverais que le roi est un égoïste qui n'aime personne que lui-même, que sa passion pour Jeanne ne sera qu'un feu de paille vite éteint, et qu'alors vous pourrez apparaître au cœur de cette pauvre femme comme l'ange consolateur !... Mais je ne vous dirai rien de tout cela, d'Assas ! Je vous dirai simplement de vivre parce que la vie est belle en soi. Il n'y a au monde qu'une chose de grave et d'inguérissable : c'est la mort ! Tout le reste peut et doit se guérir, même l'amour le plus vrai, le plus profond, comme celui que vous éprouvez !...

D'Assas secoua la tête avec une violence désespérée.

– Vous me parlez ainsi parce que vous n'avez jamais aimé ! dit-il.

Saint-Germain sourit...

– Qu'appelez-vous aimer ? dit-il avec une sorte de gravité plus poignante. Écoutez-moi. Peut-être me comprendrez-vous, car vous êtes une des âmes les plus généreuses que j'aie rencontrées. Pour l'humanité dans son ensemble, l'amour est une forme de l'égoïsme. Un homme aime une femme. Cela veut dire qu'il la désire ; il en souhaite la possession ; il veut absolument que cette femme soit à lui et non à d'autres. Si elle est vénale, il l'achète comme un marbre, un objet de luxe quelconque. Si elle est honnête, il s'efforce de lui prouver qu'elle doit lui appartenir volontairement. En somme, il cherche à s'emparer d'elle. C'est une œuvre de conquête à la façon des antiques barbares. La preuve, c'est que sa douleur d'amour est atténuée, disparaît presque entièrement si la femme convoitée ne se donne à personne. Ce qu'on appelle jalousie n'est guère que l'exaspération de cet égoïsme particulier. L'homme cherche donc surtout à satisfaire son propre appétit de conquête et de possession lorsqu'il affirme qu'il aime. Aimer veut dire vouloir. Je veux cet objet : bronze, marbre ou femme. Je le veux pour moi seul. J'en ai envie. Et alors je prétends que je l'aime ! Quelle pitié !...

– Ah ! murmura d'Assas, est-il donc une autre forme de l'amour ?...

– Oui. L'amour existe. Il est vrai. Il est plus précieux que tous les trésors de Golconde. Mais enfin, il existe. Peu d'hommes l'éprouvent. Il est presque aussi difficile de rencontrer un homme qui aime que de trouver une femme digne d'être aimée. Mais cela se trouve !

– Et qu'est-ce que cet amour dont vous parlez ? demanda le chevalier avec cet étonnement profond et respectueux qu'inspirent les vérités entrevues.

– L'amour, dit alors le comte, c'est la forme la plus parfaite du dévouement, c'est-à-dire tout juste le contraire de ce que le vulgaire appelle de l'amour. Aimer une femme ne peut pas signifier autre chose que souhaiter ardemment son bonheur à elle, et non le bonheur de soi-même. Me comprenez-vous ?

– Oui... je le crois, du moins, fit d'Assas en frémissant.

– J'aime cette femme. Voici exactement ce que cela veut dire : s'il plaît à cette femme de m'appeler à elle, je vais entreprendre des travaux d'Hercule, je vais remuer ciel et terre pour assurer son bonheur... mais si elle s'éloigne de moi... si sa sympathie va à un autre...

– Eh bien ? demanda le chevalier palpitant.

– Eh bien, parce que je l'aime... parce que j'ai entrepris d'assurer son bonheur, non seulement je ne me dresserai pas comme un obstacle entre elle et l'homme préféré... mais encore je me réjouirai de voir qu'elle a trouvé sans moi ce bonheur que je prétendais lui apporter...

– Effrayante théorie !...

– Vous dites effrayante parce que vous n'avez pas goûté le charme infini du dévouement pur, du sacrifice qui n'attend pas de récompense... Moi qui ai connu toutes les formes de l'amour, depuis la jalousie qui rêve le meurtre jusqu'au désespoir qui rêve le suicide, je vous le dis : là seulement est l'amour !...

D'Assas, rêveur, écoutait les paroles de Saint-Germain qui peu à peu berçaient sa douleur et l'apaisaient. Peut-être le comte n'avait-il pas eu d'autre but en lui faisant l'exposé de sa théorie de l'amour.

Le chevalier, comme l'avait dit Saint-Germain, était vraiment une âme généreuse.

Il commençait à entrevoir la possibilité de se dévouer au bonheur de Jeanne ; graduellement, l'idée de suicide s'éloignait de son esprit. Il souffrait toujours autant : mais déjà il admettait la vérité de ce mot du comte :

– Il n'y a qu'une chose d'inguérissable : c'est la mort !

Mourir, n'était-ce pas se condamner soi-même à ne plus jamais revoir Jeanne ? Et même en repaissant la théorie du sacrifice pur, même en admettant qu'il voulût conquérir la jeune femme, est-ce que le suicide n'était pas la défaite suprême, celle pour laquelle il n'y a pas de revanche possible ?

Le comte de Saint-Germain l'avait pris par le bras ; il l'avait entraîné au dehors ; il lui parlait doucement, et enfin, lorsqu'il le quitta à la porte des *Trois-Dauphins,* il lui avait arraché la promesse de vivre, de ne pas attenter à ses jours.

– Hélas ! pensa le comte quand il fut seul, en voilà un que je viens d'arracher à la mort... Ai-je bien fait ? Ai-je eu tort ? Qui peut le savoir ?... Mais quittons ces tristes idées et allons voir qui triomphe à l'Hôtel de Ville !...

XX

La déclaration

Louis XV était resté près de Jeanne, dans le petit salon retiré, lorsque le malheureux d'Assas eut involontairement fait tomber la portière. Le roi, en effet, se souciait médiocrement de la réputation des femmes qu'il désirait. Rendons-lui d'ailleurs cette justice qu'il ne permettait à personne de sourire d'elles en sa présence et qu'il les défendait avec une sorte d'emportement chevaleresque.

Jeanne, au contraire, lorsqu'elle se vit seule avec Louis, eut un mouvement d'effroi.

– Sire, murmura-t-elle, de grâce, permettez-moi de relever les tentures...

– Et pourquoi donc, ma belle enfant ? répondit le roi. Pensez-vous donc qu'on oserait vous soupçonner ? Croyez-moi, nul ne peut s'étonner qu'il me plaise de m'entretenir avec vous, seul à seule. Et si quelqu'un s'étonnait, je vous jure que vous n'en seriez pas atteinte... Ce mouchoir que vous m'avez ordonné de garder n'est pas plus près de mon cœur que le souci de votre renommée...

En prononçant cette phrase alambiquée avec un sourire où il y avait plus de galanterie affectée que de passion, le roi saisit la main de Jeanne et la conduisit jusqu'à un canapé où il la fit asseoir.

– Sire, balbutia Jeanne éperdue, m'asseoir devant le roi !... Votre Majesté oublie...

– Eh ! qu'importe de vaines questions d'étiquette, fit Louis XV en prenant place près d'elle. Il n'y a pas ici de majesté ni de roi... il n'y a qu'un gentilhomme qui veut vous dire combien il est charmé de vous approcher enfin de si près, après l'avoir si vivement souhaité...

– Il est donc vrai ! s'écria Jeanne dans la joie naïve et puissante de son âme ; vous avez désiré me voir !...

– Sur l'honneur !... Depuis que je vous ai rencontrée à la clairière de l'Ermitage, je suis comme un écolier amoureux... je rêve, je soupire, et, Dieu me damne, je fais des vers, ce qui fait que je dois vous paraître d'un ridicule...

– Oh ! Sire !... Vous !... Le roi !

Jeanne, toute haletante, avait prononcé ces mots avec une conviction ardente, absolue, – une sorte de cri de révolte. La majesté royale, à ses yeux, ne pouvait pas tomber au ridicule !

Louis XV haussa les épaules – imperceptiblement, – intérieurement, si on peut dire.

– Encore Sire ! pensa-t-il. Encore le roi ! il ne s'agit point de cela en ce moment !

Jeanne ne voyait rien. Elle était comme éblouie. Ce cher rêve qu'elle avait à peine osé caresser dans le secret de ses pensées se réaliserait donc sans effort apparent !

Quoi ! c'était bien le roi de France qui était assis près d'elle, qui tenait sa main et qui lui parlait si doucement... qui lui parlait d'amour !...

Un sourire d'extase voltigeait sur ses lèvres.

Elle ne songeait à cacher ni son bonheur ni la joie intense qui débordait de son cœur.

Et elle était adorable...

Il eût fallu une âme de poète, d'artiste ou d'amoureux pour comprendre et admirer ce qu'il y avait de pur, de radieux et de profond dans cette passion qui éclatait à chacun de ses gestes...

Hélas ! Louis XV n'était qu'un roué !

Il ne voyait là qu'une amourette dont il s'amuserait huit jours... et puis il passerait à d'autres jeux !...

Il était bien loin de penser que cette petite fille pût prendre un empire quelconque sur lui...

Mais l'amour vrai, la passion sincère, possède de magnétiques effluves qui peu à peu pénètrent, attirent et fascinent...

Quelle que fût sa froideur, Louis XV fut ému de ce qu'il entrevoyait.

Et cette émotion, si Jeanne eût connu la véritable insensibilité du roi, eût été déjà pour elle un triomphe.

Mais bien loin de songer à analyser les sensations de Louis, la pauvre enfant n'avait même pas la force ou la volonté de s'observer soi-même.

Elle était comme un de ces jolis oiselets qu'on a longtemps retenus en cage, dans l'obscurité, sous des voiles, et qu'on lâche tout à coup au grand soleil.

La mignonne créature éperdue bat des ailes, toute ravie, toute éblouie ; son cœur bat, elle ne sait où se réfugier, la clarté l'inonde, la transporte de joie... mais ose-t-elle seulement lever son regard timide vers l'astre éblouissant ?...

Ainsi Jeanne sentait son cœur éperdu voler de place en place, avec l'unique sensation délicieuse qu'il éprouvait un intense éblouissement.

Sans doute Louis se rendit compte de ce qui se passait en elle.

Car, soudainement, il quitta ce sourire affecté qu'il avait gardé jusque-là.

Son regard se troubla.

Il se pencha un peu vers l'exquise amante qui semblait s'offrir de toute son âme candide au premier baiser d'amour. Et il reprit :

– Oui, depuis que je vous ai vue si jolie, si douce ; depuis que j'ai entendu votre voix me demander la grâce du pauvre cerf traqué, je n'ai plus songé qu'à vous... j'ai cherché à vous revoir... et je vous ai revue... il me semblait que j'avais bien des choses à vous dire... et maintenant, je n'ose plus...

Elle avait penché la tête.

Deux larmes de bonheur, deux perles admirables brillèrent entre ses cils.

Le roi se laissa glisser presque à genoux, et reprenant ce style maniéré qu'il croyait plus apte à frapper l'imagination d'une petite fille comme Jeanne, il murmura :

– Vous régnez déjà sur le cœur du roi... et quand il vous plaira, vous régnerez à la cour...

Mais ces paroles produisirent un tout autre effet que celui qu'il attendait.

Jeanne essaya de dégager ses mains.

– Sire, murmura-t-elle, je ne puis désirer d'aller à la cour, car si j'y allais, ce serait...

– Ce serait pour y triompher, interrompit ardemment le roi. Ce serait pour y être admirée, enviée, pour être l'aimable reine d'un monde aimable, élégant et fastueux... Mais ma pensée n'est pas de vous offenser, madame... elle est de me soumettre à vos désirs qui seront pour moi des ordres... Oh ! je vous en prie en grâce, parlez-moi selon votre cœur ; car moi, c'est avec tout mon cœur que je vous parle... Dois-je vous le dire ? Ne l'avez-vous pas deviné déjà ?... Faut-il prononcer ce mot qui fait de moi votre serviteur ?... Eh bien, je vous aime...

Jeanne ferma les yeux.

Son sein palpita.

Louis enlaça sa taille de ses deux bras, et répéta :

– Je vous aime... Et vous ?... Parlez ! oh ! de grâce !... dites-moi si je dois vivre ou mourir...

Hélas, encore une de ces phrases qui faisaient partie du bagage séducteur des roués d'alors.

Mais ce mot « mourir » produisit sur Jeanne un prodigieux effet.

Elle devint très pâle et laissa tomber sa tête sur l'épaule de Louis. Les larmes, des larmes délicieuses, une à une, débordèrent de ses yeux fermés.

– Ô mon roi ! balbutia-t-elle, s'il ne faut que mon amour pour vous empêcher de mourir... eh bien... vivez... car Dieu m'est témoin que je vous aime !... Depuis quand ? Je ne sais pas... Je crois que je vous aime depuis toujours... Si vous saviez comme j'ai pleuré lorsqu'on vous ramena malade, lorsque tout Paris pleurait ! Si vous saviez comme j'ai prié, les genoux sur les dalles des églises !... Oh ! je ne puis tout vous dire, car je sens bien que je n'arriverai pas à traduire ce que je pense... mais depuis si longtemps... depuis que je sens battre mon cœur, vous êtes le souverain de mon âme... Tenez... lorsque j'allais à cette clairière où vous m'avez rencontrée, que de fois j'ai écouté au fond du bois le son du cor de votre chasse ! Que de fois j'ai espéré vous voir passer ! Et alors je souhaitais d'être la biche qu'on poursuit ! que sais-je ? J'avais des rêveries de folle !... Je songeais parfois que vous n'étiez pas le roi de France, et qu'un jour vous me trouveriez sur votre chemin, que vous me prendriez dans vos bras... et qu'en cette clairière, nous bâtirions l'ermitage d'amour où, loin du monde, nous passerions notre heureuse vie à nous adorer !...

– Chère âme ! s'écria Louis, remué cette fois jusqu'au fond de l'âme, je veux que votre rêve s'accomplisse ! Je veux faire bâtir à l'Ermitage un palais digne de votre beauté !...

– Oh ! non !... pas un palais !... Sire ! Sire !... pardonnez-moi... je vous aime pour vous... c'est vous que j'aime... le reste me fait horreur... Fêtes, grandeur, gloire, puissance... est-ce que tout cela existe devant l'amour !...

– L'amour !... Je connaîtrai donc enfin l'amour vrai !...

Plus étroitement, Louis, pâli, Louis, bouleversé, enlaça Jeanne ; ils étaient l'un contre l'autre ; maintenant elle avait ouvert les yeux... elle osait regarder le soleil en face... ils frémissaient... Leurs lèvres, doucement, se rapprochèrent, se cherchèrent... se touchèrent et s'unirent...

Dans le lointain de la fête, les violons, accompagnés de harpes, jouaient un air de gavotte infiniment doux et tendre...

Sous le baiser du roi de France, le baiser de Louis... du Bien-Aimé... son premier baiser d'amour, Jeanne devint blanche comme une morte...

– Je t'adore ! murmura Louis palpitant.

– Je vous aime, bégaya-t-elle, je vous aime... de toute mon âme... ah ! de tout mon être...

À ce moment, les tentures de la portière se soulevèrent.

Une tête hideuse se montra et contempla un instant ce couple harmonieux.

C'était Henri Le Normant d'Étioles !...

Il eut un sourire livide, et, se retournant, il fit signe à quelqu'un d'approcher, de regarder...

Et ce quelqu'un regarda à son tour...

Cet homme, à la vue du tableau d'amour qu'il avait sous les yeux, poussa un rauque soupir, ses ongles déchirèrent sa poitrine ; il devint si pâle qu'on eût dit qu'il allait tomber là, foudroyé !...

D'Étioles le prit par la main et l'entraîna.

Quand ils furent dehors, il gronda :

– Eh bien, maître Damiens, ne vous l'avais-je pas dit ? N'avais-je pas raison de croire que Mme d'Étioles avait un amant ?...

Damiens poussa un sourd gémissement.

– Je vous ai adopté pour le confident de mes chagrins, reprit d'Étioles... vous m'avez juré de veiller...

– Je veillerai ! Oh ! Je veillerai !

– De me venger, s'il le faut !

Et Damiens, crispant les poings, serrant les dents, répondit :

– Oui !... je vous vengerai !...

XXI

Cagliostro

Le comte de Saint-Germain rentra dans l'Hôtel de Ville, et, aux rumeurs qui, dans ce monde de courtisans, se transmettaient avec une rapidité et une discrétion inouïes, il comprit qu'un événement grave venait de se passer.

Un événement de cour ! Une révolution dans la vie du roi !...

Chose plus considérable, alors, qu'une déclaration de guerre !

Que se passait-il ?... Des ministres effarés passaient comme des ombres et se réunissaient dans une embrasure de fenêtre pour tenir conseil !

Des maréchaux, des dignitaires du Parlement, le lieutenant de police, tous ces hommes, un peu pâles, échangeaient des mots rapides, à voix basse, ou des clignements d'yeux significatifs...

Les dames, les lèvres pincées, discutaient entre elles avec une étrange animation...

Et malgré ces inquiétudes, cette attente générale, la fête semblait battre son plein. On souriait, on échangeait de galants propos, on dansait, on tourbillonnait lentement de salon en salon... Il fallait tout l'œil exercé de Saint-Germain pour deviner la véritable révolution qui bouleversait ce monde.

Dans le grand salon, cependant, il régnait une sorte de silence solennel.

Tous les yeux étaient fixés vers la portière de velours du petit salon retiré.

– Premier acte ! murmura Saint-Germain. Le roi de France offre sa couronne à la petite d'Étioles !... Allons ! Elle repousse le bonheur et opte pour la souveraineté !... Pauvre enfant ! Elle se prépare de cruelles déceptions !

À ce moment, les tentures se soulevèrent.

Le roi les maintint lui-même, tandis que Jeanne passait.

Puis, aussitôt, Louis XV offrit sa main à Mme d'Étioles et s'avança parmi les groupes soudain empressés, dans une grande rumeur sourde...

Il souriait. Jeanne était pâle.

Voyait-elle les mille regards de femmes que l'envie aiguisait ?

Voyait-elle ces visages d'hommes qui déjà mendiaient un de ses sourires ?

Elle était consciente à peine de ce qu'elle faisait, du lieu où elle se trouvait, et de ce qui lui arrivait !... Et ce qui lui arrivait, c'était une prodigieuse aventure. Elle devenait d'un coup plus reine que la pauvre reine Marie...

Le roi, cependant, après lui avoir fait traverser tout le salon, l'avait conduite jusqu'à un fauteuil ; puis, regardant autour de lui, il avisa une petite femme au somptueux costume, au regard vif et spirituel.

C'était la maréchale de Mirepoix.

– Maréchale, dit-il en souriant, mes devoirs m'obligent à prendre part à la magnifique fête que MM. les échevins ont bien voulu nous donner. Je vous confie Mme d'Étioles...

– Sire, dit vivement à voix basse la maréchale, j'accepte le rôle que Votre Majesté me désigne, mais à une condition...

– Voyons la condition, fit Louis XV, qui aimait le franc-parler de cette aimable femme.

– C'est que c'est moi qui serai chargée de présenter à la cour la nouvelle amie de Votre Majesté !

– Accordé ! dit Louis XV.

– Et sous quel nom devrais-je la présenter ?... Mme d'Étioles ?... Fi donc ! Un nom de traitant !...

– Je chercherai, dit le roi.

– Cherchez bien, Sire... et tâchez de trouver un comté ou un marquisat, digne de cette belle enfant... car j'ai dans l'idée que le nom qu'elle portera passera à la postérité !...

Le roi sourit à la maréchale, sourit à Jeanne, sourit à tout le monde, et il en résulta un murmure d'enchantement. La maréchale de Mirepoix s'approcha aussitôt de Jeanne, s'assit près d'elle. Et aussitôt, aussi, un cercle énorme de courtisans, hommes et femmes, se forma autour d'elles.

Le roi, escorté de quelques favoris, se perdit dans la foule.

Comme il franchissait la porte du grand salon pour passer dans une salle voisine, une dame splendidement vêtue poussa un léger cri et étendit les mains comme si elle eût fait un faux pas et eût été prête à tomber.

Louis tendit aussitôt le bras, et la dame s'y appuya, un peu fortement peut-être.

– Remettez-vous, madame, dit galamment Louis. Et ne craignez pas de vous appuyer...

– Ah ! Sire, quelle confusion !... J'ai été si émue de l'entrée soudaine de Votre Majesté...

– Vraiment, madame ?... Je ne me pardonnerai pas le trouble où je vous ai jetée, si vous ne me dites à quelle place vous désirez que je vous conduise...

– Oh ! Sire... c'est fini... je ne puis abuser ainsi de Votre Majesté !... La punition serait trop cruelle de vous obliger à escorter ainsi...

– Comment donc ! interrompit Louis. Mais la punition serait de me priver du charme de votre compagnie pendant ces quelques instants !...

La dame rougit beaucoup et ne dit plus rien, comme si elle eût été trop émue pour parler.

Le roi la conduisit jusqu'au plus prochain fauteuil, s'inclina devant elle, et comme il s'éloignait :

– Quelle est cette belle personne ? demanda-t-il à haute voix.

– Mme la comtesse du Barry, dit quelqu'un près de lui.

– Vraiment ?... Je ne savais pas le comte marié !... Il faudra que je lui fasse mon compliment... Magnifique personne, en vérité !... Une vraie Joconde !...

Ces paroles se répandirent parmi les courtisans.

Il en résulta qu'un cercle se forma autour de la comtesse du Barry, comme un cercle s'était formé autour de Jeanne. Il arriva même que plusieurs des roués qui tournaient autour de Jeanne, apprenant ce nouvel incident, s'en vinrent rôder autour de Juliette, et demeurèrent perplexes, allant de l'une à l'autre, et pesant dans leur esprit laquelle des deux avait le plus de chances de plaire au roi.

Nous devons avouer que la majorité se déclara en faveur de la comtesse du Barry.

Et les chances de cette autre favorite en expectative parurent plus certaines lorsqu'on vit Saint-Germain s'approcher de celle que le roi n'avait pas craint de comparer à la Joconde, lui demander la permission de s'asseoir près d'elle et lui faire son compliment.

Juliette était au septième ciel.

Elle avait vu le roi de près ! Le roi lui avait parlé ! Elle était admirée, jalousée, au sein d'une de ces fêtes splendides, comme elle en avait souvent rêvées... elle rayonnait... la réalité se trouvait plus belle encore que le plus osé de ses rêves !...

– Madame, dit le comte en s'asseyant, voulez-vous permettre au comte de Saint-Germain d'être l'un des premiers à vous féliciter...

– Et de quoi, monsieur le comte ?

– Ne dites pas « monsieur le comte », fit rapidement Saint-Germain à voix basse ; dites simplement « comte »... Il n'y a que le roi qui parle comme vous venez de le faire... le roi... la reine... et les inférieurs !

Juliette rougit, puis pâlit.

Qu'était-ce que cet étrange personnage qui semblait l'avoir devinée du premier coup ?

– Je suis peu au courant des usages... j'ai vécu loin de la cour, bien longtemps, balbutia-t-elle.

– Nouveaux usages, d'ailleurs. Sous le grand roi, on se donnait du « monsieur » à tout propos. La mode en est passée... Il suffit, du reste, que vous le désiriez pour qu'elle revienne !

– Comte, dit Juliette avec une audace que Saint-Germain admira, vous abusez de ma candeur... Mais vous vouliez me féliciter, disiez-vous, et je vous demandais de quoi...

– De ce que vous échapperez aux dangers mortels de la situation que vous enviez, dit tout à coup le comte d'une voix basse et ardente. Vous ne serez pas favorite. Et, croyez-moi, vous y gagnez !...

Juliette reçut le coup en plein cœur.

Et son émotion fut telle, qu'elle ne songea plus à son rôle de grande dame qui eût dû s'offusquer ou faire semblant de s'offusquer des espérances qu'on lui prêtait.

Le comte acheva de l'étourdir et presque de la terroriser en ajoutant :

– Vous n'êtes pas et vous ne serez pas la comtesse du Barry ! Il y aura une comtesse du Barry ! Mais ce ne sera pas vous !...

– Et qui sera-ce donc ? s'écria Juliette haletante, sans mettre en doute ces étranges prophéties, tant la parole du comte lui arrivait persuasive et la captivait !...

– Ah ! ah ! s'écria un jeune freluquet, voici Saint-Germain qui va effarer cette pauvre comtesse ! Ne le croyez pas, madame ! Il va vous raconter des histoires de l'autre monde !

– Pas du tout, dit le comte, des histoires de ce monde-ci ! Et c'est déjà beaucoup.

– Madame, fit un autre, le comte est sorcier, nécromant, devin... Il a vécu dans tous les temps. Il a connu Nostradamus. Bien entendu, il change de nom avec l'époque. Ainsi, par exemple, il s'est appelé Cagliostro. Est-ce vrai, comte ?

– Mais je m'appelle encore Cagliostro, répondit froidement Saint-Germain.

– Que disais-je ! s'écria le roué. Demandez-lui l'avenir, madame, il va vous le dire.

– Ainsi que le passé !

– Et même le présent !...

Saint-Germain, ou Cagliostro, laissa passer l'orage en souriant.

– Messieurs, dit-il enfin, je vais vous donner raison en vous disant tout au moins le présent !

Le cercle des freluquets se rapprocha curieusement. Et plus d'un qui venait de plaisanter considérait le comte avec une secrète terreur et sans doute ainsi qu'Œdipe, jadis, considéra le sphinx.

– Messieurs, reprit Saint-Germain, voulez-vous savoir ce que fait le roi en ce moment ?

– Il danse ! dit l'un.

– Il mange ! fit un autre.

– Pas du tout, messieurs. Il cause avec M. d'Argenson... Et que lui dit-il ?... Écoutez... il lui demande quel gentilhomme est digne d'occuper les deux charges nouvelles qu'il vient de créer à la cour... et il regarde autour de lui... Heureux le gentilhomme sur qui ses regards vont tomber ! C'est la manne du ciel !...

Le comte n'avait pas achevé de parler que l'essaim des freluquets bourdonnants s'était envolé en toute hâte vers la salle où se trouvait le roi !... Et la stupéfaction de tous fut au comble lorsqu'ils virent, en effet, Louis XV causant tranquillement avec son ministre !...

Saint-Germain n'avait pu s'empêcher d'éclater de rire, mais d'un rire qui fit frissonner Juliette.

– Est-ce vrai, monsieur ? demanda-t-elle en tremblant.

– Quoi donc !... que je connais le passé, le présent et l'avenir ? Oui, madame, c'est un peu vrai... Vous n'êtes pas sans avoir entendu parler de Cagliostro, le fameux devin ?... Eh bien, figurez-vous que c'est moi, puisqu'on vient de vous l'affirmer...

Saint-Germain parlait très simplement. Il était évident qu'il ne plaisantait pas. Mais il eût été impossible d'assurer qu'il croyait réellement ce qu'il disait.

– Vous me disiez, reprit Juliette, qu'il y aurait une comtesse du Barry... mais que ce ne serait pas moi !... ne suis-je donc pas à vos yeux la comtesse du Barry ?

Et, cette fois, ce n'était pas une terreur superstitieuse qui agitait la jeune femme. Elle se disait que cet homme l'avait rencontrée, sans aucun doute, qu'il connaissait son vrai nom, et que, d'un mot, il pouvait la perdre, la couvrir de honte !

– Rassurez-vous, madame, fit Cagliostro comme s'il eût lu dans sa pensée, si quelqu'un doit vous trahir, ce ne sera pas moi !... Moi, je ne connais les gens que sous le nom qu'ils adoptent !

Juliette ne put retenir un léger cri.

– Ah ! monsieur, murmura-t-elle, je vois bien que rien ne vous échappe !... De grâce ! dites-moi, en ce cas, qui sera la vraie comtesse du Barry...

– Mlle Lange, fit gravement Saint-Germain.

Juliette devint livide.

– Mon nom ! balbutia-t-elle.

– D'autres que vous peuvent le porter... Ce nom peut d'ailleurs devenir une sorte de nom de famille... Tenez, madame, voulez-vous me confier un instant le diamant que vous portez à l'oreille ?

– Volontiers ! dit Juliette tremblante, qui défit sa boucle et la présenta au comte.

Celui-ci examina le bijou, en le faisant miroiter à la lumière.

– Je vois de tristes choses, madame, dit-il enfin. Et à moins que vous ne le désiriez formellement...

– Je vous en supplie...

– Soit donc !... Je vois une pauvre chambre dans laquelle se trouve un riche berceau avec une fillette couchée qui dort profondément, la pauvre petite innocente !...

– Anne ! ma chère Anne ! ma sœurette chérie ! murmura Juliette.

– Cette enfant grandit, continua Saint-Germain... elle a seize ans... elle épouse le comte du Barry peu à peu tombé aux plus basses opérations... Elle devient la maîtresse du roi de France !

Juliette, très pâle, ne put contenir un tressaillement de joie orgueilleuse.

Que la petite sœur tant aimée devînt un jour ce qu'elle avait espéré être elle-même, n'y avait-il pas là de quoi combler, en somme, toute son ambition ?... Quelle que fût la sincère et profonde affection de Juliette pour sa petite sœur, l'idée ne lui venait pas que cette enfant pût chercher dans l'honnêteté de la vie, dans l'amour paisible et pur, le bonheur qui lui avait manqué à elle-même.

Juliette avait une âme de fille galante.

Ne lui demandons pas plus qu'elle ne pouvait donner.

Le comte s'aperçut parfaitement de cette joie soudaine.

Il haussa les épaules et continua :

– Toute médaille a son revers. La royauté même n'est pas à l'abri des coups du destin... Je vous l'ai dit, madame, je vois de tristes choses... Tenez, remettez cette boucle à sa place, et n'en parlons plus !...

Juliette prit le bijou, le fixa à son oreille, et dit :

– Monsieur, vous en avez trop dit ou pas assez. Si vous vous arrêtiez maintenant, je croirais que vous vous êtes joué de moi...

– Eh bien, sachez donc tout !... Je vois une froide matinée d'hiver... je précise, un matin de décembre. Je vois une place immense noire de monde, et au milieu de cette place, un échafaud...

– Monsieur, monsieur !...

– Ah ! vous écouterez jusqu'au bout maintenant ! Une charrette arrive. Il y a une femme dans cette charrette. La foule l'injurie, l'insulte !... on lui fait monter les marches de l'échafaud... sa tête tombe !...

– Cette femme ! murmura Juliette, livide.

– C'est la comtesse du Barry ! C'est Mlle Lange ! C'est la petite au berceau !...

– Folie ! Folie ! balbutia Juliette qui, cependant, tremblait comme une feuille.

Saint-Germain – ou Cagliostro – se pencha vers elle.

– Tout arrive, murmura-t-il, tout peut arriver. Vous pouvez me démentir, vous pouvez sauver votre petite Anne. Mais il est temps tout juste ! Sous peu, il sera trop tard. Vendez tout ce que vous possédez de bijoux. Vous pouvez, avec cela, réaliser environ cent cinquante mille livres, et au besoin, je ferai l'appoint. Avec cette fortune, partez, vivez modestement, mais honnêtement, dans votre pays... là-bas... à Vaucouleurs... Élevez dignement votre petite Anne, et soyez assurée que toutes les deux vous trouverez ainsi le bonheur...

En disant ces mots, Saint-Germain se leva, salua profondément et se retira, laissant Juliette stupéfaite, pâle de terreur.

À ce moment le comte du Barry passait à sa portée. Elle lui fit signe.

– Partons, dit-elle d'une voix altérée, je ne resterai pas une minute de plus ici... Sortons et veuillez m'accompagner jusque chez moi... j'ai à vous parler.

– Vous voulez dire : chez nous ! fit du Barry railleusement.

– Non ! Je dis chez moi... dans mon pauvre logis. Je ne retournerai plus dans votre hôtel...

– Ah çà ! qu'est-ce qui vous prend, chère amie ?

– Cet homme !... fit Juliette en lui montrant Saint-Germain qui causait, tout souriant, dans un groupe de jolies femmes.

– Eh bien ?... C'est ce cher comte de Saint-Germain.

– Oui ! Et il m'a dit des choses terribles !...

Du Barry éclata d'un rire sinistre.

– Il s'est moqué de vous ! C'est son habitude. Il s'amuse à faire frissonner les gens...

– Non, non... il me connaît, il sait mon vrai nom, il sait jusqu'au pays où je suis née...

Du Barry grinça des dents.

– Il en sait trop long, en ce cas ! gronda-t-il. Malheur à lui !... Et quant à vous, prenez garde ! Il n'est plus temps de vous arrêter aux conseils de cet importun. Il faut marcher jusqu'au bout !... Allons ! du courage, morbleu !... Tenez-vous bien... le roi vous regarde !

XXII

La maison du carrefour Buci

Le 7 décembre de cette année-là fut une journée d'un froid exceptionnel. La Seine charria des glaçons ; les ruisseaux qui coulaient au milieu de beaucoup de rues furent gelés. Vers le soir, cependant, la température parut se radoucir, et la neige tomba en grande abondance.

C'était quelques jours après la célèbre fête de l'Hôtel de Ville.

Que faisait et pensait Jeanne ?...

Que voulait le roi ?...

C'est ce que le lecteur va apprendre, s'il lui convient de suivre avec nous un homme qui, enveloppé d'un vaste manteau d'hiver, le col relevé par-dessus les oreilles, marchait aussi vite et aussi gravement qu'il pouvait le faire sans glisser.

Il ne cessait de maugréer et de grommeler des mots sans suite. Devant chaque cabaret qu'il rencontrait, il s'arrêtait un instant comme s'il eût hésité. Puis il poussait un soupir et se remettait en marche.

Il parvint ainsi au carrefour Buci et, pénétrant aussitôt dans une vieille maison à trois étages, il commença à monter tout en pestant et en soufflant fortement.

Parvenu au troisième, c'est-à-dire au dernier étage, il se trouva en présence d'un escalier plus étroit, sorte d'échelle, plutôt, le long de laquelle on se hissait au moyen d'une corde graisseuse...

Sans hésiter, l'homme entreprit l'ascension périlleuse de ce chemin qui, s'il ne menait pas au ciel, menait tout au moins au grenier de la maison.

Et lorsqu'il se trouva enfin devant la porte de ce grenier, il souleva le loquet sans frapper, entra, poussa un profond soupir de soulagement, et, se débarrassant de son manteau, montra la figure truculente et rubiconde de maître Noé Poisson.

C'était, en effet, le digne pochard.

Et ce grenier dans lequel il venait de pénétrer, c'était

l'appartement de M. Prosper Jolyot de Crébillon, l'auteur d'*Électre*, de *Rhadamiste* et *Zénobie*, d'*Atrée* et *Thyeste,* le poète qu'une injuste postérité a condamné à l'oubli et qui, dans certaines parties de son œuvre, s'est haussé jusqu'à Corneille.

Peut-être le lecteur curieux voudra-t-il bien supporter, en quelques lignes qui lui demanderont une minute de son temps, la description de ce grenier qui nous a demandé, à nous, de longues journées de recherches.

Il donnait sur les toits par une misérable fenêtre à tabatière.

La pièce, assez grande, était mansardée à partir de son milieu. Les murs en étaient couverts d'une couche de chaux qui disparaissait elle-même sous un nombre extraordinaire d'estampes, d'eaux-fortes, de dessins, au fusain et au pastel.

Le pan de gauche était occupé par un lit en forme de bateau et à roulettes.

À droite, la muraille était cachée par des planches qui supportaient trois ou quatre cents volumes : la bibliothèque du poète, avec, au premier rang, l'œuvre complète de Rabelais, de Villon, d'Etienne Jodelle, de Corneille, Racine et de La Fontaine.

Sur ces volumes, les uns couchés, les autres debout, traînaient des pipes de toutes formes et de toutes matières, en bois, en terre, en verre même.

Devant la fenêtre, une grande table en bois blanc dont un bout servait de bureau de travail et était encombré de papiers, cahiers, livres, pipes, pots à tabac, et dont l'autre bout servait de table à manger et supportait une miche de pain, un verre, un reste de jambon sur un papier et surtout d'innombrables bouteilles – toutes vides, hélas !

Il y avait dans ce grenier une cheminée délabrée, mais il n'y avait pas de feu dans la cheminée. Par contre, la tablette en bois supportait encore une collection de pipes et une quantité énorme de vieilles plumes d'oie, car le poète avait la manie de conserver ses plumes.

Ajoutons à la nomenclature de ce mobilier plus que sommaire deux fauteuils dont l'un, assez beau, était couvert d'une étoffe à ramages, et trois chaises dont pas une n'eût tenu debout si elles n'eussent été appuyées au mur.

Voilà quel était le logis de Crébillon.

Mais ce qui lui donnait un aspect spécial, ce n'était ni l'âcre fumée de tabac qui le remplissait, ni son apparence misérable et cocasse à la fois : c'était la quantité de chiens et de chats qui pullulaient sur le mauvais tapis jeté en travers des carreaux dérougis.

Il y avait bien là une douzaine de chats, maigres, pelés, avec des yeux luisants, et autant de chiens, des toutous, des caniches, des bouledogues, des loulous, et tout ce monde miaulait, jappait, aboyait, jouait, se roulait et faisait très bon ménage.

Tous ces chats et ces chiens étaient les enfants trouvés du poète.

Pauvre comme Job, Crébillon ne pouvait pas voir un chien errer sans maître, crotté, famélique, dans la rue, sans le ramasser et l'emmener dans ce qu'il appelait son hospice !...

Crébillon vivait là-dedans, fumant et récitant à tue-tête les vers de ses tragédies...

Lorsque Noé Poisson entra, le poète était enveloppé d'une sorte de robe de chambre qui, en réalité, était un ancien manteau de chevau-léger, acheté pour quelques francs dans une friperie quelconque.

À la vue de Noé Poisson, les chiens aboyèrent, les chats se hérissèrent, il y eut un vacarme effrayant.

Crébillon saisit un martinet et en menaça son intéressante ménagerie en le faisant cingler. En réalité il ne porta aucun coup, mais la menace suffit sans doute, car les chats se cachèrent les uns sous le lit, les autres sur les planches que Crébillon appelait sa bibliothèque, et quant aux chiens, ils se turent.

– C'est le ciel qui t'envoie ! s'écria le poète.

– Pourquoi ? dit Noé avec une mélancolie qui n'échappa point à Crébillon.

Celui-ci, d'un geste navré, montra d'abord les innombrables flacons alignés sur un bout de table, et simplement, il dit :

– Vides !...

Puis il tira de sa bouche la pipe dont il suçait le tuyau par une machinale habitude, et ajouta :

– Pas de tabac !...

Enfin, il montra la cheminée sans feu et, se drapant dans son manteau, il acheva :

– J'ai froid !...

Noé Poisson s'était, pendant ce temps, installé dans le bon fauteuil, celui qui était couvert de ramages. Il soupira :

– Ah ! mon pauvre ami !... Quelle aventure !...

– Serais-tu sans argent ? demanda Crébillon avec une violente inquiétude.

– Non, non... grâce au ciel, j'ai encore trois ou quatre écus... et même deux louis...

– Donne ! Donne ! fit Crébillon.

– Ah ! mon ami, soupira Poisson, je crois que de ma vie je n'ai eu pareille émotion... Écoute...

– Moi, dit Crébillon, j'ai faim, j'ai froid, j'ai soif, j'ai envie de fumer. Tant que je n'aurai pas de quoi manger, me chauffer, fumer et boire, je ne t'écouterai pas ! Maintenant, parle si tu veux !...

Noé se fouilla, sortit de sa poche les écus et les deux louis, les remit intégralement à son ami, et dit :

– Va donc chercher ce qu'il faut, car, moi aussi, j'ai soif.

– Parbleu ! fit Crébillon.

Et il s'élança au dehors.

Un quart d'heure plus tard, il rentrait, suivi d'un homme qui déposa près de la cheminée une forte charge de bois, et près de la table un panier plein de bouteilles, puis se retira.

Crébillon lui-même portait diverses provisions, savoir : en première ligne, du tabac à fumer pour lui-même et du tabac à priser pour Noé ; en deuxième ligne, les rogatons, le mou, les déchets destinés à la ménagerie ; et enfin, les victuailles consistant en un pain tendre, une terrine de pâté, un jambonneau, et une énorme quantité de friandises, tartelettes, pâtisseries garnies de crème fouettée : nous avions omis de dire que l'auteur de *Catilina* était gourmand comme un véritable enfant – qu'il était, d'ailleurs !

– Allume le feu ! cria joyeusement le poète.

Le bon Noé se mit à genoux devant la cheminée. Bientôt, un feu clair et pétillant ramena la vie dans le pauvre âtre et répandit sa douce chaleur dans le grenier.

Pendant ce temps, une scène presque fantastique se déroulait, – scène qui n'a d'ailleurs d'autre intérêt que celui d'une reconstitution historique, et que nous aurions passée sous silence si nous n'étions à même d'en garantir la rigoureuse authenticité. Quoi qu'il en soit, la voici telle quelle :

À l'entrée de Crébillon muni de diverses victuailles, il s'était élevé dans le grenier un concert prodigieux de jappements et de miaulements : il y eut sur le lit, sur les fauteuils, sur la table, une course éperdue d'animaux bondissants, une folle exubérance de gambades, une démonstration de joie extravagante, chiens et chats roulant en peloton, se griffant, se mordant, se tirant la queue, – le tout, par amitié et allégresse.

Or, cet infernal tapage dura jusqu'à l'instant où Crébillon, s'étant placé au milieu du grenier, cria d'une voix de stentor :

– À la soupe !...

Aussitôt, comme par enchantement, il se fit un profond silence, et tous les animaux vinrent s'asseoir en rond autour du poète, le nez en l'air, tous les chiens à sa gauche, tous les chats à sa droite, attendant avec une admirable mansuétude, sûrs d'avoir chacun leur part...

Car jamais ils ne jeûnaient !... Que de fois Crébillon s'était passé de pain pour leur donner la pitance !

Un jour, quelqu'un avec qui il était lié le rencontra sur le Pont-Neuf, qui courait en pleurant, et lui demanda la cause de son désespoir.

– C'est, répondit Crébillon, que je n'ai pas de quoi donner à manger à mes enfants...

Ce quelqu'un savait de quels enfants il s'agissait. Il vida sa bourse dans les mains du poète...

Ce quelqu'un s'appelait Jean Le Rond d'Alembert et venait de s'associer avec Diderot pour la fondation de l'Encyclopédie... Pourtant, s'il était riche de pensées qui devaient bouleverser le monde, il était, lui aussi, pauvre d'écus...

Pour en revenir à la scène que nous voulons esquisser, Crébillon était donc debout au centre d'un vaste demi-cercle formé par la ménagerie. Il commença une équitable distribution. À mesure que chaque bête recevait sa part, elle se retirait du cercle et s'en allait manger dans un coin. Et la manœuvre se faisait avec une admirable régularité.

– À toi, Philos ! s'écriait Crébillon, ce morceau de roi... Et toi, Mistigri, allons, fripon, voici ta part !... Et vous, mademoiselle Blanchette, il vous faut un morceau délicat ? Le voici... Et toi, maître Raton, ferme les yeux, ouvre la bouche !... Ah ! voici Zénobie... il me semble que tu manquais hier d'appétit ?... Néron, attrape-moi ça au vol !...

Ainsi de suite, jusqu'au dernier roquet, jusqu'au dernier minet.

Lorsque la ménagerie fut repue, Crébillon se tourna vers Noé Poisson et lui dit gravement :

– À nous, maintenant. Passons dans la salle à manger !

La salle à manger, c'était le bout de table couvert d'une serviette et de bouteilles.

L'autre bout de table couvert de papiers, c'était le cabinet de travail.

Murger ne devait écrire sa *Vie* de *Bohême* que plus d'un siècle plus tard. Crébillon a donc sur le philosophe Colline et le poète Marcel tout au moins le mérite de l'antériorité.

Les deux amis se mirent donc à table et attaquèrent les provisions, Crébillon débouchant les bouteilles, Noé découpant le jambonneau, tout en poussant de profonds soupirs. D'ailleurs, il n'en perdait pas un coup de dent.

– Si tu veux m'en croire, dit alors le poète, mangeons en paix. Tu me raconteras après ton histoire qui doit être fort lugubre. Or, rien ne trouble l'appétit comme la tristesse.

– C'est vrai, dit Poisson, quand je suis triste, je ne puis manger, mais je bois davantage...

Crébillon remplit les verres qui, l'instant d'après, se trouvèrent vides...

Enfin, le moment arriva où, la dernière pâtisserie ayant été dévorée, Crébillon plaça sur la cheminée un flacon de vin d'Espagne réservé pour la bonne digestion, alluma voluptueusement sa pipe, s'installa près de l'âtre, et murmura :

– Seigneur, que la vie est belle !...

Avec son soupir de béatitude s'envola un nuage de fumée bleuâtre.

– Je t'écoute ! reprit le poète à Noé qui, de son côté, avait traîné le bon fauteuil à l'autre bout de la cheminée.

– Eh bien ! dit alors Poisson en se bourrant le nez de tabac, figure-toi, mon digne ami, que j'ai reçu une visite... mais une visite terrible... une visite dont tu ne peux te faire aucune idée.

– Bah ! serait-ce celle de Belzébuth, avec ses cornes ?...

– Non. C'est bien pis !...

– Halte, Poisson !... Je devine ! Tu as reçu la visite de M. de Voltaire.

Crébillon était affreusement jaloux de Voltaire.

– Non !... C'est bien pis encore !... reprit Noé Poisson. J'ai reçu un homme qui se prétendait envoyé par M. le lieutenant de police !...

– Eh bien ? Ta conscience te reprocherait-elle quelque crime ? Pour moi, la vue d'un agent de police m'est indifférente.

– Oui ! mais sache qu'en cet homme qui, en effet, se prétendait un modeste employé, qui disait parler au nom de son maître... eh bien, Crébillon, j'ai reconnu M. Berryer lui-même, le lieutenant de la police royale en personne !...

– Grand honneur après tout !... Et que t'a-t-il dit ?

– Ainsi, fit Poisson, cela ne t'étonne pas que le terrible M. Berryer, cet homme qui passe pour ne daigner parler qu'au roi, se soit dérangé pour me voir, moi !... Tu ne vois là rien de grave ?

– Si fait ! Mais enfin, M. Berryer, tout lieutenant de police qu'il est, ne peut, par sa seule approche, bouleverser un homme aussi courageux que toi. Il a donc fallu qu'il te dise...

– D'horribles choses, mon ami !... Sache que, sous peu, je me balancerai peut-être au bout d'une potence avec une cravache de chanvre autour du cou !...

Poisson se mit à pleurer.

Crébillon saisit la main de son compagnon.

– Noé, s'écria-t-il, si ce malheur arrivait, je te jure de ne pas passer un seul jour sans boire un flacon en ton honneur et à la mémoire du plus digne ami que j'aie jamais eu !... Je ferai une tragédie qui...

– Merci, Crébillon, fit Noé en s'essuyant les yeux. Mais qui sait s'il ne vaudrait pas mieux que je puisse continuer à te tenir compagnie ?

– C'est mon avis. Explique-moi donc pourquoi tu risques d'être pendu, et nous aviserons.

– Il paraît, se décida à dire alors Poisson, il paraît qu'un grand danger menace ma fille.

– Madame d'Étioles ?...

– Oui, Jeanne. Quel est ce danger ? M. le lieutenant a dédaigné de me l'expliquer. Et alors, si Jeanne venait à être tuée...

– Tuée !... Ah ça ! mais il est fou, M. Berryer ! s'écria Crébillon.

– Sage ou fou, il n'en a pas moins déclaré que des gens complotent la mort de Jeanne. Et que, si elle succombe à ce complot, je serai tenu pour responsable, complice... et je serai pendu.

– Mais enfin, quel est ce complot ?

– C'est ce que j'ai demandé, mais c'est ce que M. Berryer s'est refusé à me dire.

– Diable ! fit Crébillon réellement ému. Il faut tout de suite prévenir ta fille !...

– C'est ce que j'ai dit ! Mais M. le lieutenant a déclaré que si j'en disais un seul mot à Jeanne, il le saurait et me ferait jeter dans une oubliette...

– Préviens son mari, alors ! ou M. de Tournehem !...

– C'est encore ce que j'ai dit. Mais le damné lieutenant m'a assuré que si j'en parlais à l'un ou l'autre de ces messieurs, je serais pour le moins roué vif ! Ainsi, j'ai le choix entre la roue, l'oubliette et la corde !...

– Oh ! mais il m'excède, ce M. Berryer !... Il se montre plus barbare que Néron et plus tyran que Caligula. Que veut-il donc que tu fasses ?...

– Il me l'a expliqué ! dit Noé Poisson en sanglotant.

– Voyons, mon digne ami, fais taire un instant ta douleur, et raconte-moi l'explication de M. Berryer. Car là doit se trouver le point intéressant de l'aventure... le nœud de l'action, comme nous disons en tragédie.

Noé Poisson essuya son visage ruisselant de larmes, avala un verre de vin d'Espagne, et reprit :

– Voici exactement ce que m'a dit M. Berryer :

« Mon cher monsieur Poisson, vous pouvez et vous devez aider M. le lieutenant de police à sauver madame d'Étioles et empêcher ainsi un grand crime. D'abord, madame d'Étioles est votre fille, et votre devoir paternel vous oblige à la protéger...

– Certes ! ai-je répondu. Et je suis disposé à tout faire pour cela !

– Eh bien, a continué alors le lieutenant, qui se donnait toujours pour un simple sbire, tu comprends ?... eh bien, un seul mot de tout cela à Mme d'Étioles ou à quelqu'un de son entourage ne ferait que hâter le dénouement, c'est-à-dire l'exécution du complot, c'est-à-dire le meurtre de cette malheureuse jeune femme. Alors, voici ce qui a été décidé. Nous enlèverons madame d'Étioles et, pendant quelques jours, nous la garderons en lieu sûr. Puis, quand nous aurons arrêté ceux qui conspirent sa perte, nous la ramènerons à l'hôtel d'Étioles. Seulement, Mme d'Étioles est toujours bien escortée quand elle sort. Elle se refuserait à nous suivre. Il faut donc que ce soit vous qui trouviez le moyen de la décider. Nous aurons un carrosse qui stationnera à l'endroit que vous nous indiquerez. Vous amènerez Mme d'Étioles. Vous la ferez monter dans le carrosse, et le reste nous regarde !... »

Ayant achevé son récit, Noé jeta un coup d'œil d'angoisse sur Crébillon.

– Voyons ! qu'est-ce que tu penses de tout cela ?

– C'est simple, répondit le poète sans hésiter. Si l'homme qui t'a parlé est bien réellement le lieutenant de police, il faut obéir sans retard. Car alors, c'est que Jeanne est réellement menacée. Mais...

– Mais ?... Parle donc !...

– Eh bien ! Je crois que tu as mal vu ! Je crois que tu devais être ivre ! Je crois que tu n'as pas parlé à M. Berryer ! Et alors, c'est toi qui dois prévenir la police !... Voilà ce que je pense.

Noé secoua la tête.

– J'ai vu cent fois M. Berryer. Je suis sûr de ne pas me tromper. Ivre ? Je ne l'étais pas ! Et d'ailleurs, tu sais que l'ivresse ne m'enlève rien de ma netteté de pensée !...

– Hum ! fit Crébillon, narquois.

– Enfin, Crébillon, veux-tu que je te dise une chose ?... Eh bien, en venant ici, je me suis aperçu que M. Berryer me suivait !... Juge par là si la chose est grave !...

Crébillon se leva aussitôt.

– Où vas-tu ? s'écria Noé. Tu m'abandonnes !...

– Non. Si tu as été suivi, on t'attend. Et je vais voir...

Il s'élança aussitôt au dehors. Au premier étage, il y avait, outre un appartement dont il va être question, un petit logement donnant sur le palier par une porte vitrée et habité par une sorte de gardienne.

Le palier était dans l'obscurité. Le logis était éclairé. En passant, Crébillon y jeta un coup d'œil. Et il aperçut distinctement un homme qui causait à la gardienne ; il s'arrêta court et ne put s'empêcher de tressaillir : cet homme, c'était Berryer ! le lieutenant de police en personne !...

Crébillon remonta tout pensif.

– Tu avais raison, dit-il à Poisson. La chose est grave. M. Berryer est en bas.

– Seigneur ! larmoya Noé. Je vais être pendu, roué vif, jeté dans une oubliette !...

– Du courage, morbleu ! En tout cas, il faut agir promptement.

– Que faut-il faire ?... J'ai la tête perdue...

– Obéir !... Écoute... j'ai une idée... l'habitude des pièces de théâtre, tu sais...

– Oui, oui ! Tu es un homme de génie... Parle...

– Sais-tu qui habite dans cette maison ?... Madame Lebon.

– La tireuse de cartes ?

– Elle-même. Elle occupe presque tout le premier étage. Un magnifique appartement. Alors, voici !... Tu vas décider Jeanne à demander une consultation. Avec son esprit poétique, elle adore le merveilleux. L'idée la séduira, j'en suis sûr. Elle viendra...

– Et alors ?...

– Le carrosse en question viendra stationner en bas, ce qui n'aura rien d'étonnant, puisqu'il y a toujours des carrosses et des chaises devant la porte de la grande cartomancienne... Lorsque Jeanne sortira, tu la feras monter dans le carrosse... tu y monteras toi-même... et ta fille est sauvée !... Et toi-même... tu n'es ni pendu ni roué vif !...

– Crébillon ! mon cher ! mon excellent ami !... Ton idée est sublime ! Ah ! que j'ai donc été bien inspiré de venir te trouver !... Il faut que je t'embrasse !...

Les deux amis s'embrassèrent en effet... puis, ils achevèrent de vider le flacon de vin d'Espagne.

– Ce n'est pas tout, reprit alors Crébillon, il faut agir promptement, et prévenir M. Berryer. Allons, viens...

– Où m'entraînes-tu ?... Crébillon, j'ai peur, je ne veux pas revoir cet homme...

– Morbleu ! Veux-tu donc être pendu ?

– Miséricorde !...

– Roué vif, alors ?... Allons, viens ! La chance te favorise, puisque M. Berryer est dans la maison... marche !

– Crébillon ! si tu y allais tout seul ?

– Imbécile ! Comment expliquerai-je que je connais cette affaire, puisque tu as juré de n'en parler à personne !

– Et je vois que M. Poisson tient parole ! dit une voix.

En même temps, un homme entra dans le grenier.

Crébillon demeura stupéfait.

Noé s'écroula dans son fauteuil.

– Lui ! balbutia-t-il. Lui, monsieur...

– Picard ! interrompit vivement le nouveau venu. M. Picard, comme je vous l'ai dit, M. Picard, employé de M. le lieutenant de police !

– Monsieur Picard, dit Crébillon, faites-moi donc l'honneur d'entrer dans ma pauvre maison. Nous allons, si vous le voulez bien, pour lier connaissance, boire à la santé de votre maître, l'illustre Berryer !...

Berryer, – car c'était lui, – s'inclina en grommelant.

– Tiens, mais il a de l'esprit, ce poète tragique. Et se relevant :

– Je suis prêt à vous tenir raison, monsieur, à condition que nous portions ensuite la santé du non moins illustre poète Crébillon...

Et ce fut au tour du poète de se courber en deux, en murmurant :

– Tiens, mais il est plus aimable qu'on ne dit, ce digne lieutenant de police !

Poisson, lui, roulait ses yeux effarés de l'un à l'autre. Tout ce qu'il vit de plus clair en tous ces salamalecs, c'est que Crébillon remplissait les verres, et, comme le terrible Berryer ne parlait ni de le pendre ni de le rouer, il reprit peu à peu courage, et d'une main encore tremblante, choqua son verre.

– Et vous disiez donc, cher monsieur Crébillon ?... fit alors Berryer.

– Je disais, mon cher monsieur Picard, que Noé Poisson ici présent et moi, nous ne faisons qu'un en deux. Mêmes pensées, mêmes sentiments, mêmes goûts...

– Excepté en ce qui concerne le champagne, rectifia Poisson.

– Alors, continua le poète, vous comprenez, mon ami Noé ne peut ni penser ni agir seul. Il lui faut le secours de mon cerveau, et, à l'occasion, celui de mon bras.

– C'est pour cela qu'il vous a raconté le complot qui menace Mme d'Étioles, dit Berryer. Il a bien fait !

– Vrai ! j'ai bien fait ? s'exclama Poisson.

– Mais oui, puisque M. Crébillon est assez bon pour nous sortir tous deux d'embarras. Il me semble qu'il parlait d'une histoire de carrosse venant attendre devant cette maison ?

Crébillon ne voulut pas s'étonner de ces paroles qui prouvaient tout simplement que M. Berryer avait tout écouté, tout entendu à la porte. Et il donna une nouvelle preuve de son esprit au lieutenant de police, en répondant :

– Comme j'avais l'honneur de le dire, monsieur Picard, nous nous chargeons de faire venir ici madame d'Étioles.

– Seule ?

– Seule. Indiquez-moi seulement le jour et l'heure.

– Demain, à dix heures du soir, fit Berryer, d'une voix brève. Le carrosse attendra devant la porte de cette maison à partir de dix heures moins cinq. Il faudra donc que Mme d'Étioles soit dans la maison avant cette heure.

– Elle y sera à neuf, dit Crébillon. Et maintenant, monsieur Picard, puisque nous nous donnons mutuellement de telles preuves de confiance, pourriez-vous me dire quel est le danger qui menace cette charmante enfant ?

– Ce soir, c'est impossible ! dit Berryer. Mais vous pourrez le demander à M. le lieutenant de police qui, certainement, voudra vous remercier du signalé service que vous lui rendez. Ce que je puis vous affirmer, c'est que le danger est réel et imminent. Sans quoi nous ne prendrions pas la peine de nous occuper de cette affaire...

Il n'y avait pas de doute possible.

L'homme qui parlait ainsi, c'était le lieutenant de police en personne.

Il était impossible de soupçonner M. Berryer !...

Il disait la vérité ! Jeanne était menacée ! Il fallait la sauver à tout prix !... Et pour sauver Jeanne, il n'y avait qu'à rigoureusement obéir au lieutenant de police !...

XXIII

Le plan de Berryer

Monsieur Berryer était à cette époque un homme de quarante ans. Il avait débuté assez brillamment dans la magistrature, et avait été conseiller d'État, puis maître des requêtes. Enfin, il avait obtenu l'intendance du Poitou, et n'avait quitté ce poste que pour devenir le lieutenant de la police royale, c'est-à-dire un des personnages les plus influents et les plus redoutés de la Cour.

Si l'on veut avoir un portrait de Berryer, on n'a qu'à se figurer le type classique de l'ambitieux.

Sec, maigre, de manières à la fois douloureuses et autoritaires, il paraissait accablé du souci de sa charge.

En réalité, ce qui le tourmentait, c'était le souci de ses propres affaires.

Il avait résolu de devenir quelqu'un dans l'État. La lieutenance de police, dans son esprit, n'était qu'un marchepied pour s'élever plus haut. Cette charge, en effet, lui permettait de rendre adroitement des services aux personnages qu'il voulait ménager, d'écarter par la terreur et au besoin par la lettre de cachet ceux dont il pensait avoir quelque chose à redouter, et enfin, surtout, de connaître mille secrets qui le rendaient maître de l'honneur ou de la vie de bien des familles.

Mais ce qu'il faut ajouter immédiatement, c'est que Berryer n'était pas un ambitieux vulgaire. Il était armé d'une philosophie qui le rendait fort d'avance contre toutes les disgrâces possibles ; il ressemblait ainsi au lutteur qui, avant le combat, a fait le sacrifice de sa vie et dont le courage se trouve décuplé par ce fait même qu'il ne craint plus rien. Il était audacieux, entreprenant, et quand une fois il avait pris une résolution, il allait droit au but avec cette foudroyante rapidité qui démoralise l'ennemi. De plus, il possédait une pénétration d'esprit qui lui permettait de trouver rapidement le point faible de ses adversaires...

Il avait longuement et sérieusement étudié le roi.

Il était un des rares qui connussent parfaitement les secrètes faiblesses de ce caractère.

Il avait été l'un des ouvriers les plus actifs de la ruine de la belle Mme de Châteauroux.

Et maintenant que Louis XV se trouvait sans maîtresse attitrée, il s'était juré que la prochaine favorite lui devrait son élévation.

Car nul ne pouvait admettre que la Cour de France demeurât longtemps sans favorite.

Mme de Châteauroux partie, chacun se demandait quelle serait la remplaçante.

Dans la soirée de l'Hôtel de Ville, Berryer fut le seul à deviner la passion qui s'emparait du roi. Dans cette adorable petite fille qu'était Mme d'Étioles, il devina la force énorme de l'amour sincère. Il comprit toute la puissance que pourrait avoir un pareil amour sur un roi habitué à ne trouver autour de lui que des adorateurs de la couronne.

Dans les jours qui suivirent, il put constater les progrès que cette passion faisait dans le cœur de Louis XV.

Cette fois, le roi était touché !

Il ne parlait pas de Mme d'Étioles, et toute la Cour en conclut qu'il l'avait oubliée déjà. Louis XV était rêveur, distrait, et passait des journées entières dans un cabinet du Louvre à songer, à l'écart...

– Le roi s'ennuie ! disaient les courtisans.

– Le roi est amoureux ! se dit Berryer.

Une fois qu'il fut bien sûr de ne pas se tromper, il résolut de frapper un grand coup, et organisa l'enlèvement de Jeanne... Nous allons voir se développer son plan...

Il était sûr maintenant, grâce à la naïve complicité de Noé Poisson et de Crébillon, de faire monter Jeanne dans un carrosse... Qui se trouverait dans ce carrosse ?... Où irait-il ?

Ces points n'étaient pas réglés encore dans l'esprit de Berryer... et nous allons le voir à l'œuvre.

Il ne doutait pas du succès. Et le succès, pour lui, c'était la faveur du roi à qui il aurait rendu un de ces services qu'il est impossible d'oublier, et la faveur de Mme d'Étioles, plus précieuse encore, puisque c'est à lui qu'elle devrait sa victoire.

Il va sans dire qu'il avait étudié tous les habitants de l'hôtel d'Étioles.

Et il n'y avait qu'un personnage qu'il n'était pas parvenu à déchiffrer : c'était Henri d'Étioles lui-même.

Il finit par le juger un mari insignifiant, uniquement occupé de ses chiffres... en quoi il se trompait.

Il y avait aussi à l'hôtel d'Étioles un homme que Berryer ne comprit pas, ou plutôt qu'il dédaigna d'analyser, en raison de ses fonctions subalternes... en quoi il se trompait encore.

Cet homme, c'était Damiens.

Quoi qu'il en soit, lorsque le lieutenant de police quitta Poisson et Crébillon après la scène que nous avons retracée de notre mieux, il se crut sûr de sa fortune dans l'avenir.

Dehors, il retrouva son secrétaire intime qui le suivait dans toutes ses expéditions et pour qui il n'avait rien de caché. Cet homme s'appelait François-Joachim de Pierres de Bernis. Il était un peu poète, un peu abbé, un peu tout ce qu'on voulait.

– Eh bien ! demanda-t-il familièrement à Berryer, le Poisson a-t-il mordu à l'hameçon ?

– Admirablement, mon cher Bernis, dit le lieutenant de police. Mais nous avons mieux encore : nous avons le précieux concours d'un homme d'esprit...

– Diable ! méfiez-vous des gens d'esprit, monsieur le lieutenant général !

– En ce cas, je devrais commencer par me défier de vous, Bernis !...

– Merci. Voilà un compliment qui vaut son pesant d'or, venant de vous... Quoi qu'il en soit, vous savez que je ne suis pas capable d'une trahison.

– Si fait, mon cher. Vous en êtes parfaitement capable. Seulement, vous ne me trahirez pas...

– Et pourquoi, je vous prie ? Je serais curieux de le savoir.

– Parce que vous voulez monter. Vous êtes jeune. Vous avez résolu de grimper quatre à quatre les échelons branlants de cette échelle qu'on appelle la faveur royale. Or, vous avez compris que le meilleur moyen de réussir dans ce périlleux exercice, c'est de vous accrocher aux basques de quelqu'un qui grimpe... Et si vous lâchiez ces basques, vous tomberiez, mon cher, et vous vous casseriez les reins...

L'œil de Bernis jeta un éclair.

Berryer ne vit pas cet éclair rapide qui lui eût peut-être donné à réfléchir.

– Vous avez raison, reprit Bernis, surtout si vous ajoutez qu'avant de choisir un maître, j'ai longuement réfléchi, c'est-à-dire que j'ai adopté, pour m'y accrocher, les basques les plus solides qui soient sur la fameuse échelle...

Ils se mirent à rire.

– Pour en revenir à l'homme d'esprit en question, reprit alors Berryer, c'est l'un de vos confrères en poésie, ce brave et digne Crébillon...

– Un homme heureux ! soupira Bernis. Pourvu qu'il ait du tabac pour sa pipe, du mou pour son chat et du papier pour ses vers, le voilà plus roi que le roi !... Il vous a donc promis son concours ?

– Voici la chose, Bernis, dit Berryer.

Bernis dressa les oreilles, comprenant qu'il allait apprendre du nouveau.

– Demain soir, à neuf heures et demie, vous amenez au carrefour Buci, devant la porte de la Lebon, un solide carrosse dont la portière demeure ouverte...

– À neuf heures et demi : très bien. Qui conduira ?

– Vous-même !

Bernis ne put réprimer un tressaillement.

– Et qui sera dans le carrosse ?

– Moi ! dit Berryer. À dix heures, Mme d'Étioles sort de la maison, elle monte dans le carrosse, je ferme la portière... elle crie ou ne crie pas, c'est mon affaire... vous fouettez !

– Et je m'arrête ?...

– À Versailles !... Le reste me regarde !

– Admirable ! dit Bernis. C'est simple et majestueux comme un cinquième acte de Corneille.

Le lieutenant de police savoura modestement ce tribut payé à son génie d'intrigue. Puis il ajouta :

– Allez donc, mon cher Bernis, vous occuper de l'importante affaire du carrosse. Je ne pourrai vous voir demain de toute la journée. Songez que si nous réussissons je grimpe du coup une dizaine d'échelons à la fois...

– Et comme je suis accroché à vos basques...

– Vous les grimpez avec moi, soyez tranquille !...

Les deux hommes se séparèrent.

Berryer, quelques minutes plus tard, entrait au Louvre, et demanda à parler au roi. Le roi dormait. Force fut à Berryer de remettre au lendemain l'entretien qu'il voulait avoir avec Sa Majesté.

Le lendemain matin, de bonne heure, le lieutenant de police vint au lever de Louis XV, mais le roi était parti à Marly. Berryer, très inquiet et pestant fort, courut à Marly... et manqua encore le roi !...

Enfin, à huit heures du soir, alors qu'il désespérait de la réussite de son plan, il put rejoindre Louis XV au Louvre...

– Sire, lui dit-il à voix basse, je sollicite de Votre Majesté l'honneur d'un entretien particulier.

Louis XV commençait déjà à bâiller, ce qu'il ne se gênait pas pour faire devant ses courtisans.

– Il s'agit de Mme d'Étioles ! ajouta Berryer, risquant sa fortune sur un mot.

Le roi rougit, pâlit. Et pendant deux secondes, Berryer se demanda s'il n'allait pas être mis à la Bastille.

– Venez, monsieur ! dit enfin Louis XV d'une voix tremblante.

– Je le tiens ! rugit en lui-même Berryer qui, rayonnant, suivit le roi dans son cabinet.

Revenons un instant à Bernis, au moment où il venait de quitter, la veille au soir, le lieutenant de police.

Sans perdre un instant, il se dirigea vers le Marais et parvint à la rue du Foin. Il frappa d'une façon particulière à la porte de la modeste maison qu'habitait M. Jacques, et bientôt il était introduit dans cette pièce où nous avons conduit le lecteur, et où il se trouva en présence du mystérieux personnage, devant lequel il s'inclina avec un profond respect, attendant qu'il lui adressât la parole.

– Qu'y a-t-il, mon enfant ? demanda M. Jacques.

– Il y a, monseigneur, dit alors Bernis, que le lieutenant de police s'apprête à enlever Mme d'Étioles et à la conduire lui-même à Versailles.

Et sommairement, en termes de rapport, Bernis raconta ce que le lecteur sait déjà.

M. Jacques avait écouté avec une profonde attention, de son même air paisible ; son émotion se trahissait seulement par un léger battement de paupières...

Pendant près de dix minutes, il y eut un lourd silence.

M. Jacques se promenait de long en large, les mains au dos, la tête penchée... Enfin, il prononça :

– Il ne faut pas que cette voiture arrive à Versailles !...

– C'est mon avis, monseigneur... il faudrait quelques hommes déterminés...

– Vous dites que c'est vous qui conduirez ?

– Moi-même, monseigneur.

– Et, dans la voiture, il y aura... ?

– Berryer... et elle !

– Bien ! C'est donc un seul homme qu'il s'agit d'arrêter... Ce n'est donc pas quelques hommes déterminés, comme vous disiez, mais un seul qui doit arrêter le carrosse.

– Un seul suffira à la rigueur, à la condition qu'il soit brave, énergique.

– Il le sera !...

– Mais, monseigneur, permettez-moi une question. Cet homme se met en travers du chemin. Bon ! Pour moi, ça va tout seul : je prends la fuite ou je m'évanouis, au choix... Supposons que votre homme vienne à bout de M. Berryer... que ferait-il de...

– De Mme d'Étioles ? interrompit M. Jacques avec un singulier sourire. Soyez sans inquiétude à ce sujet, mon enfant, Mme d'Étioles sera en bonnes mains... Et maintenant que j'y pense, tenez... cette idée de Berryer est magnifique : elle sert admirablement mes projets...

– En sorte que... ?

– En sorte que, mon enfant, demain soir à l'heure dite, vous vous trouverez avec le carrosse à l'endroit désigné. Vous partirez, vous prendrez la route de Versailles et si... en chemin... quelqu'un se dresse devant vous... arrêtez vos chevaux... et pour le reste... laissez faire !...

Bernis, congédié par un geste de M. Jacques, salua en fléchissant le genou et se retira.

M. Jacques, alors, frappa sur la table avec un petit marteau.

Un laquais apparut.

– Mon cher baron, lui dit M. Jacques, demain soir, vers neuf heures, M. le chevalier d'Assas, qui loge aux *Trois-Dauphins*, rue Saint-Honoré, sortira de cette hôtellerie, à cheval, et ira se poster quelque part sur la route de Versailles, dans l'intention d'arrêter un carrosse qui doit passer vers dix heures et demie. Il n'y aura qu'un homme dans ce carrosse, et il est probable qu'il ne fera pas de résistance. Mais il faut tout prévoir, et je veux que le chevalier d'Assas ait la victoire dans cette rencontre...

– Bien, monseigneur.

– Comment vous y prendrez-vous ?

– Demain matin, je dirai un mot de la chose à M. le comte du Barry qui, avec quelques amis, escortera le chevalier d'Assas, bien entendu sans que celui-ci s'en doute. Ces amis interviendront ou n'interviendront pas, selon que M. d'Assas aura ou n'aura pas besoin d'être aidé.

– Parfait ! dit simplement M. Jacques qui reprit alors sa silencieuse promenade, tandis que le laquais disparaissait.

Le lendemain matin, à la première heure, M. Jacques sortit de chez lui, et se rendit tout droit à l'auberge des *Trois-Dauphins*. C'était la troisième fois, d'ailleurs, qu'il venait, et il fut aussitôt conduit à la chambre du chevalier d'Assas.

Que lui dit-il ?

Quelles passions réveilla-t-il en lui ?

Toujours est-il que la conférence fut longue.

Car M. Jacques, arrivé aux *Trois-Dauphins* à huit heures du matin, en sortit seulement à midi.

Il eût été impossible de voir sur son visage s'il était satisfait ou non...

Mais qui eût jeté un regard dans la chambre du chevalier d'Assas, à ce moment, eût remarqué deux choses :

La première, c'est que le chevalier avait les yeux rouges comme s'il eût beaucoup pleuré.

La deuxième, c'est qu'à cette minute, il visitait soigneusement ses pistolets comme quelqu'un qui se prépare à une expédition sérieuse !...

XXIV

La tireuse de cartes

Noé Poisson, aidé d'ailleurs de Crébillon, n'eût aucune peine à persuader à Jeanne de rendre une visite à Mme Lebon, la célèbre tireuse de cartes... Depuis la soirée de l'Hôtel de Ville, Jeanne vivait dans l'attente d'un grand événement. Lequel ? Elle ne savait pas... Mais elle pressentait qu'il allait lui arriver quelque chose d'extraordinaire.

Ces quelques jours furent relativement heureux pour elle. Henri d'Étioles, son mari, le lendemain même de la fameuse fête, avait annoncé qu'à son grand désespoir il était obligé d'entreprendre un voyage. Et il était parti, emmenant son nouveau secrétaire dont il ne pouvait plus se passer : François Damiens.

Jeanne se trouva donc seule dans le somptueux hôtel, en compagnie de Mme du Hausset. M. de Tournehem venait la voir tous les jours. Et c'était cette fois avec une absolue sincérité qu'elle pouvait répondre aux questions inquiètes de son père :

– Oui, je suis heureuse... heureuse, vraiment, au-delà de tout ce que je puis dire...

M. de Tournehem n'en demandait pas davantage.

Cet homme dont la vie était brisée n'avait plus qu'un but, auquel il eût tout sacrifié : le bonheur de Jeanne. Il était triste des tristesses de son enfant, il riait de la voir rire, et, en un mot, il ne vivait plus que par elle.

Il ne pouvait concevoir comment Jeanne avait pu trouver le bonheur dans une union avec un être tel que son neveu Henri. Non pas qu'il soupçonnât le cœur ou l'esprit d'Henri d'Étioles. Mais enfin, laid, contrefait, presque difforme, comment avait-il pu inspirer de l'amour à cet être de grâce radieuse qu'était Jeanne ?

Son bonheur, pourtant, était indéniable.

Jamais, depuis son retour en France, Tournehem ne l'avait vue si gaie.

Elle jouait follement avec son amie du Hausset, recevait une société nombreuse et choisie, se montrait étincelante de verve et d'esprit... Et chacun en la quittant emportait l'impression que c'était la plus adorable maîtresse de maison qui fût à Paris.

Un jour, une semaine après la fête de l'Hôtel de Ville, Tournehem lui proposa une excursion près de Paris.

– Avec Louise ? demanda Jeanne en battant des mains.

Louise, c'était Mme du Hausset – une jeune femme blonde, effacée, admirable musicienne, douce de caractère, se pliant à toutes les fantaisies de Jeanne dont elle était l'amie plutôt que la gouvernante. Car tel était le titre officiel de sa fonction dans l'hôtel du quai des Augustins.

– Non, répondit M. de Tournehem, nous serons seuls, si tu le veux bien... Pour une fois, je veux t'avoir à moi seul... Après cela, tu vas peut être dire que je suis égoïste ?...

Jeanne, pour toute réponse, l'embrassa tendrement.

Ils partirent. Deux heures plus tard, le carrosse qui les emmenait traversait Versailles et s'arrêtait à la clairière de l'Ermitage. M. de Tournehem mit pied à terre. Jeanne le suivit.

La clairière était maintenant jonchée de feuilles rouges. Les arbres dépouillés tordaient leurs bras maigres dans un ciel gris... une sorte de tristesse pesait sur la nature, mais non sans douceur...

Jeanne prit le bras de son père, soudain attendrie...

– Allons voir ma mère, murmura-t-elle.

– C'est là que je te conduisais, mon enfant, dit gravement M. de Tournehem.

Quelques minutes plus tard, ils s'arrêtaient devant la dalle de marbre... la tombe solitaire au fond des bois...

Jeanne se mit à genoux sur les feuilles mortes.

M. de Tournehem la laissa rêver et traduire sa pensée en balbutiements tendres qui s'envolaient vers celle qu'elle n'avait pas connue... et qui avait tant souffert...

Lorsqu'elle se releva, ses yeux étaient humides.

Tournehem la contempla avec une expression d'indicible tendresse ; puis il lui prit la main.

– Mon enfant, dit-il, ici même, j'ai bien souvent renouvelé le serment de réparer le mal que j'avais fait. Ta mère, dans son dernier regard, m'a commandé de veiller à ton bonheur... et c'est à ce bonheur que je me suis consacré tout entier... Eh bien, à ton tour, ma Jeanne, de faire ici un serment !... Dis-moi si j'ai réussi... dis-moi si mes efforts ont abouti... enfin, si réellement tu es heureuse...

– Oui, mon père, je le suis... dit Jeanne d'un ton pénétré.

– Jure-le... fit M. de Tournehem en plongeant ses yeux dans les yeux de sa fille.

– Je le jure... dit Jeanne avec un tel accent de sincérité qu'il était impossible de conserver un doute.

Et ce qui se présentait à ce moment à son imagination, c'était un beau cavalier qui se courbait devant elle, et qui lui disait :

– Je vous aime !...

Et c'était Louis ! le roi de France !

Ce rêve inouï s'était accompli !...

Elle était aimée de Louis le Bien-Aimé !...

Là était tout le secret de ce bonheur qui étonnait Tournehem, bonheur intense qui la faisait resplendir... et de cette joie, de cet esprit étourdissant qui débordait d'elle dans les soirées de l'hôtel d'Étioles...

Ces soirées étaient en quelques jours devenues à la mode ; les peintres et les poètes de l'époque y affluaient, et le bruit ne tarda pas à se répandre dans Paris que Mme d'Étioles était l'étoile de tout ce monde poudré, papillonnant, spirituel, aimable et léger...

Tournehem et Jeanne rentrèrent dans Paris et la même vie continua : fêtes brillantes, jeux raffinés, soirées étincelantes où Mme d'Étioles brillait d'un éclat incomparable.

Henri d'Étioles était toujours absent.

Voilà dans quel état d'esprit se trouvait Jeanne le jour où le digne Noé Poisson lui proposa d'aller interroger la tireuse de cartes. Jeanne accepta aussitôt, voyant là une sorte d'escapade : elle irait à pied, le soir, entre Noé Poisson et Crébillon... Ce serait charmant...

Au fond, un peu de trouble lui venait... Connaître l'avenir ! Quelle folie ! Elle savait bien que la Lebon n'était qu'une vulgaire débitante d'illusions, faisant payer fort cher le semblant de bonheur qu'elle vendait à ceux qui la consultaient ; car tout le secret de sa vogue était là : jamais elle n'annonçait de malheur ou de tristesse !

Jeanne, pourtant, esprit subtil et supérieur ; Jeanne, élevée dans un milieu sceptique et léger, n'en conservait pas moins, tout au fond d'elle-même, une sorte de naïveté... elle ne croyait pas, mais elle n'eût pas demandé mieux que de croire...

Le soir venu, ils partirent tous les trois : Jeanne encapuchonnée de soie, tout heureuse d'avoir peur ; Poisson, grave comme un ambassadeur ; et Crébillon, sourdement inquiet.

À neuf heures, Jeanne fit son entrée dans le salon de Mme Lebon, au moment précis où une femme en sortait par une porte dérobée. Cette femme, c'était Héloïse Poisson. Elle était au courant de la visite que Jeanne allait faire, et elle venait d'avoir avec la tireuse de cartes un entretien fort long et fort sérieux.

Ce salon de la Lebon était connu de tout Paris.

C'était une pièce luxueusement meublée où elle avait disposé avec un art consommé les divers objets qui pouvaient frapper l'imagination de ses visiteurs : lézards et hiboux empaillés, des fioles mystérieuses sur des consoles de prix, un alambic sur une table de Boule, et, enfin, au milieu du salon, sur une petite table qui était une merveille d'élégance et de richesse, un jeu de cartes.

Le salon était faiblement éclairé, et Jeanne, malgré tout son scepticisme, était impressionnée et émue...

Noé Poisson et Crébillon étaient remontés dans le grenier...

Jeanne avait remarqué qu'au moment de la quitter, le digne Noé avait la larme à l'œil.

– C'est un peu de vin qui lui sort des yeux, pensa-t-elle.

La Lebon, vêtue d'une robe de soie, fort cérémonieuse et fort imposante, fit son entrée, et tout de suite :

– Voulez-vous, madame, prendre la peine de vous asseoir à cette table ?

Jeanne prit place à l'endroit qu'on lui indiquait. La tireuse de cartes s'assit en face d'elle.

Elle avait une physionomie grave et assez douce.

Elle ne mettait dans ses attitudes que juste ce qu'il fallait de mystère pour émouvoir ses visiteurs, mais pas assez pour les effrayer : c'était une cartomancienne de bonne compagnie.

– Que désirez-vous savoir ? demanda-t-elle à Jeanne en se mettant à battre les cartes.

– Tout ! répondit Jeanne.

– Donc, le passé, le présent et l'avenir... Je vais vous dire les trois, fit la Lebon avec une admirable simplicité qui vraiment était du grand art... comme si rien n'eût été plus simple et plus facile !

En même temps, elle étala les cartes sur la table, et reprit :

– Voulez-vous que nous commencions par le passé, par l'avenir, ou par le présent ?

– Voyons d'abord le passé, fit Jeanne en riant, puis nous suivrons après l'ordre chronologique.

Jeanne riait, montrant les perles nacrées de ses petites dents... très amusée, très intriguée... Mais tout à coup le rire se figea sur ses lèvres, et elle pâlit...

En effet, la Lebon, – peut-être pour frapper un grand coup –, venait d'abattre les cartes, et d'une voix grave, solennelle, significative, elle disait :

– Le roi, madame !... Vous avez un roi dans votre jeu !...

– Le roi ! murmura faiblement Jeanne.

– Voyez vous-même, madame !... Je dis que vous avez un roi dans votre jeu, et il est figuré par la carte que voici... Malheureusement je ne puis vous dire quel est ce roi... s'il commande à un grand royaume ou si c'est un prince de second rang... mais, sûrement, cette carte est la plus puissante qui soit, et c'est la première fois que je la tire ainsi du premier coup, depuis vingt ans que je consulte les cartes...

Jeanne demeurait stupéfaite et agitée...

– Ainsi, dit-elle, vous ne savez pas de quel roi il s'agit ?

– Non, madame... dit sérieusement la Lebon.

Cette assurance formelle rassura un peu Jeanne qui reprit :

– Eh bien, comme je ne le sais pas plus que vous, veuillez continuer... la suite nous l'apprendra peut-être...

– J'en doute, fit la Lebon en manipulant les cartes.

Et elle annonça au fur et à mesure qu'elle les abattait :

– Dans le passé, madame, je vois des larmes dans vos jolis yeux... Que se passe-t-il ?... Ah ! voici... le roi dont il s'agit est malade... vous pleurez... le voici guéri... oh ! mais vous pleurez encore ?... Voyons, veuillez couper de la main gauche, et nous allons savoir d'où viennent ces larmes...

Jeanne obéit d'une main tremblante.

Ce qu'elle entendait lui paraissait tenir du prodige.

– Vous avez pleuré, reprit la tireuse de cartes, parce que vous avez eu peur de ne pas être aimée du roi...

Jeanne poussa un léger cri étouffé.

– Et puis, continua la Lebon, je vois un mariage... quelqu'un vous force à ce mariage... l'homme que vous devez épouser est pourtant un digne gentilhomme en qui vous devriez avoir toute confiance... mais vous le haïssez...

– Passons au présent ! fit Jeanne en pâlissant.

– Le présent, dit la Lebon après avoir manipulé les cartes, est plus gai que le passé... Vous aimez... et vous êtes aimée... vous en êtes sûre... on vous en a fait l'aveu... Voulez-vous, madame, me faire l'honneur de me dire si je me trompe, ou si je suis bien sur la voie... si je me trompais, il faudrait employer un autre jeu...

– Non, non ! fit vivement Jeanne... peu importe, d'ailleurs, que vous vous trompiez...

– Alors, il nous reste à chercher l'avenir ?...

– Oui, dites-moi l'avenir...

Et plus bas, en elle-même, elle répéta, profondément troublée :

– L'avenir !... Heur ou malheur ?...

À ce moment, la pendule du salon sonna la demie de neuf heures. Au dehors, Jeanne entendit le bruit d'un carrosse qui s'arrêtait sous les fenêtres de madame Lebon.

La tireuse de cartes, elle aussi, avait entendu ce bruit.

Elle sourit imperceptiblement, tandis que Jeanne suivait d'un regard anxieux ses mains qui battaient et rebattaient les cartes...

La Lebon reprit, au bout de quelques minutes, pendant lesquelles elle parut s'absorber dans un profond calcul :

– Si le passé est plein de larmes et le présent plein de gaieté, l'avenir, madame, est plein de magnificence et de rayonnement. Le roi vous aime... J'entends le roi signalé par les cartes... le roi vous attend !...

– Le roi m'attend ! murmura Jeanne éperdue.

– C'est ce que disent les cartes, madame... Moi, je ne sais pas... je ne fais que répéter... et les cartes me disent que vous devenez presque une reine...

– Assez, madame ! dit Jeanne en se levant d'un ton de souveraine dignité.

La tireuse de cartes vit qu'elle avait été trop loin. Une inquiétude visible se répandit sur son visage.

– Madame, murmura-t-elle, si je vous ai offensée, je vous supplie de vous rappeler plus tard que je n'y ai mis aucun intention maligne... Vous m'avez demandé de vous dire l'avenir... je vous l'ai dit tel qu'il est indiqué, rigoureusement, et ce n'est pas ma faute si...

– Rassurez-vous, madame Lebon, fit Jeanne, je ne suis nullement offensée...

Elle demeura une minute pensive.

– Et, reprit-elle en hésitant, vous croyez vraiment que vos cartes disent la vérité ?...

– Aussi vrai que vous êtes ici devant moi, madame ! J'ai eu des exemples si nombreux et si frappants que je suis bien obligée de croire !... Et d'ailleurs, ajouta la tireuse de cartes, exercerais-je cet art presque divin, si je le savais mensonger ?...

Jeanne, pour cacher son trouble, tira sa bourse et interrogea la Lebon d'un regard.

La cartomancienne faisait généralement payer très cher ses consultations : c'était cinq louis, quelquefois dix, et parfois même davantage, selon la situation des crédules et naïfs consultants.

Mais, cette fois, elle avait peut-être jugé qu'il ne s'agissait plus de louis. Lorsqu'elle vit Jeanne sortir sa bourse, elle eut un geste discret, et, esquissant une belle révérence :

– Madame, dit-elle, ne me gâtez pas ma soirée... je suis trop heureuse de vous avoir reçue dans mon modeste logis, et j'en garderai un impérissable souvenir : c'est là tout le paiement que je veux avoir de vous...

– J'enverrai un objet d'art à cette bonne femme, songea Mme d'Étioles. Merci, madame, reprit-elle à haute voix. Croyez que, de mon côté, je garderai un charmant souvenir de ma visite chez vous... Mais où sont mes deux cavaliers ?...

– Ils vous attendent sans doute dans l'antichambre...

En effet, Noé Poisson et Crébillon étaient là ; ils étaient descendus du grenier lorsqu'ils avaient entendu le carrosse s'arrêter sous les fenêtres. Jeanne remercia encore la Lebon qui se confondait en révérences, puis tous les trois sortirent et descendirent l'escalier, – Jeanne en tête.

En arrivant à la porte de la maison, elle vit le carrosse qui s'était rangé tout contre l'entrée...

La portière était ouverte.

Jeanne recula vivement en poussant un léger cri. Au même instant, elle se sentit saisie par les deux bras et poussée vers le carrosse.

– À moi ! à moi ! cria-t-elle affolée.

Dans la même seconde, elle fut poussée dans le carrosse dont la portière se referma aussitôt...

– Fouette ! jeta une voix.

Le carrosse, aussitôt, s'ébranla et s'élança au grand trot de ses deux chevaux.

Devant la maison, Noé Poisson et Crébillon s'étaient arrêtés, un peu pâles...

– La voilà sauvée ! dit Poisson.

– Qui sait ?... murmura Crébillon.

XXV

La route de Versailles

Ce soir-là, le chevalier d'Assas, vers la nuit tombante, sortit de Paris à cheval, après s'être muni de sa rapière de bataille et de ses pistolets d'arçon.

Lorsqu'il atteignit la route de Versailles, un groupe de six cavaliers, qui s'étaient dissimulés dans la cour d'une auberge isolée, se mit à le suivre à deux cents pas.

Ces cavaliers, c'étaient du Barry et ses acolytes qui étaient là pour prêter main-forte à d'Assas en cas de besoin. Ils étaient masqués et s'enveloppaient dans des manteaux qui couvraient par surcroît de précaution tout ce que le masque n'avait pu cacher.

– Me voilà obligé de protéger cet homme que je hais ! songeait du Barry. Les exigences de M. Jacques deviennent intolérables. Où s'arrêteront-elles ! Ah ! si seulement une bonne balle égarée pouvait...

Du Barry acheva d'un geste la pensée de mort qui traversait son cerveau, et il jeta un sombre regard de sinistre espoir sur la silhouette à peine visible du chevalier d'Assas.

Le jeune homme trottait doucement. Il avait le temps... Une sorte de joie nerveuse le faisait parfois tressaillir. Il avait alors au coin des lèvres un petit rire qui n'annonçait rien de bon pour ses ennemis.

– Ce digne M. Berryer, disait-il entre ses dents, ne s'attend certes pas à la rencontre qu'il va faire. Ah ! monsieur le lieutenant de police ! monsieur l'enleveur de femmes !... Fidèle serviteur de Sa Haute et Puissante Majesté !... Vous faites là un vilain métier !... Misérable, va !... Mais halte-là ! Nous sommes à deux pour compter !...

Des lueurs d'éclair passaient dans ses yeux.

Par moments, il pâlissait.

– Si j'étais sûr que Jeanne n'a pas consenti, n'a pas cherché cet enlèvement !... Si ce M. Jacques pouvait m'avoir dit la vérité !... Si c'était vraiment malgré elle qu'on l'a jetée dans un carrosse pour la conduire au roi !... Comme je me sentirais fort !... Le carrosse fût-il escorté de vingt cavaliers, je l'attaquerais ! Et, par la mordieu, je la délivrerais ou je mourrais sur place !...

En parlant ainsi, il avait abandonné les rênes de son cheval qui s'était mis au pas et s'en allait à l'aventure, reniflant des naseaux dans la nuit.

– M'aimera-t-elle jamais ? reprenait alors le pauvre cavalier. Insensé ! Est-ce qu'il n'est pas clair qu'elle aime le roi ? Est-ce que, dans cette fête maudite, elle ne s'est pas affichée au point que toute la cour pendant deux jours n'a juré que par elle ?... Et pourtant, j'ose encore espérer !... Et même, s'il n'y a pas d'espoir, je veux lutter !... Advienne que pourra ! Et coûte que coûte ! Il faut que ce soir l'infâme Berryer morde la poussière !... Or ça, puisque je veux en découdre, prenons un dispositif de combat... Bataille, mordieu, bataille !... Et après, on verra !...

Le chevalier, en partie pour assurer la réussite de son hardi projet, mais aussi, dans le fond, pour s'arracher à ses désolantes pensées, se mit à combiner ce qu'il appelait un dispositif de combat.

D'après ce que lui avait dit M. Jacques, le carrosse ne devait contenir qu'un homme et une femme.

La femme, c'était celle qu'il adorait avec tant de juvénile constance... L'homme, c'était Berryer.

– Quant au postillon, avait ajouté M. Jacques, si quelqu'un voulait attaquer cette voiture, il ne devrait pas s'en inquiéter... ce postillon sera sans aucun doute un laquais de Berryer, un trembleur qui prendra la fuite au premier bruit d'un pistolet qu'on arme.

Il résultait de tout cela que le chevalier n'avait à combattre qu'un homme : le lieutenant de police.

Nous devons noter ici que d'Assas n'avait nullement assuré à M. Jacques qu'il attaquerait le carrosse et que M. Jacques, d'ailleurs, ne le lui avait nullement demandé.

Le terrible personnage, avec sa haute science du cœur humain, s'était contenté d'expliquer minutieusement au chevalier ce qui se tramait. Il lui avait donné toutes les indications possibles, et jusqu'à la couleur du carrosse qui devait emmener Jeanne.

Le carrosse devait être bleu de France.

Les chevaux devaient être blancs.

Et comme c'était Bernis qui était chargé d'amener la voiture au carrefour Buci et de la conduire ensuite à Versailles, M. Jacques n'avait eu qu'à le faire prévenir qu'il désirait un carrosse bleu avec des chevaux blancs.

M. Jacques parti, le chevalier s'était dit aussitôt :

– Cette voiture, moi vivant, n'arrivera pas à Versailles !... Je ne sais ce que je risque à attaquer en pleine nuit le lieutenant de police en personne... peut-être ma tête ! Eh bien, risquons tout, plutôt que d'éprouver cette atroce douleur que Jeanne est dans les bras du roi, que j'aurais pu empêcher ce malheur et que je ne l'ai pas fait !...

Il était près de dix heures.

Le chevalier était arrivé au pont de Saint-Cloud.

L'endroit était propice : le carrosse serait forcé de passer par-là...

À une vingtaine de pas avant d'arriver au pont, il y avait sur la droite un de ces mystérieux logis qu'on appelait alors des petites maisons, – lieu de plaisir et de rendez-vous appartenant à quelque gentilhomme et comme on en voit encore quelques-uns autour de Paris.

Le chevalier résolut de se poster entre cette maison et le pont.

Voici quel était son plan – son dispositif de bataille :

Il se planterait au milieu de la route, ses pistolets à la main, et crierait au cocher d'arrêter.

Alors le postillon arrêtait... ou n'arrêtait pas...

S'il continuait à s'avancer, le chevalier déchargeait sur lui ses pistolets, puis se jetait à la tête des chevaux.

Alors, une fois le carrosse immobile, il tirerait son épée, s'avancerait à la portière, ôterait son chapeau et dirait :

– Monsieur le lieutenant de police, je vous tiens pour un misérable, et je devrais vous tuer comme on tue, la nuit, un tire-laine. Mais je veux vous faire l'honneur de croiser mon épée avec la vôtre. Je m'appelle le chevalier d'Assas. Veuillez donc descendre, s'il vous plaît, et dégainer à l'instant, sans quoi je serai forcé de vous tuer sans que vous vous soyez défendu !...

Il ne doutait pas que Berryer ne fit droit à une requête ainsi présentée...

Et alors...

Alors, Jeanne pourrait juger de quoi l'amour est capable !

Il blessait son adversaire, le remettait dans le carrosse dont il faisait descendre Jeanne, ordonnait au postillon de ramener à Paris le corps de son maître, et disait à Jeanne :

– Madame, voici mon cheval pour vous ramener. Veuillez seulement me dire à quel endroit de Paris vous désirez être ramenée... je conduirai le cheval par la bride...

Tel était le rêve qu'échafaudait le chevalier, et cependant, il faisait le guet et interrogeait anxieusement la route... Tout était noir... rien n'apparaissait...

D'Assas mit pied à terre et attacha son cheval à un arbre.

Alors, il s'assura que son épée sortait facilement du fourreau, visita ses pistolets, se débarrassa de son manteau qu'il jeta en travers de la selle du cheval, et, se campant au milieu de la route, il attendit...

Les cavaliers masqués que nous avons signalés s'étaient arrêtés en voyant le chevalier mettre pied à terre. Ils se glissèrent sur le côté de la petite maison que d'Assas venait de dépasser, et prirent aussitôt leurs dispositions.

L'un d'eux fut chargé de tenir les six chevaux et alla se dissimuler avec les bêtes, en plein champ, sur les derrières de la maison. Les cinq autres, s'avançant à travers champs, le long et à vingt pas de la route, s'arrêtèrent à la hauteur de d'Assas, se couchèrent à plat ventre sur le sol et attendirent.

Tout à coup, le chevalier d'Assas entendit au loin des grondements de roues sur la terre dure...

Presque aussitôt, les deux lanternes d'une voiture lui apparurent dans la nuit.

Il eut un effroyable battement de cœur...

Cette voiture, c'était sans doute le carrosse qu'il attendait... et dans ce carrosse, il y avait Jeanne !...

D'un geste rapide et machinal, le chevalier prépara ses deux pistolets... La voiture avançait d'un bon trot de ses deux chevaux pesants... Bientôt, elle ne fut plus qu'à une trentaine de pas du chevalier...

Il eut un tressaillement suprême...

Les chevaux étaient blancs, tous deux ! Ce carrosse était bien celui qu'il attendait !...

Au même instant, il s'avança et, d'une voix terrible, – toute la rage de l'amour, du désespoir, de la jalousie ! – il cria :

– Halte ! halte ! ou je fais feu !...

– Place ! hurla le postillon.

Le chevalier visa, fit feu !...

Puis, jetant son premier pistolet, il tira du second !...

Le postillon se renversa sur son siège avec un gémissement.

D'Assas s'élança à la tête des chevaux qui, ne sentant plus de bride, s'arrêtaient d'ailleurs à ce moment.

Alors, le cœur battant, les tempes en feu, la bouche crispée, il s'avança vers la portière en disant :

– Descendez, monsieur, qui que vous soyez !... Descendez ! ou, par le Ciel, je vous traite comme je viens de traiter votre laquais !...

À ce moment un cri déchirant, – un cri de femme ! – retentit dans l'intérieur du carrosse.

D'Assas se rua ; mais à la même seconde, la portière s'ouvrit, un homme sauta lestement sur le sol, et se croisant les bras, d'une voix dédaigneuse, empreinte d'une autorité suprême :

– Or çà !... Quel est le truand qui ose arrêter le roi ?...

D'Assas, livide, vacillant, foudroyé, jeta un regard d'indicible angoisse sur l'homme qui parlait ainsi.

Et, hagard, les cheveux hérissés par l'horreur, il murmura :

– Le roi !... Le roi !...

Oui ! ce n'était pas Berryer qui se trouvait dans le carrosse où Jeanne avait été poussée : c'était Louis XV, le roi de France en personne !...

Voici, en effet, ce qui s'était passé :

Berryer, on se le rappelle, après avoir décidé Noé Poisson et Crébillon à amener Jeanne chez la tireuse de cartes, après avoir combiné son plan avec Bernis et chargé ce dernier d'amener un carrosse à la porte de la Lebon, Berryer, le lendemain, s'était mis en quête du roi, et avait fini par le rejoindre le soir seulement.

Louis XV avait emmené le lieutenant de police dans son cabinet et lui avait demandé :

– Vous me dites, monsieur que vous avez à me parler de Mme d'Étioles ?...

– Oui, Sire, répondit Berryer.

Et jouant brutalement sa partie, décidé à tout risquer, il ajouta :

– Votre Majesté me permet-elle de lui parler librement ?

– Je vous l'ordonne.

– En ce cas, Sire, je suis sûr de vous intéresser. Laissant donc toute circonlocution de côté, je dirai que, à la fête de l'Hôtel de Ville où je m'étais rendu pour protéger Votre Majesté selon le devoir de ma charge, je me suis aperçu de deux choses...

Tout cynique et décidé qu'il était, Berryer hésita un instant...

– Voyons les deux choses ! fit Louis XV en se jetant dans un fauteuil et en fouettant sa botte.

– Je procéderai par ordre, reprit le lieutenant de police en jouant sur le sens de ce mot. La première chose, c'est qu'une femme aimait Votre Majesté...

Louis XV se mit à rire.

– Une seule ? fit-il ; c'est peu !

– Oh ! mais celle-là, Sire, vous aime pour dix, pour vingt, pour cent ! Je l'ai étudiée de près. Je l'ai vue pâlir ou rougir, j'ai lu dans ses yeux. Et bientôt j'ai acquis la conviction intime, absolue, que cette femme vous appartenait de toute son âme !

– Et c'est ?... interrogea Louis XV qui, pour dissimuler son émotion, bâilla un grand coup.

– Sire, laissez-moi d'abord vous dire la deuxième chose que j'ai remarquée... seulement, j'oserai rappeler à Votre Majesté qu'elle m'a positivement ordonné de parler en toute franchise...

– Et je vous réitère l'ordre, monsieur !

– Eh bien, la deuxième chose, c'est que le roi est amoureux !... Ah ! Sire, voilà que vous vous fâchez déjà ! ajouta Berryer en voyant le roi froncer le sourcil. Je dis que le roi est amoureux au point de ne pas oser avouer son amour, et de le proclamer à la face de tous, comme il convient à un grand roi, maître absolu dans son royaume et dans sa ville... Maintenant, je n'ai plus qu'un mot à ajouter : c'est que le roi est justement amoureux de cette femme qui l'adore, et que cette femme s'appelle Mme d'Étioles...

Le roi se leva, fit quelques pas dans son cabinet, puis revenant au lieutenant de police :

– Eh bien, oui, Berryer... je l'aime... comme vous dites, comme un véritable écolier. Je sais qu'elle m'aime... ah ! par Dieu et le Diable, cela me soulage de le dire. Oui, c'est vrai ! J'ai son aveu... et...

– Et le roi n'ose pas oser ! fit Berryer rayonnant de la confiance qui lui était témoignée. C'est bien ce que j'ai vu. Et alors, Sire, je me suis dit que, du moment que le roi n'osait pas, c'était le devoir de ses fidèles sujets en général et de son lieutenant de police en particulier de supprimer les obstacles...

– Et ces obstacles, vous les avez supprimés ? demanda ardemment le roi. Il y a un mari...

– Qui ne compte pas !... Sire, reprit rapidement Berryer, ce soir un carrosse doit emmener madame d'Étioles à Versailles...

Louis XV jeta un léger cri.

– J'ai tout préparé, continua Berryer, et tout est prêt. Mme d'Étioles doit se rendre ce soir dans une maison du carrefour Buci... on la fera monter dans le carrosse, qui prendra aussitôt le chemin de Versailles... il y aura un homme dans ce carrosse, et ce sera moi ! Quant au postillon, ce sera un des plus fervents serviteurs de Votre Majesté, M. de Bernis...

– Ce soir ! fit machinalement Louis XV tout étourdi.

– Ce soir, à dix heures, insista Berryer sans même se douter de ce qu'il y avait d'infâme dans le rôle qu'il jouait.

Et en effet, tout bouillant d'une joie d'ambitieux –, la plus terrible joie qui existe, – du ton le plus naturel, il ajouta :

– Sire, plaise à Votre Majesté de me dire où il faudra arrêter le carrosse qui contiendra Mme d'Étioles et votre serviteur...

– Berryer, dit le roi, vous me rendez là un service que je n'oublierai pas.

Berryer s'inclina si bas que son front descendit presque à la hauteur des genoux du roi.

– Je n'ai fait que mon devoir, Sire ! murmura-t-il.

– Votre plan est admirable ! reprit Louis XV. C'est pardieu vrai ! Vous m'avez fait voir clair en moi-même : je n'osais pas ! Eh bien, je vais oser !... Berryer, je modifie quelque chose à votre plan !...

– Qu'est-ce donc, Sire ?...

– Ce n'est pas vous que Mme d'Étioles doit trouver dans le carrosse lorsqu'elle y montera.

– Et qui, alors, Sire ?...

– Moi ! dit le roi. Partons, Berryer. Conduisez-moi. Ne perdons pas un instant !...

En même temps, Louis XV appela son valet de chambre et lui ordonna d'annoncer qu'il était couché et que chacun pouvait se retirer. Puis, jetant un manteau sur ses épaules et assurant une bonne épée à son côté, il sortit de l'appartement royal par une porte secrète, gagna un escalier dérobé, et bientôt, toujours suivi de Berryer, se trouva hors du Louvre.

Les deux hommes marchèrent rapidement jusqu'au carrefour Buci... Le carrosse ne tarda pas à arriver, conduit par Bernis... Berryer se posta près de l'entrée de la maison, et lorsque Jeanne apparut, la saisit et la poussa...

Le carrosse s'éloigna.

– Ma fortune est faite ! murmura le lieutenant de police.

Jeanne, en se sentant ainsi entraînée, eut la sensation rapide qu'elle avait été attirée dans un guet-apens. Dans la voiture, elle jeta un grand cri... mais deux bras vigoureux l'enlacèrent aussitôt...

– Laissez-moi, monsieur ! cria-t-elle. Laissez-moi ! Vous êtes un lâche !... Laissez-moi, ou je jure que je vous soufflette !...

– Jeanne !... Jeanne !... Ma chère Jeanne ! fit une voix ardente.

Elle reconnut la voix, écarta les mains qui couvraient ses yeux, et vit le roi à demi agenouillé.

– Vous !... Sire !... Quoi ! c'est Votre Majesté ! balbutia-t-elle.

– À vos pieds, Jeanne !... Ah ! pardonnez l'extrémité où m'a poussé mon amour ! Je ne vivais plus, Jeanne !... Je ne songeais plus qu'à vous ! Je voulais vous revoir à tout prix ! Et l'idée seule de demeurer un jour de plus sans vous voir m'était odieuse... Oh ! je vous en supplie, n'écartez pas ainsi votre tête, ne vous éloignez pas de moi !... Oui, j'ai osé concevoir et exécuter ce plan indigne peut-être d'un gentilhomme, mais digne du fou d'amour que je suis... Un mot, Jeanne... un regard qui me dise que vous me pardonnez !...

Jeanne s'était assise sur le coussin.

Elle était ravie, en extase... et elle sanglotait...

Elle éprouvait un bonheur inouï à entendre ainsi parler celui qu'elle adorait, et elle pleurait !...

– Sire, dit-elle tristement, vous en avez agi avec moi comme avec une de ces filles pour lesquelles il n'est plus de ménagement à prendre...

Le roi pâlit.

Le reproche était affreusement juste dans sa cruauté même.

Mais ce qui faisait pâlir Louis XV, c'était surtout la crainte que Jeanne ne lui échappât, qu'elle n'exigeât de lui de faire arrêter la voiture et de la laisser descendre.

– Ah ! s'écria-t-il, je vois bien que je m'étais trompé !

– Que voulez-vous dire, Sire ?...

– Vous ne m'aimez pas, Jeanne ! Voilà la vérité !...

– Moi !... Je ne vous aime pas !...

Ce fut un tel cri de passion que Louis XV en fut bouleversé, et pour ainsi dire ébloui... Sa tête s'enflamma... son cœur se mit à battre plus fort... il se laissa glisser à genoux, et saisissant les deux mains de Jeanne, il les couvrit de baisers furieux... et d'une douceur qui pénétrait la jeune femme jusqu'à l'âme.

Et enivré, exalté, il répétait :

– Je t'aime, ma Jeanne adorée... Je t'aime et suis à toi pour toujours...

– Sire ! Sire !... bégayait Jeanne, extasiée.

– Je t'adore, Jeanne. Ne le comprends-tu pas au son de ma voix !
Ne le comprends-tu pas même par la hardiesse de ce que je viens de
faire ! Songe que c'est le roi de France qui a quitté secrètement son
Louvre pour venir te retrouver !...

– Hélas ! murmura Jeanne, combien je serais plus heureuse si
celui que j'aime n'avait ni Louvre ni gardes...

– Jeanne, pour te rejoindre, j'ai bravé plus que les gardes, j'ai
bravé le scandale et les lois de l'étiquette...

– Sire, Sire !... Vous parlez de scandale... Par pitié, ramenez-moi à
Paris...

– Chez votre mari ? fit Louis XV avec dépit.

Jeanne frissonna, ses yeux s'emplirent de terreur. Ce mari !... Elle
l'avait oublié !...

Et le roi comprit alors d'un coup quel abîme séparait cette
femme exquise de l'être hideux qu'était d'Étioles.

Louis XV n'était pas jaloux... il ne pouvait l'être. Il ne demandait
à ses maîtresses qu'un bonheur passager, trop sceptique pour
imaginer une fidélité possible.

Mais cette fois, sans doute, ce n'était pas une passion semblable
aux précédentes qui s'emparait de lui.

Cette fois, Louis s'aperçut qu'il avait un cœur et que ce cœur
battait plus vite qu'il n'eût voulu.

Ce fut donc avec une sourde joie qu'il nota le frisson
d'épouvante qui avait agité Jeanne à la seule idée de revenir près de
son mari...

Il s'assit près d'elle et murmura ardemment :

– Tu vois bien que je ne puis te reconduire à Paris puisque tu
trembles à la pensée de revoir cet homme...

– Sire, où me conduisez-vous ? s'écria Jeanne en se débattant,
affolée...

– À Versailles, dit le roi.

– Non ! oh ! non !... Sire !... Au nom de mon amour, au nom de ce sentiment si pur que je vous ai voué...

– Écoute ! interrompit le roi. Je te conduis dans une maison dont tu seras la souveraine maîtresse. Je te jure sur mon honneur de gentilhomme que je n'y entrerai jamais si tu ne m'y appelles !... Ou si j'y viens, ce ne sera qu'en plein jour, comme un visiteur que tu daignes recevoir... Nous ferons ensemble de la poésie et de la musique... près de toi j'oublierai les visages faux de mes courtisans, les menaces de guerre, les observations de mes ministres... j'oublierai enfin cette chose si brillante à la surface et si triste, si vide au fond, qu'on appelle la royauté... Veux-tu, Jeanne ?... Veux-tu être mon bon ange ? Veux-tu être la consolatrice de mes longs ennuis, de mes désespoirs, parfois ?... Veux-tu être l'inspiratrice auprès de laquelle je viendrai chercher la bonté qui, de Versailles, rayonnera sur la France ?... Dis un mot, et ce carrosse va retourner à Paris ! Je souffrirai, mais je ne me plaindrai pas... je ne t'importunerai plus de cet amour aussi pur, je le jure, que peut l'être le tien ! Tes scrupules, je les respecterai !... Mais si tu ne dis rien, Jeanne, tu deviens la secrète amie du pauvre Louis qui n'a autour de lui que des respects d'étiquette et pas une affection... la fleur tendre et douce sur laquelle parfois je me pencherai pour m'enivrer de son parfum...

Jeanne avait baissé la tête et avait mis ses deux mains sur ses yeux...

Oh ! le beau rêve que lui faisait entrevoir Louis !...

L'aimer chastement, purement... être son amie... le conseiller, le guider, le consoler... quelle douceur !...

Ce mot que demandait le roi et qui devait la ramener à Paris, elle n'eut pas le courage de le prononcer !...

Louis XV déposa un long baiser sur son front... et le carrosse continua sa route !...

Tout à coup, deux coups de feu retentirent. La voiture s'arrêta !...

Louis XV n'avait pas cette bravoure entreprenante qui avait distingué quelques-uns de ses aïeux. Il redoutait le vol. Il avait peur de la mort.

Sur les champs de bataille, il ne donna jamais de sa personne.

Au double coup de pistolet qui éclata dans la nuit, il pâlit.

Mais là, devant cette femme aux yeux de qui il devait résumer toute la chevalerie, tout le courage, il comprit qu'une hésitation lui serait fatale... un signe de lâcheté tuerait l'amour dans le cœur de Jeanne...

Il ouvrit la portière...

Jeanne jeta un cri et voulut le retenir... Le roi avait déjà sauté sur la chaussée...

Elle le suivit, décidée à se faire tuer près de lui.

Et déjà Louis XV, persuadé qu'il avait affaire à des truands embusqués ; Louis XV, dont l'intérêt eût dû être de garder le plus strict incognito, criait qu'il était le roi... dans l'espoir que ce mot le roi ! lui servirait de bouclier et suffirait à mettre l'ennemi en fuite...

Son étonnement fut grand quand il ne vit devant lui qu'un jeune homme dont la lueur des lanternes montrait toute la pâleur, et qui reculait, désespéré !...

Dès lors, Louis XV retrouva son courage.

Il s'avança de deux pas et demanda :

– Qui êtes-vous, monsieur ? Comment avez-vous l'audace d'arrêter la voiture qui porte le roi ?...

– J'ai eu cette audace, répondit le chevalier d'Assas d'une voix désespérée, parce que je croyais trouver dans ce carrosse un homme faisant métier de sbire... Je ne pouvais supposer que le roi de France consentirait à remplacer cet homme et à faire son métier !...

– Vous êtes bien hardi, mon maître ! s'écria le roi avec un geste de rage. Ce que vous venez de dire pourrait vous coûter cher !... Mais je veux être bon prince... Excusez-vous et passez votre chemin...

– J'ai cru, dit d'Assas, à la magnanimité du roi : j'ai eu tort ! J'ai cru à l'honnêteté de la femme qui est là : je m'en excuse !...

– Et vous portez le costume de mes officiers ! rugit Louis XV. Votre nom, monsieur !

Jeanne avait reconnu le chevalier.

Tremblante de terreur et de pitié pour ce noble et si beau cavalier pour lequel, à de certains moments, elle avait peut-être éprouvé un sentiment plus doux, elle s'élança vers lui et lui saisit la main.

– Votre nom ! répéta le roi avec une fureur grandissante.

– Silence ! murmura Jeanne. Silence ! Et fuyez !... Ou vous êtes perdu !...

– Sire ! dit le jeune homme, je m'appelle le chevalier d'Assas et je suis officier au régiment d'Auvergne. J'ai insulté la majesté royale dans la personne du roi et dans celle de sa maîtresse... À qui faut-il remettre mon épée ? À elle ou à vous ?...

Jeanne, repoussée par le chevalier qui s'avançait, recula avec un cri d'angoisse et, haletante, attendit la décision du roi.

– Gardez votre épée, chevalier d'Assas, dit Louis XV. Et allez la remettre à mon capitaine des gardes, au Louvre. Vous lui ordonnerez de vous arrêter et de vous garder au Louvre jusqu'à ce que j'aie pris à votre égard la décision qui convient...

– J'y vais, Sire ! répondit tranquillement d'Assas.

– Un mot encore, monsieur, reprit le roi. Si par hasard l'idée de fuir vous venait, sachez que...

– Sire ! interrompit d'Assas, dans ma famille on n'a jamais fui – ni la prison ni la mort. Veuille donc Votre Majesté se rassurer : je vais de ce pas me rendre prisonnier...

Il se tourna vers Jeanne, et, refoulant un sanglot, d'une voix ferme, douce et triste, il prononça :

– Adieu, madame !...

Et il se dirigea vers son cheval sans tourner la tête.

– L'insolent ! gronda Louis XV, il saura ce qu'il en coûte de braver le roi de France !... S'il ne fuit pas, une bonne corde...

– Sire, murmura Jeanne pantelante, écoutez-moi... Ce jeune homme m'aime...

– Raison de plus !...

– Sire, je vous demande sa grâce !...

– Eh quoi ! n'avez-vous pas entendu ?... Vous pleurez !...

– Sire, songez que le souvenir de notre rencontre sera souillé de sang !...

– Eh bien, soit !... Il ne mourra pas !

Et en lui-même, le roi ajouta :

– La Bastille tue aussi bien que la hache du bourreau !

– Sire ! reprit Jeanne en saisissant convulsivement la main de Louis XV, c'est la grâce entière de ce jeune homme que je vous demande !...

– Ah ! ah !... Vous l'aimez donc ?...

– Non ! je n'aime que vous au monde, Sire ! répondit Jeanne d'une voix pénétrante, brisée de sanglots, et si profonde, si vraie, que le roi fut convaincu. Seulement, écoutez bien, Sire : Si M. le chevalier d'Assas n'est pas libre à l'instant, je l'appelle au moment où il va passer, je me confie à lui, et je le prie de me ramener à l'hôtel d'Étioles avant de se rendre au Louvre !...

Elle palpitait. De ses deux mains, sur son sein, elle contenait les battements de son cœur.

Sombre et hésitant, le roi la regardait... et il l'admirait ! Elle était en ce moment d'une beauté tragique qui le bouleversait de passion...

À ce moment, le chevalier d'Assas avait rejoint son cheval, avait sauté en selle, et, au pas, revenait vers le carrosse pour rentrer à Paris... Il arrivait à la hauteur du roi...

Jeanne fit un pas vers lui.

Alors Louis XV se décida : il la retint d'un geste, et appela :

– Chevalier d'Assas !...

Le chevalier arrêta net sa monture, et sans prononcer un mot, attendit...

– Vous êtes libre, monsieur ! dit le roi d'une voix altérée.

– Ô mon roi ! ô mon Louis ! murmura Jeanne. Comme vous êtes bien tel que je vous avais rêvé... magnifique et généreux !...

– Il me plaît, reprit Louis XV, d'oublier et votre acte insensé et les paroles plus insensées que vous avez prononcées...

Le chevalier, livide, demeurait immobile, pareil à quelque statue équestre. Avec la même indifférence qu'il avait reçu l'ordre d'aller se constituer prisonnier, il recevait l'annonce de sa liberté : le cœur serré comme dans un étau, la gorge angoissée, il n'y avait plus en lui qu'une pensée :

– Jeanne est à lui !... Jeanne est au roi !... Il ne me reste qu'à mourir !...

Mais Louis XV n'était pas l'être de générosité que Jeanne supposait dans son ardente imagination. Il vit tout ce que souffrait le malheureux jeune homme, et n'ayant pu le condamner ni à la corde ni à la Bastille, il voulut le condamner à une peine plus atroce.

Et ce fut d'une voix pleine de dédaigneuse raillerie qu'il acheva :

– Je ne veux conserver de cette nuit que les doux souvenirs qu'elle évoquera en moi. Allez, monsieur, vous êtes libre !...

Cette fois, en effet, le chevalier fut secoué par un long frémissement.

Il jeta un dernier regard empreint de désespoir sur celle qu'il adorait, et s'éloigna, s'effaça dans la nuit...

Alors Louis XV fit remonter dans le carrosse Jeanne toute pâle de cette scène, et agitée de sentiments confus où dominait la honte d'avoir été surprise par le chevalier d'Assas.

Puis il se retourna vers le postillon immobile et raide sur son siège.

– Vous êtes blessé ? demanda-t-il.

– Oui, Sire, j'ai l'épaule brisée... mais je puis conduire encore...

– Vous êtes brave ! fit le roi.

– Quant il s'agit du service de Sa Majesté, blessé ou non, tant qu'il me reste un souffle de vie, ce souffle appartient au roi...

– Votre nom ?...

– De Bernis, Sire !...

– Bien. Je ne vous oublierai pas, monsieur de Bernis !... Partons !...

Louis XV sauta légèrement dans le carrosse qui s'ébranla aussitôt dans la direction de Versailles...

Alors Bernis, tout en conduisant, banda tant bien que mal son bras gauche qu'il mit en écharpe.

Mais qui eût soulevé les bandages, qu'il fixait en souriant, eût constaté que le bras et l'épaule n'étaient nullement blessés...

XXVI

La petite maison

À peine le carrosse se fut-il mis en mouvement, tandis que d'Assas écrasé, l'âme éperdue, reprenait le chemin de Paris, les gens qui s'étaient étendus dans le champ voisin et avaient assisté à cette scène se relevèrent.

Du Barry courut aux chevaux, sauta sur le sien, et, donnant l'ordre à ses acolytes de reprendre le chemin de la ville, s'élança sur la route.

Il avait sinon tout vu, du moins tout entendu.

Il savait donc qu'au lieu de Berryer, c'était Louis XV qui se trouvait dans la voiture.

Ayant franchi d'un saut le fossé qui le séparait de la route, il prit le galop et ne tarda pas à rejoindre le carrosse. Alors, il lui laissa une avance suffisante pour ne pas être aperçu lui-même dans l'obscurité, et se mit à suivre.

– Ce d'Assas a toutes les chances ! grondait-il. Un autre, moi, n'importe qui, eût été arrêté demain matin, et alors la Bastille !... le bourreau, peut-être !... Ah ! ce roi est bien faible !... D'Assas s'en tire les mains nettes... Et qui sait si cette aventure ne le servira pas !... Voici la petite d'Étioles favorite ! Or, elle me fait l'effet d'éprouver pour le joli chevalier un sentiment qui frise la tendresse !... Enfin, tout n'est pas dit ! Qui vivra verra !...

Vingt minutes plus tard, le carrosse fut en vue du gigantesque château, évocation de l'immense orgueil de Louis XIV... Sans doute le roi avait donné des indications à Bernis, car celui-ci, sans hésiter, contourna l'aile droite du château, et lança le carrosse sur la route qui aboutissait à l'endroit où plus tard devait s'élever Trianon.

Au bout de dix minutes, la voiture s'arrêta...

Du Barry sauta vivement de sa selle, et sans se préoccuper de son cheval dressé à ne plus bouger de place dès que le chevalier mettait pied à terre, il se rapprocha d'arbre en arbre et put ainsi arriver à temps pour voir Louis XV descendre... Jeanne demeurait dans la voiture...

Bernis, n'ayant reçu aucun ordre, restait immobile à sa place.

Du Barry embrassa cette scène d'un coup d'œil.

Il vit alors que le carrosse était arrêté devant la porte d'un élégant pavillon de style Renaissance où tout paraissait dormir, volets clos et portes fermées...

Le roi s'approcha de la porte d'entrée et souleva trois fois le marteau.

Aussitôt, comme s'il y eût quelqu'un qui veillât en permanence, la porte s'ouvrit, et une gracieuse soubrette apparut, éclairée par la lampe qu'elle tenait à la main. Cette femme reconnut-elle le roi ? Peut-être. Mais elle ne fit aucun geste de surprise, ne prononça pas un mot et se contenta d'éclairer le passage en élevant sa lampe.

Alors Louis XV se rapprocha du carrosse, ouvrit la portière et tendit la main.

Du Barry vit apparaître Mme d'Étioles qui, pâle et tremblante, s'appuya sur cette main pour descendre.

Le roi la conduisit jusqu'à l'entrée de la maison, et, s'adressant à la soubrette :

– Suzon, dit-il, voici votre nouvelle maîtresse. J'espère que tout est prêt pour la recevoir dignement.

– Oui, monsieur, répondit la soubrette.

– Madame, reprit Louis XV en se tournant vers Jeanne, veuillez vous considérer ici comme chez vous. Et vous y êtes réellement. Car cette maison, dès cet instant, vous appartient. J'ose espérer que vous voudrez bien parfois, parmi les amis qui viendront vous saluer, recevoir le plus fidèle et le plus soumis de vos serviteurs.

En même temps il s'inclina profondément.

Jeanne, troublée jusqu'à l'âme, eut une dernière hésitation...

Elle fit une révérence et murmura d'une voix confuse :

– Vous serez toujours le bienvenu... monsieur !...

Et elle entra !...

Louis XV demeura un instant devant cette porte, un singulier sourire au coin des lèvres. Puis, vivement, il remonta dans le carrosse qui, quelques minutes plus tard, s'arrêta devant le château où tout était toujours prêt, nuit et jour, pour recevoir Sa Majesté...

– Ouf ! murmura Bernis en remettant le carrosse aux mains des valets d'écurie, je ne sais combien maître Berryer a pu grimper d'échelons cette nuit... je crois que, de mon côté, l'escalade se présente assez bien... Or çà ! réfléchissons maintenant !... Dois-je ou non prévenir ce cher M. Jacques... oh ! pardon... monseigneur !... Voyons : de quel côté dois-je me laisser pousser ?... Si je laissais faire ?... Qui sera vainqueur ? le roi, ou la puissante société à laquelle je suis affilié ?... Prenons toujours deux jours de repos... et de réflexion...

Sur ce, M. de Bernis se retira dans la chambre qu'on lui avait préparée, et se mit, en effet, à réfléchir.

Quant à du Barry, il était remonté sur sa bête et avait repris à franc étrier le chemin de Paris.

À trois heures du matin, tandis que Bernis réfléchissait, que Berryer attendait, que Jeanne songeait à l'étourdissante aventure et que le roi dormait fort paisiblement, du Barry frappa à la maison de la rue du Foin, et, malgré l'heure, fut aussitôt introduit.

Là aussi, on était prêt à toute heure du jour et de la nuit...

Le lendemain, Paris apprit avec indifférence que la Cour s'était transportée à Versailles que le roi fût au Louvre ou au château, les édits sur les impôts n'en pleuvaient pas moins avec leur implacable régularité. Les Parisiens ne furent donc ni attristés ni joyeux de savoir que, par un de ces caprices qui étaient fréquents, leur monarque avait quitté la ville dans la nuit pour aller dormir à Versailles.

Toute la journée ce fut un exode de cavaliers, de carrosses, seigneurs et hautes dames s'empressant de courir là où ils étaient sûrs de retrouver Sa Majesté, c'est-à-dire la source des honneurs et des faveurs.

Seulement, comme tout ce monde était au courant des habitudes de Louis XV, il ne témoignait pas la même philosophie indifférente que les bons bourgeois de Paris.

Les ministres étaient soucieux.

Les jeunes seigneurs étaient au contraire tout joyeux : car

Versailles, c'était le lieu de délices... les fêtes de toute nature, la grande vie royale et somptueuse...

Les dames se demandaient ce que cachait ce caprice du roi...

Et plus d'une songeait à cette petite Mᵐᵉ d'Étioles avec qui Sa Majesté s'était entretenue pendant la fête de l'Hôtel de Ville... Quelques-unes, aussi, pensaient à cette superbe Mᵐᵉ du Barry que le roi avait paru si fort admirer, – et toutes, avec inquiétude, avec une sourde jalousie, se demandaient si, en arrivant à Versailles, on n'allait pas leur présenter quelque nouvelle duchesse de Châteauroux...

L'étonnement de tous et de toutes fut grand lorsque, le soir, on vit le roi causer affectueusement avec la pauvre Marie Leszczynska, la reine si dédaignée, si délaissée...

Louis XV avait assidûment travaillé avec M. le marquis d'Argenson. Puis, il avait eu une longue entrevue avec son lieutenant de police. Avec ses courtisans, il se montra gai, affable, plus de vingt hautes dames à qui il n'avait jamais adressé la parole reçurent ses compliments...

Il en résulta que tout le monde au château de Versailles était radieux, depuis la reine Marie, qui put espérer un retour de son royal époux, jusqu'au premier ministre qui n'avait jamais trouvé Louis XV aussi attentif au conseil, jusqu'aux seigneurs de moindre importance qui, dans la bonne humeur du roi, voyaient un présage des fêtes prochaines.

Mais ce qui surprit surtout ce monde si mobile et si prompt aux commentaires, ce fut de voir Sa Majesté s'entretenir assez longuement et en particulier avec ce petit abbé dédaigné, ce freluquet de poète qu'était M. de Bernis.

De Bernis portait le bras en écharpe, et, en l'abordant, le roi lui avait dit à haute voix :

– Vous êtes donc blessé, monsieur ?...

– Oui, Sire, avait répondu de Bernis, je me suis quelque peu foulé le bras gauche...

– Il faut vous reposer, avait repris le roi avec sollicitude.

– Sire, il n'est pas pour moi de repos plus propice à la guérison que de me trouver auprès de Votre Majesté.

Le roi avait souri à cette extravagante flatterie et avait entraîné le petit abbé dans une embrasure de fenêtre.

Lorsque Louis XV quitta Bernis, les seigneurs les plus huppés se crurent obligés de venir lui demander des nouvelles de son bras. Jamais Bernis ne s'était vu à pareille fête. Quelques-uns essayèrent habilement de savoir la cause de cette mystérieuse foulure... mais il demeura impénétrable, papillonna de groupe en groupe, reçut et rendit force œillades, force compliments ; chacun l'admira et lui découvrit tout à coup un esprit, une galanterie, une foule de qualités jusque-là insoupçonnées !... Bernis était sur le chemin de la fortune !...

Vers dix heures, Louis XV se retira dans ses appartements et se remit aux mains de Lebel, son valet de chambre.

Bernis rayonnant monta les escaliers qui conduisaient à la chambre qui lui avait été assignée : car le roi avait voulu qu'il logeât au château.

– Décidément, se disait Bernis, je crois que j'ai bien fait de ne pas aller trouver... M. Jacques ! Vive le roi, morbleu !... surtout s'il tient les promesses qu'il m'a faites... *Et pourquoi ne les tiendrait-il pas ?*

En prononçant ces paroles *in petto*, Bernis tourna le bouton de sa chambre, et aperçut un homme installé au coin de la cheminée, devant un bon feu clair...

Bernis crut d'abord s'être trompé, mais il s'assura promptement qu'il était bien chez lui...

Il entra donc, ferma la porte et, marchant à l'homme qui, assis dans un fauteuil, lui tournait le dos, il lui dit gaiement :

– Enchanté de vous recevoir chez moi, monsieur, surtout si vous me dites qui j'ai l'honneur... de...

Les derniers mots expirèrent dans sa gorge.

L'homme s'était retourné, se levait... et dans cet inconnu, Bernis reconnaissait... M. Jacques !... son supérieur... le chef redoutable et redouté... le maître tout-puissant !...

– Monsieur... balbutia-t-il... Monseigneur !...

Il fléchit le genou, pâle soudain.

– Remettez-vous, dit M. Jacques. Relevez-vous... et regardez-moi... Que craignez-vous ?... Qu'on m'ait vu entrer ici ?... Rassurez-vous...

– Oh ! Monseigneur...

– Alors ?... Vous avez donc une faute sur la conscience ?... En ce cas, confessez-la-moi, mon enfant. Vous savez que notre ordre, s'il est impitoyable pour les hypocrites et les traîtres, sait pardonner à ceux qui se repentent... Parlez donc sans crainte, je vous écoute...

En même temps, M. Jacques se laissa retomber dans son fauteuil.

Bernis était atterré...

Mais il avait rapidement pris son parti. Et ce fut d'une voix raffermie qu'il dit :

– Monseigneur, j'ai en effet une faute à me reprocher : c'est d'avoir tardé à vous mettre au courant des incidents de la nuit dernière...

– Ce n'est pas grave, dit paisiblement M. Jacques, et d'ailleurs, vous avez une excuse...

Bernis frémit. Il lui semblait deviner une effrayante ironie sous l'air calme de son terrible interlocuteur.

– Hélas ! non, Monseigneur, dit-il.

– Mais si fait !... Vous êtes blessé... C'est une raison suffisante !...

– C'est vrai, Monseigneur, fit de Bernis avec joie, je n'y pensais plus...

– À la raison ou à la blessure ?... C'est le chevalier qui vous a blessé ?...

– Oui, Monseigneur.

– Coup d'épée ?...

– Non : il a fait feu sur moi...

– Un coup de pistolet. Tenez, mon enfant, j'ai sur moi un baume souverain contre les coups de feu... laissez-moi débander votre bras et je réponds d'une prompte guérison...

– Monseigneur, balbutia Bernis devenu blême, je... ne permettrai pas... je suis confus...

– Bah ! Bah !... Laissez-moi faire, vous dis-je !

En même temps, M. Jacques débouchait un flacon qu'il venait de sortir de sa poche et saisissait le bras en écharpe.

Bernis se recula de deux pas et tomba à genoux.

– Monseigneur, dit-il en courbant la tête, accablez-moi : j'ai menti ! Je ne suis pas blessé !...

– Ceci est plus grave, dit M. Jacques après quelques instants de silence. Un mensonge !... Vous savez comme nous punissons le mensonge de l'inférieur au supérieur, à plus forte raison le mensonge au général de l'ordre !... Vous n'avez qu'un moyen d'espérer l'absolution : c'est de mettre à nu votre âme. Si vous avez éprouvé quelque mauvaise tentation, si le démon de l'ambition précipitée vous a soufflé des conseils pernicieux, dites-le moi... et nous verrons !...

– Monseigneur, dit Bernis en se relevant, je n'ai d'autre faute à me reprocher que celle de ne pas être venu vous prévenir, comme c'était mon devoir...

M. Jacques, sans dire un mot, alla à un fauteuil où il avait déposé son manteau. Il saisit le vêtement et s'en enveloppa.

– Que faites-vous, Monseigneur ! s'écria Bernis en tremblant.

M. Jacques, alors, se retourna vers lui.

Il était méconnaissable. Ses yeux flamboyaient. Ses traits étaient empreints d'une indicible majesté.

– Ce que je fais ? gronda-t-il. J'abandonne la brebis égarée qui refuse de rentrer au bercail. Je fuis cet appartement où l'on respire une atmosphère de trahison et de mensonge !... Rappelez-vous le papier que vous avez signé ! Rappelez-vous que vous vous êtes engagé à servir les intérêts de l'ordre contre les intérêts du roi. Demain, ce soir, que dis-je ! dans quelques minutes, ce papier sera dans les mains de Louis XV. Tout à l'heure vous étiez son favori. Cette nuit où vous avez fait des rêves de fortune, vous l'achèverez à la Bastille... et vous pourrez y réfléchir aux moyens de nous trahir encore. Seulement, votre réflexion risque de durer toute votre vie !...

– Grâce, Monseigneur ! bégaya Bernis. Vous êtes terrible. Je me repens ! oh ! je me repens !...

– Ainsi, continua M. Jacques, vous vous êtes dit : « Je ne préviendrai pas mon chef des choses qu'il a intérêt à savoir. Je servirai les honteuses passions de ce roi pervers ! Et de cette façon, je m'élèverai plus rapidement au faîte de la fortune !... » Insensé. ! Vous avez eu pourtant la preuve que je savais toujours tout à temps !...

– Pardonnez-moi, Monseigneur ! s'écria Bernis. Eh bien, oui, je l'avoue ! l'ambition m'a tenté ! L'ambition m'a fait sortir de la voie étroite ! Mais je suis prêt à y rentrer !... Non pas que je redoute l'écroulement d'un rêve ; non pas que j'ai peur de la Bastille !... Monseigneur, vous le savez : pour un rêve qui s'envole, on en échafaude vingt autres... et on peut sortir du cachot le plus secret !... Vous connaissez mon âme, vous savez quelles sont mes aspirations ! Eh bien, Monseigneur, je me repens parce que je vois que vous êtes réellement le plus fort, parce que je vous admire et que vous m'inspirez un sentiment qui confine à l'adoration... Soyez clément, soyez généreux... et vous me savez capable de réparer les plus grands malheurs...

– Bien, mon fils ! dit M. Jacques en revenant prendre sa place auprès du feu. En ce moment, vous êtes vraiment sincère, et j'espère que cette nuit vous aura été une leçon salutaire... Vous êtes une des plus subtiles intelligences qui soient dans notre ordre. Vous m'êtes précieux. Je ne perdrai donc pas de temps à feindre une sévérité qui est loin de mon cœur et de mon esprit. Vous êtes pardonné. Jamais plus un mot sur tout ceci...

Bernis se courba, saisit la main que lui tendait M. Jacques, et, avec un effroi respectueux, la baisa.

– Voyons, dit alors M. Jacques. Racontez-moi les choses telles qu'elles se sont passées.

Bernis fit un récit exact et détaillé de toute la scène que nous avons racontée.

Il acheva en donnant des renseignements sur la maison où Jeanne avait été conduite.

M. Jacques écoutait, renversé sur son fauteuil, les yeux fermés : il prenait des notes.

– Bernis, dit-il enfin, il faut que, sous deux jours au plus tard, j'aie la liste de toutes les personnes qui, à un titre quelconque, habitent cette maison ; il me faut une notice exacte sur chacune d'elles, sur ses mœurs, ses goûts et son degré de corruptibilité...

Vous me comprenez ?...

– Oui, Monseigneur. Et je puis déjà vous signaler une femme de chambre que Berryer a placée là il y a quelque temps pour être renseigné...

M. Jacques eut un imperceptible tressaillement de joie.

– Elle s'appelle Suzon, reprit Bernis. C'est une fine mouche. Elle est toute à la dévotion du lieutenant de police, mais j'ai cru m'apercevoir en deux circonstances qu'elle ne me regardait pas d'un mauvais œil...

– En sorte que vous pourriez vous introduire dans la place ?...

– Je le crois, Monseigneur.

– Et y introduire quelqu'un avec vous ?... Homme ou femme ?

– J'en suis sûr, Monseigneur !...

– Allons ! murmura alors M. Jacques, la partie n'est pas perdue !... Je prendrai ma revanche !... Bernis, reprit-il tout haut, pensez-vous pouvoir arriver à persuader à cette fille... comment l'appelez-vous ?

– Suzon... je vous répète, Monseigneur, qu'elle a peut-être quelque secrète complaisance pour moi, mais que c'est une fille très fine, très dévouée à Berryer...

– Il faudrait la décider à se faire remplacer dans son service par une autre femme... Pouvez-vous y arriver ?

– Je ferai l'impossible, Monseigneur. Mais cette remplaçante...

– Je vous la désignerai au moment voulu. Pour le moment, voici mes ordres : il me faut un plan de la maison, une notice sur toute personne y habitant ; et enfin, vous vous occuperez dès demain matin de vous mettre au mieux avec la petite Suzon...

– Vous n'avez pas d'autres ordres à me donner, Monseigneur ?

– Si fait... Il faudrait faire savoir à M. le chevalier d'Assas en quel lieu Mme d'Étioles a été conduite, et ajouter que le roi n'a pas encore pénétré dans la maison...

– C'est-à-dire réveiller ses espérances ?... Je m'en charge !...

M. Jacques fit un signe de tête approbatif et, ayant donné sa bénédiction sous laquelle Bernis se courba, il se retira sans bruit.

Il paraissait parfaitement connaître le dédale des escaliers et des couloirs du château.

Car il refusa de se laisser accompagner par Bernis.

En réalité, il fut reconduit par un homme qui l'attendait au détour du premier couloir qu'il longea.

Cet homme, enveloppé d'un manteau sous lequel on pouvait parfois apercevoir le brillant costume d'un grand seigneur, conduisit M. Jacques, répondit aux gardes qu'il rencontra, donna le mot de passe à la grille, et enfin, sur l'esplanade, s'inclina profondément.

– Monseigneur est-il satisfait de son humble cavalier d'escorte ? demanda-t-il.

– Très satisfait, mon cher comte, je vous en remercie, répondit M. Jacques ; vous pouvez vous retirer et rentrer au château.

L'homme salua plus profondément encore et fit quelques pas pour se retirer.

– À propos, dit alors M. Jacques, connaissez-vous M. de Bernis ?

– Oui, Monseigneur...

– Eh bien, vous abandonnerez momentanément le service que je vous avais indiqué. Vous vous attacherez à la personne de M. de Bernis. Et vous me renseignerez tous les soirs par une notice exacte sur ses faits et gestes, sur ses paroles, sur tout incident quelconque...

Et cette fois, le général de la Société de Jésus s'éloigna pour tout de bon, tandis que son conducteur rentrait au château. Et qui se fût trouvé près de lui l'eût entendu murmurer :

– Comme les hommes sont lâches ! Et comme il est difficile de les maintenir dans la voie !... Et pourtant, il suffirait d'un peu d'intelligence et de volonté combinées pour bouleverser le monde !... Allons... faisons notre devoir jusqu'au bout !...

XXVII

Sous les quinconces

Le lendemain de grand matin, M. de Bernis, son bras toujours en écharpe, quitta le château sans avoir été remarqué. Le mystérieux personnage que nous continuerons à appeler M. Jacques avait bien tort de se défier de lui. Non seulement Bernis était trop intelligent pour persister dans ses velléités de trahison, mais encore il avait pour son chef suprême une admiration sans bornes. La scène de la nuit n'était pas faite pour diminuer cette admiration...

Il résolut d'être désormais fidèle et d'obéir aveuglément.

Il faut ajouter que sa fidélité à M. Jacques ne pouvait en rien lui enlever la faveur qu'il avait conquise auprès du roi. Au contraire, peut-être allait-il trouver l'occasion de rendre à Sa Majesté de nouveaux services.

Ce fut donc plein d'ardeur qu'il prit le chemin de Paris et se rendit tout droit à l'auberge des *Trois-Dauphins*, où il demanda à parler à M. le chevalier d'Assas.

Quelques minutes plus tard il était introduit dans la chambre de d'Assas, et, après l'avoir salué courtoisement, lui demandait :

– Me reconnaissez-vous, monsieur ?

Le chevalier examina un instant son visiteur et secoua la tête.

Bernis avait mis cet instant à profit pour étudier de son côté celui qu'il venait voir. Le chevalier était fort pâle, ce qui prouvait qu'il avait peu ou pas dormi, et il avait les yeux rouges, ce qui prouvait qu'il avait pleuré beaucoup. Il semblait accablé par une morne tristesse. De plus, Bernis remarqua que son portemanteau était ouvert sur le lit et qu'il était en train d'y ranger les effets de parade qu'il avait apportés à Paris ; évidemment d'Assas s'apprêtait à s'en aller.

– Monsieur le chevalier, reprit-il en voyant que d'Assas secouait la tête, je m'appelle M. de Bernis, et je passe pour un poète passable. Mme de Rohan, dont vous connaissez la réputation d'esprit, me veut quelque bien, et j'ai tout lieu de croire que je ferai mon chemin comme un autre.

Le chevalier s'inclina poliment, mais froidement.

– Cette présentation faite, cher monsieur, continua Bernis, et je doute qu'elle vous ait intéressé, je vais vous dire une chose qui vous intéressera davantage : c'est moi qui, l'autre nuit, conduisais le carrosse où se trouvaient Mme d'Étioles et sa Majesté...

Le chevalier frissonna. Pour ce freluquet importun qui venait ainsi presque insulter à sa douleur, il eut un regard de haine, et ce fut d'une voix que la rage d'amour faisait trembler qu'il répondit :

– Je vois que vous faites plusieurs métiers, monsieur... tantôt vous faites des vers, et tantôt...

– Halte ! fit Bernis. Pardonnez-moi de vous interrompre...

– Et pourquoi m'interrompez-vous, s'écria violemment d'Assas, au moment où j'allais dire...

– Je vous interromps encore... et c'est parce que je lis dans vos yeux que vous avez une insulte au bout de la langue. Or, mon cher chevalier, si je vous laissais proférer cette insulte, nous serions obligés de nous couper la gorge ce soir ou demain, ce qui n'est rien. Mais je serais aussi obligé de vous quitter sur l'heure, ce qui serait fâcheux pour vous qui ne sauriez pas ce que j'avais à vous dire, et fâcheux pour moi qui serais désespéré de laisser dans le désespoir le gentil garçon que, d'un mot, je pouvais consoler...

– Que signifie... ? murmura le chevalier étourdi de ce babil.

– Cela signifie, se hâta de reprendre Bernis, que, conduisant le carrosse de Sa Majesté l'autre nuit, j'ai assisté à toute la scène, et que j'ai trouvé votre attitude héroïque, et que vous m'avez du premier coup inspiré la plus vive et la plus sincère sympathie. En même temps j'ai pu comprendre l'état de votre cœur, ce qui n'était pas trop difficile, et je me suis dit : voici, par ma foi, un gentilhomme qui va pleurer, bien à tort, toutes les larmes de ses yeux, puisqu'il s'imagine... ce qui n'est pas...

D'Assas bondit.

– Ce qui n'est pas ! balbutia-t-il en devenant livide. Au nom du ciel, monsieur, expliquez-vous clairement... je sens que ma tête s'égare rien qu'à la pensée que... peut-être... je me suis trompé...

– Eh bien ! je vais être clair et précis. D'abord, vous croyez que Mme d'Étioles a volontairement suivi le roi ?

– Oui !...

– Vous croyez ensuite qu'elle l'aime ?...

– Hélas !...

– Enfin, vous croyez que depuis l'autre nuit ils ne se sont pas quittés ?

D'Assas baissa la tête. Et une larme brûlante parut dans ses yeux.

– Vous vous trompez sur ces trois points... ou presque, dit alors Bernis.

Le chevalier eut un long frémissement.

– Tout d'abord, c'est contrainte et forcée que Mme d'Étioles est montée dans le carrosse. C'est à la suite d'un véritable guet-apens et je puis vous en parler en connaissance : j'ai assisté à la chose. Elle s'est défendue vaillamment, je vous le garantis, et on n'a eu raison de sa résistance qu'en lui assurant qu'on la conduisait dans une maison où elle serait chez elle...

Le chevalier secouait la tête et songeait :

– Pourquoi alors ne s'est-elle pas confiée à moi lors de la rencontre ?...

– Il est vrai, reprit Bernis, que cette charmante jeune femme a quelque penchant pour le roi... ou du moins elle est éblouie par la grandeur royale. Mais ceci ne me regarde pas... Et j'arrive au troisième point : Mme d'Étioles a été conduite à Versailles dans une maison où Louis XV n'a pas pénétré. Et elle n'y est entrée qu'à cette condition qu'elle recevrait qui bon lui semblerait... même son mari, ajouta Bernis en éclatant de rire.

– Êtes-vous sûr de ce fait ? haleta d'Assas qui saisit la main du visiteur.

– Pardieu ! monsieur, s'écria Bernis en jetant un cri de douleur, vous oubliez que vous m'avez fracassé l'épaule !...

– Oh ! pardon... c'est donc moi... c'est donc mon coup de pistolet...

Le pauvre chevalier était désolé ; et à cette désolation, Bernis vit qu'il avait cause gagnée.

– Ce n'est rien, reprit-il. Dans huit jours, il n'y paraîtra plus. Et puis, cela m'apprendra à me mêler de ces sortes d'aventures au lieu de m'occuper de rimer, ce qui est mon métier... Si je suis sûr que le roi n'a pas encore pénétré auprès de Mme d'Étioles !... Je puis vous le jurer sur l'honneur !...

– Et comment le savez-vous ? s'écria le chevalier repris d'un soupçon subit.

– Chevalier, vous aimez ; sur ce point, au moins, je vous ressemble : j'aime !... Oh ! rassurez-vous : ce n'est pas Mme d'Étioles... mais une charmante, une délicieuse enfant qui habite la maison en question, à titre de soubrette... Que voulez-vous ? Je déroge, mais la coquine m'a ensorcelé, je crois... C'est pour lui complaire que je me suis transformé en Phébus conduisant le char de l'Amour... Bref, Suzon... elle s'appelle Suzon... n'a plus aucun secret pour moi... et par elle je sais tout ce qui me tient à cœur, pour moi... ou pour mes amis... et je veux espérer que vous me faites l'honneur d'être de mes amis.

Le chevalier tendit sa main à Bernis et appela pour qu'on montât du vin d'Espagne.

La glace rompue, Bernis accumula les détails, fournit des preuves, répondit à toutes les questions du chevalier, l'assura qu'il serait enchanté de jouer un mauvais tour au roi qu'il détestait, et finalement lui proposa de le conduire à Versailles, pour lui montrer la maison où Mme d'Étioles était enfermée.

– Je n'osais vous le demander ! s'écria le chevalier transporté, mais j'avais déjà fait mon plan : je vous eusse suivi, et puisque vous vous rendez tous les jours dans cette maison...

– Bien imaginé ! Eh bien ! mon cher chevalier, faites comme si je ne vous avais rien proposé : suivez-moi sans que je m'en aperçoive. Je vais de ce pas monter à cheval, et la maison devant laquelle vous me verrez m'arrêter... eh bien, ce sera là ! De cette façon, nul ne pourra dire que je vous ai conduit... Et même, s'il vous arrivait de me rencontrer à Versailles...

– Soyez tranquille, je ne vous reconnaîtrai pas...

– Parfait. En route, donc !...

Les deux jeunes gens descendirent, enfourchèrent chacun leur cheval, et marchèrent de conserve jusqu'à ce qu'ils fussent sortis de Paris. Alors, ils se serrèrent la main, et de Bernis prit les devants, suivi à deux cents pas par le chevalier.

Le soir tombait au moment où ils arrivaient à Versailles.

Bernis contourna l'aile droite du château ; le chevalier, le cœur battant, le vit passer au pas et s'arrêter enfin devant une maison isolée. Bernis mit pied à terre comme pour ressangler son cheval, puis, se remettant en selle, ne tarda pas à disparaître.

Aussitôt le chevalier sauta à terre, attacha sa bête à un tronc d'arbre et s'avança vers la maison, qui avait une apparence des plus mystérieuses. Il s'arrêta à vingt pas de la façade, et, dissimulé dans l'ombre du quinconce, l'examina avec un intérêt facile à comprendre.

– C'est là ! murmura-t-il. Elle est là ! Ce jeune homme ne peut avoir menti ; quel intérêt aurait-il eu à me tromper ?... Oui ! elle doit être là !... Que ne puis-je entrer ! lui parler ! lui dire tout ce que je souffre !...

À ce moment, un homme enveloppé d'un manteau, qui à quelques pas de là surveillait, lui aussi, la maison, aperçut le chevalier, sourit et s'enfonça plus profondément dans l'ombre, en disant :

– Bernis a tenu parole... voici le chevalier... Allons ! la leçon de cette nuit a été bonne !...

Cet homme, c'était M. Jacques...

Le chevalier, timide et palpitant comme un pauvre amoureux qu'il était, dévorait des yeux la maison et prenait l'héroïque résolution d'aller frapper à la porte, tout en se disant d'ailleurs qu'il n'en aurait jamais le courage.

Pourtant, à force de s'affirmer qu'il ne pouvait plus vivre s'il ne la revoyait pas encore, il finit par se détacher de l'arbre auquel il s'était accoté et il avançait de quelques pas, lorsqu'il fut heurté par quelqu'un qui marchait assez vivement.

– Au diable l'importun ! grommela le quelqu'un.

– Au diable vous-même, monsieur le malappris ! répliqua vivement le chevalier qui se trouvait dans cet état d'exaspération particulier aux amoureux que l'on dérange.

– Eh ! reprit la voix en se faisant narquoise et insolente, c'est ce cher chevalier d'Assas !...

– Le comte du Barry ! fit d'Assas en reconnaissant l'homme.

C'était du Barry, en effet, qui, ayant sans doute reçu quelque mission, rôdait de son côté aux abords de la fameuse petite maison, laquelle, à défaut d'autre mérite, avait du moins en ce moment celui d'être parfaitement gardée.

Du Barry, en reconnaissant d'Assas, jeta un rapide regard autour de lui.

Le paysage était désert. Sous les quinconces, la solitude était profonde.

Quant à la maison, elle était assez éloignée et hermétiquement close.

Alors une bouffée de fiel monta au visage de du Barry.

Cet homme, ce chevalier qui l'avait insulté, humilié, puis blessé, il le haïssait !

Le terrible M. Jacques avait imposé silence à cette haine. Du Barry avait dû s'incliner, la rage au cœur.

Mais maintenant, ils étaient seuls en présence !...

Un coup d'épée est vite donné... Et s'il touchait le chevalier, s'il le tenait un instant à sa merci, le poignard achèverait ce que l'épée avait commencé.

D'Assas avait reculé de deux pas. Le comte lui inspirait une insurmontable aversion. Et pourtant, d'après ce que lui avait dit M. Jacques, c'est à du Barry qu'il avait dû de sortir promptement de la Bastille.

Le chevalier souleva donc son chapeau, et, se contraignant à la politesse :

– Comte, dit-il, on m'a assuré que vous avez tout fait pour me rendre la liberté lorsque j'ai été arrêté. Veuillez donc recevoir ici mes remerciements...

– Ma foi, mon cher monsieur, vous m'étonnez, fit du Barry. Je me suis occupé de vous rendre la liberté, moi ?... Je suis charmé de l'apprendre...

D'Assas remit son chapeau sur sa tête.

Du Barry ne s'était pas découvert.

– En ce cas, reprit le chevalier, j'ai eu tort de vous présenter mon compliment, et je le regrette.

– D'autant plus, ricana du Barry, que votre compliment, à des oreilles mal intentionnées, eût pu sembler vous avoir été dicté par la crainte.

– Quelle crainte, je vous prie ? fit d'Assas qui commençait à voir où le comte voulait en venir.

– Mais la crainte, par exemple, que je ne vous demande compte de certain coup d'épée que vous me donnâtes par surprise... Au surplus, en Auvergne, c'est peut-être par des compliments que l'on paie les dettes d'honneur. Je vous préviens que je n'accepte pas cette monnaie, monsieur...

– En Auvergne, monsieur, répondit gravement d'Assas, quand on rengaine un compliment, on dégaine l'épée...

– En garde, donc ! fit du Barry, les dents serrées par la rage. En même temps, les deux adversaires jetèrent bas leurs manteaux, sortirent les épées du fourreau et tombèrent en garde.

– Tenez-vous bien, cette fois, gronda le comte, car je vous préviens que je ne fais pas de quartier.

Et il se fendit à fond.

– Vous êtes insensé, monsieur, railla d'Assas en parant le coup : mais je veux être plus généreux que vous, et cette fois encore, je vous ferai quartier, car je me contenterai de vous marquer à la joue...

– Misérable ! rugit le comte, c'est la dernière fois que tu m'auras raillé !

Et il se rua sur son adversaire ; au même instant un homme s'élança entre les deux duellistes, en disant avec autorité :

– Bas les armes !...

– Par la mordieu ! gronda du Barry.

L'inconnu écarta son manteau et son visage apparut. M. Jacques – car c'était lui – ajouta aussitôt :

– Remettez votre épée au fourreau : je vous l'ordonne...

Du Barry fit un geste de rage, ses yeux devinrent sanglants... mais M. Jacques le regarda fixement... le comte obéit.

– Je suis déshonoré ! murmura-t-il en frémissant.

– Non, monsieur, dit d'Assas, pas pour cela, du moins ; et pour preuve, je serai toujours votre homme, quand il vous plaira...

– Merci, monsieur ! balbutia confusément du Barry.

M. Jacques se tourna alors vers le chevalier.

– Mon enfant, dit-il, laissez-moi espérer que vous écouterez ma voix. Le comte du Barry n'est pas votre ami ; vous n'êtes pas le sien : mais vous pouvez et vous devez être alliés...

– Pour quelle œuvre ? quelle besogne ? fit d'Assas avec hauteur.

– Écoutez-moi un instant, dit paisiblement M. Jacques en se reculant.

D'Assas le suivit.

– Mon enfant, reprit alors M. Jacques, c'est moi qui vous ai tiré de la Bastille ; c'est moi qui vous ai consolé ; c'est moi qui, jusqu'ici, ai préservé Mme d'Étioles...

D'Assas frémit.

– C'est moi, continua M. Jacques, qui vous ai fait prévenir qu'on allait l'enlever ; c'est moi qui ai fait suivre le carrosse ; enfin, c'est moi qui aujourd'hui même vous ai envoyé Bernis... Je ne veux pas que le roi abandonne encore la reine Marie ! Pour toutes sortes de raison de morale et de politique, je ne veux pas que Mme d'Étioles lui appartienne... Me croyez-vous ?...

– Oui ! gronda le chevalier, au visage de qui monta une bouffée de sang. J'ignore qui vous êtes ; j'ignore les vrais motifs qui vous font agir, mais je vous crois !...

– C'est tout ce qu'il faut. Peu vous importe que je vous dise ou non la vérité sur certains points ; ce qui vous importe, c'est que je veux séparer à tout jamais Mme d'Étioles et le roi. C'est mon intérêt. C'est le vôtre. Nous sommes donc alliés ?

– Nous le sommes, fit d'Assas qui haletait.

– Eh bien ! maintenant, écoutez ceci : M. du Barry était ici, par mon ordre, pour surveiller cette maison et au besoin empêcher par la force le roi d'y entrer... Est-il votre allié ?...

Le chevalier se tut.

– Que le comte soit tué, acheva M. Jacques, ou même qu'une blessure le mette au lit pour huit jours, et vous aurez servi les intérêts du roi, mon enfant...

D'Assas fit un geste de rage.

– Sans du Barry, je ne puis rien, vous entendez ?... Battez-vous donc avec lui, si cela vous convient, mais seulement quand il n'y aura plus de danger pour Mme d'Étioles...

– Et comment le saurai-je ?...

– Je vous préviendrai, dit M. Jacques avec un sourire. Ainsi, c'est entendu, jusque là, le comte vous est sacré ?...

– Je jure de ne pas le provoquer, dit d'Assas.

– C'est tout ce qu'il faut, mon enfant. Adieu... à bientôt !... À propos, où logez-vous ?...

– Mais... aux *Trois-Dauphins,* vous le savez, monsieur.

– À Paris, oui ; mais à Versailles ?...

– Je n'ai point de logis à Versailles, monsieur.

M. Jacques leva les bras au ciel avec indulgence.

– Voilà bien les amoureux ! dit-il. Imprévoyants jusqu'à la folie. Ils se contentent de soupirer. Eh bien ! je vais vous indiquer un logis, moi, car il faut que vous vous installiez à Versailles...

– Tout mon portemanteau est à Paris, dit d'Assas étourdi.

– Ne vous en inquiétez pas : on vous le renverra.

– Ma bourse est maigre.

– Que cela ne vous arrête pas : vous n'aurez rien à payer dans le logis où je prétends vous envoyer. Allez donc aux Réservoirs. Prenez la ruelle qui débouche juste en face. Arrêtez-vous devant la quatrième maison à gauche, frappez deux coups, et à celui qui viendra vous ouvrir, dites simplement que vous êtes envoyé par M. Jacques.

Là-dessus, M. Jacques fit un geste amical au chevalier, s'approcha de du Barry, le prit par le bras et l'entraîna vivement.

– Ah çà ! êtes-vous fou, mon cher comte ? lui dit-il. Vous venez déranger ce digne jeune homme juste au moment où il se dirige vers la maison !... Vous lui cherchez querelle ! Vous me l'auriez blessé, tué peut-être !...

– Je le hais ! gronda du Barry.

– Oui, je sais... Mais n'aurai-je donc jamais autour de moi que des hommes incapables de dominer leurs passions ?... Attendez, que diable ! Et quand il en sera temps, je vous livre le petit chevalier.

– Quand cela ? fit avidement du Barry.

– Je vous le dirai. Jusque là, vous êtes alliés, vous devez le respecter. Il vous est sacré. Vous aviez déjà promis. Cette fois-ci, il me faut un serment...

– Je le jure, dit le comte après un instant d'hésitation.

– Bien ! reprit M. Jacques sur un ton dur dont du Barry comprit parfaitement toutes les menaces pour le cas où il ne tiendrait pas la parole donnée.

Ce terrible personnage, qui semblait ainsi jongler avec la conscience des gens qui l'entouraient, reprit alors :

– Et Juliette ?... Est-elle arrivée ?...

– Depuis deux heures, elle est dans la maison de la ruelle aux Réservoirs.

– Parfait, mon cher comte... Avez-vous besoin de quelque argent ?... Oui... Eh bien ! passez chez moi ce soir... Et quant à Juliette, tenez-vous prêt à la conduire lorsque Bernis viendra vous prévenir...

Les deux hommes s'éloignèrent dans la direction de Versailles, M. Jacques tenant toujours du Barry par le bras.

XXVIII

L'hospitalité de M. Jacques

Le chevalier d'Assas était demeuré seul, tout étourdi de la singulière invitation que lui avait faite M. Jacques, et de la désinvolture plus singulière encore qu'il y avait mise.

Devait-il accepter ?

Cet homme l'étonnait et l'effrayait.

En somme, tout ce que M. Jacques lui avait dit était exact : il lui devait la liberté, il lui devait de savoir où se trouvait Jeanne.

Et pourtant le chevalier sentait que s'il acceptait de se rendre dans le logis qui lui était offert, il allait peut-être se livrer à un homme qui lui apparaissait redoutable de mystère et de puissance.

D'autre part, retourner à Paris lui semblait maintenant chose impossible. Il avait cette sensation que sa présence à Versailles protégeait encore Jeanne et que, lui parti, tout serait fini...

Et sa maigre bourse tirait à sa fin !... Il était venu à Paris comptant repartir bientôt, et, pauvre d'argent, s'il était riche d'espoir, n'avait emporté que sa solde.

– Allons toujours voir le logis en question, se dit-il. Et puis nous verrons !... Quant à m'en aller de Versailles... non... c'est impossible !... Le moment est venu de tout risquer... même ma dignité !

Et humilié, furieux contre lui même, mais tout soupirant d'amour, le chevalier, ayant envoyé un baiser dans la direction de la mystérieuse petite maison, se dirigea à grands pas vers son cheval, sauta en selle, et, en quelques minutes, atteignit les Réservoirs. Une ruelle débouchait là, comme l'avait dit M. Jacques.

Le chevalier, ayant mis pied à terre, entra dans la ruelle, et, selon la recommandation qui lui avait été faite, s'arrêta devant la quatrième maison à gauche.

C'était d'ailleurs une maison de modeste apparence, élevée seulement d'un étage, avec trois fenêtres closes de volets.

Le chevalier frappa deux coups.

Au bout de quelques instants, un judas s'entrouvrit, et, à travers le treillis, le chevalier crut un moment avoir vu le visage de M. Jacques lui-même.

Mais sans doute il s'était trompé.

Car lorsqu'on ouvrit, deux secondes plus tard, il se trouva en présence d'une sorte de valet qui demanda d'un air étonné :

– Que désire monsieur ?...

Le chevalier fut sur le point de répondre qu'il s'était trompé, et de se retirer.

Mais la pensée de Jeanne se présenta à lui. Et il répondit :

– Je viens de la part de M. Jacques...

Le valet changea aussitôt de mine, se fit souriant et frappa dans ses mains. Un deuxième valet apparut.

– Conduis à l'écurie le cheval de ce gentilhomme, fit celui qui avait ouvert et qui, alors, invita d'un geste le chevalier à entrer.

D'Assas pénétra dans un couloir au milieu duquel commençait un escalier qui conduisait à l'étage supérieur. Deux portes des pièces du rez-de-chaussée s'ouvraient sur ce couloir qui traversait la maison dans sa largeur.

L'ayant franchi, toujours précédé par le laquais, d'Assas se trouva dans une cour spacieuse sur laquelle s'élevaient trois pavillons séparés l'un de l'autre : l'un à gauche, le deuxième à droite, le troisième au fond. Avec le pavillon donnant sur la rue, cela formait un quadrilatère régulier.

Ces trois pavillons étaient silencieux, obscurs, et semblaient inhabités.

– Si vous voulez me suivre, mon officier ? fit le valet en pénétrant dans le pavillon de gauche.

D'Assas le saisit par le bras et lui demanda :

– Ah çà ! mon ami, vous étiez donc prévenu de ma visite ?

– Nullement, mon gentilhomme. Mais il y a toujours ici trois logis prêts pour ceux que nous envoie mon maître. Et ce sont généralement de dignes seigneurs qui ont intérêt à se cacher à Versailles, soit pour faire oublier une peccadille, soit pour tout autre motif que, vous le comprenez bien, je ne demande jamais.

En parlant ainsi, le laquais était entré dans une sorte de petit salon confortablement meublé et avait allumé des flambeaux. Ce salon était élégant. Il contenait une petite bibliothèque avec des livres, un clavecin – de quoi se distraire.

– Et votre maître, demanda d'Assas, qui est-ce ?

– Mais c'est M. Jacques, fit le valet d'un air étonné. Celui qui vous envoie...

– Et vous dites qu'il vient parfois ici des gentilshommes qui se cachent ?...

– Oui, mon officier... comme vous... des jeunes gens qui ont joué et perdu... ou qui ont rossé la maréchaussée... ou qui ont séduit la dame de quelque bourgeois, lequel s'avise de crier comme si on l'avait écorché... Nos fugitifs demeurent ici autant qu'il leur plaît et s'en vont quand ils veulent... Seulement, mon gentilhomme, vous n'avez pas de chance...

– Pourquoi cela ? demanda d'Assas.

– Parce que vous êtes seul et que vous allez sans doute vous ennuyer. Nous avons quatre pavillons et ils sont quelquefois occupés tous les quatre à la fois. Alors, on mène ici joyeuse vie... Enfin, cela vous servira de purgatoire pour la faute que vous avez sans doute commise. En tout cas, je suis à votre disposition, et s'il est en mon pouvoir de vous distraire...

– Merci, mon ami, fit le chevalier qui se rassurait de plus en plus tant ce laquais avait l'air jovial et tant ses explications paraissaient naturelles...

Monsieur Jacques lui apparut dès lors comme une sorte de philanthrope, une façon de providence...

– Voilà ! reprit le valet. Ici, votre chambre à coucher... ici, la salle à manger... Voici des livres... voici un clavecin si vous êtes musicien... Si mon officier veut me dire quelles sont les heures de ses repas et le régime qu'il préfère...

D'Assas eut un geste d'indifférence...

– Mon gentilhomme, insista le laquais, dites-moi au moins quels sont les vins que vous aimez...

– Ah ça ! mais tu comptes donc me nourrir comme un prince ?...

– Sais-je si vous n'êtes pas un prince déguisé ?... Il m'en est venu un une fois, et j'ai failli être chassé parce qu'un soir j'ai manqué de champagne... Depuis, je vous assure que la cave est bien garnie et que l'office regorge de victuailles choisies...

– Il est donc bien riche, ton maître ?

– Je n'en sais rien. Mais je sais que, pour ses hôtes, il ne veut pas que l'on compte.

– Ma foi ! j'en veux faire l'expérience sur l'heure ! fit d'Assas. Je n'ai rien pris depuis ce matin, et je me sens un appétit d'enfer. Vois donc si dans ton office il ne reste pas quelque pâté, et si dans ta cave, mes prédécesseurs n'ont pas oublié quelque flacon de chambertin...

– Le cas était prévu, dit le laquais.

Et il ouvrit une porte.

D'Assas passa dans la pièce voisine et se vit dans une salle à manger au milieu de laquelle était dressée une table toute servie. Sur la table fumait le potage. Deux perdreaux rôtis attendaient d'être découpés. Un succulent pâté montrait sa croûte dorée, et sur un guéridon quelques flacons s'alignaient en bon ordre.

– Ma foi, c'est comme dans les contes de ce bon M. Perrault ! s'écria d'Assas qui croyait rêver.

M. Jacques, en effet, était passé maître dans l'art de ces sortes de mise en scène. On n'a pas oublié le coup de théâtre par lequel il avait affolé et littéralement ébloui Juliette Bécu, la fille galante.

Tout en dévorant avec le bel appétit de sa jeunesse le délicat repas qu'on lui servait, d'Assas examinait la salle à manger.

Sans être somptueuse, elle était d'une élégante richesse, avec ses dressoirs sculptés, son argenterie simplement marquée de l'initiale de M. Jacques. Le linge était d'une finesse et d'une blancheur éblouissantes. C'était vraiment là un appartement de petit-maître.

Lorsque d'Assas eut terminé son souper, il sentit que la tête lui tournait légèrement, et il commença à voir la vie en rose.

Il se sentit de taille à lutter contre le roi lui-même...

Et ne lui avait-il pas déjà tenu tête !...

En somme, d'après tout ce qu'il savait, Jeanne avait jusque-là résisté à Louis XV...

Pourquoi ?... Sinon parce que son amour pour le roi n'était, au fond, qu'une sorte de fascination exercée sur elle par la puissance royale...

Il se rappelait que Jeanne, dans le malheur, avait songé à lui le premier ! Il se rappelait aussi le doux regard qu'elle lui avait jeté pendant la fête de l'Hôtel de Ville...

Et il se mit à espérer...

M. Jacques était à coup sûr un grand philosophe et il connaissait le tréfonds de l'âme humaine.

D'Assas, donc, dans cet état de béatitude qui suit un excellent repas, demanda à passer dans la chambre à coucher.

Le laquais s'empressa d'ouvrir une porte, et le chevalier entra dans une jolie chambre toute parfumée de benjoin ; le lit était déjà découvert ; un feu clair pétillait dans la cheminée...

Le pauvre chevalier marchait de surprise en surprise : c'était vraiment un conte de fées réalisé.

– À propos, mon gentilhomme, dit alors le laquais, s'il vous prenait fantaisie de sortir la nuit... pour quelque expédition guerrière... ou amoureuse...

– Eh bien ? fit d'Assas.

Le laquais ouvrit une armoire vaste et profonde.

– Voici, continua-t-il, deux costumes à votre taille, de façon que vous ne soyez pas reconnu. Voici des manteaux. Voici des loups en velours. Voici des pistolets, et voici des épées...

Les costumes étaient riches et élégants, mais dans la teinte neutre comme couleur, parfaitement seyants pour l'usage auquel ils étaient destinés. Les épées étaient magnifiques et solides. Les pistolets étaient tout chargés...

– Voilà de quoi soutenir au besoin un siège, dit d'Assas.

– Ou de quoi en faire un, répondit négligemment le laquais. Il est arrivé à l'un des jeunes fous qui vous ont précédé ici de prendre une maison d'assaut à lui tout seul... Oh ! tous les cas sont prévus...

D'Assas tressaillit et passa une main sur son front.

Le laquais se retira discrètement. Le chevalier, demeuré seul, examina curieusement les costumes accrochés dans l'armoire : dans la poche de chacun d'eux, il trouva une bourse !...

– Oh ! oh ! murmura-t-il, ceci dépasse le rêve !...

Il tira l'une de ces bourses. Elle contenait des louis d'or et un billet. D'Assas compta les louis : il y en avait cent.

– Deux mille francs !... Ma solde de huit mois !... Et il y en a autant dans l'autre costume !...

Alors il lut le billet. Il contenait ces simples mots signés d'un J :

« Puisez sans crainte. Cet argent est pour vos menus frais. On aurait cru vous importuner en mettant plus. Mais dès que l'une des deux bourses sera vide, remettez-la au laquais qui vous sert. Il a ordre de la remplir. Soyez brave, fidèle et patient. »

– Eh bien, par la mordieu ! grommela le chevalier, puisqu'il en est ainsi, j'accepte ! Je veux voir jusqu'où ira la fantasmagorie !... Brave... je crois l'être. Fidèle, – je le suis certainement. Patient ?... Hum !... Enfin, ce M. Jacques me semble jouer un jeu étrange. Que veut-il ?... Il en agit avec moi comme un vieil ami... comme un père indulgent... Ma foi, nous verrons bien !...

Là-dessus, le chevalier se coucha dans le lit le plus moelleux qu'il eût encore connu et ne tarda pas à s'endormir d'un profond sommeil. Il rêva qu'il se trouvait dans le palais enchanté des fées, que tout ce qu'il touchait se transformait en or, et que Jeanne lui tendait les bras en souriant...

Il avait un peu plus de vingt ans, M. le chevalier d'Assas.

Mais, franchement, eût-il été même plus âgé, eût-il eu la sagesse du roi Salomon, n'eût-il pas été encore excusable de continuer en sommeil le rêve qu'il avait commencé tout éveillé ?...

XXIX

Le pavillon d'en face

Pendant que d'Assas, dans le pavillon de gauche, soupait, s'étonnait, dormait et rêvait, une scène d'un tout autre genre se passait dans le pavillon de droite qui semblait si désert. La disposition de ce pavillon était identiquement la même que dans celui qu'occupait d'Assas : une entrée, trois pièces... Seulement, ces trois pièces, et surtout la chambre à coucher, avaient une apparence plus féminine, avec plus de bibelots d'art, des meubles plus délicats, des tapis plus épais, des rideaux de soie plus lourds et plus gracieux à la fois.

Et en effet, ce pavillon était habité par une femme.

Et cette femme, c'était Juliette Bécu, celle-là même que du Barry avait audacieusement présentée au bal de l'Hôtel de Ville comme la comtesse du Barry.

Dans le petit salon, deux personnages étaient assis et se livraient à un entretien qui devait être des plus intéressants, à en juger par l'animation de leurs traits.

C'étaient le comte très authentique et la fausse comtesse.

Juliette Bécu semblait inquiète.

Du Barry cherchait à calmer ses inquiétudes.

– Mais enfin, reprenait la fille galante, continuant une conversation commencée, que veut-il ?... Si le roi est amoureux de cette petite mijaurée, que puis-je y faire ?...

– Écoutez, ma chère, répondit du Barry. Je vais vous exposer le plan de celui qui est en ce moment notre maître à tous deux et auquel nous devons obéir... Ce plan est simple et génial : Mme d'Étioles se trouve dans une maison... tenez, supposez que ce soit le pavillon qui se trouve en face et que vous avez vu en entrant.

– Il est inhabité...

– C'est vrai. Mais supposez un instant qu'il soit habité, et qu'il le soit précisément par Mme d'Étioles... Vous comprenez ?... Vous ici... Mme d'Étioles en face... Je continue mes suppositions : par suite de combinaisons qui vous seront expliquées, un beau soir Mme d'Étioles vient prendre votre place...

– Ici ? fit Juliette.

– Oui, ici. Or, en même temps, vous prenez la sienne... En d'autres termes, vous vous trouvez habiter tout à coup la maison qu'habite Mme d'Étioles. Et Mme d'Étioles se trouve habiter la vôtre. Est-ce clair ?

– J'entends. Mais après ?...

– Vous ne comprenez pas ?...

– Que voulez-vous, mon cher, depuis quelque temps, je vis dans le pays des énigmes.

– C'est pourtant simple...

– Et génial, vous l'avez dit !...

– Eh bien ! supposons qu'un soir, par une nuit sombre, le roi de France, qui aura enfin reçu un mot de Mme d'Étioles l'appelant près d'elle, supposons, dis-je, que Louis se mette en route pour se rendre chez Mme d'Étioles... Il arrive, il entre, il trouve les lumières éteintes parce que la pudeur de la pauvre enfant se révolte... et il tombe dans les bras d'une femme qui se trouve être...

– Juliette Bécu, comtesse du Barry !... Admirable !...

– N'est ce pas ? Alors, dame, si le roi s'aperçoit de la substitution, c'est à vous de ne pas la lui faire regretter...

– Je m'en charge ! s'écria résolument la fille galante. Mais que devient pendant ce temps la petite d'Étioles ?

– Je vous l'ai dit : elle a pris ici votre place. Et alors il se trouve que le pavillon d'en face est soudain habité par un galant qui adore cette charmante enfant, qui entre ici, qui aperçoit son idole, tombe à ses pieds pendant que le roi tombe aux vôtres, et lui prouve que la jeunesse et l'amour valent bien la royauté, tandis que vous prouvez à Louis qu'en amour erreur peut faire compte...

– Mon cher, fit Juliette, ce n'est pas génial : c'est sublime !

– Plus que vous ne pensez !... Car voyez si tout a été prévu, combiné, arrangé... Supposez que ce galant dont je vous ai parlé...

– Celui qui tombe aux pieds de la petite mijaurée...

– Oui. Eh bien ! supposez que ce galant ait gravement insulté un honnête homme... comme moi, par exemple. Le galant entre ici, fait un rêve somptueux, s'enivre d'amour pendant huit, dix, quinze jours... Moi, je suppose que c'est moi l'honnête homme insulté, – moi, pendant ce temps, j'attends avec cette impatience que vous me connaissez. Et quand mon galant sort enfin, je lui mets la main à l'épaule et je lui dis : À nous deux, d'Assas !...

– Ah ! il s'appelle d'Assas ?...

– Oui ! fit du Barry en éclatant de rire... un rire sinistre et funèbre qui glaça Juliette. Le digne galant veut tirer son épée pour me faire honneur. Mais comme par hasard, il tombe sur la pointe de mon poignard, se blesse au sein, et meurt... Alors voici le plus beau...

– Voyons ? fit Juliette en frissonnant.

Du Barry, le visage décomposé par la haine, continua :

– Alors, des gens de bonne volonté, – il s'en trouve toujours – courent chercher la maréchaussée. On accourt. On trouve le cadavre à la porte de la d'Étioles qui se trouve justement avoir insulté aussi l'honnête homme dont je vous parlais...

– C'est-à-dire vous...

– Moi ou un autre, peu importe. La petite d'Étioles est désignée comme la meurtrière. On l'arrête. On lui fait son procès. Vingt jeunes gens viennent témoigner qu'elle les a attirés ici pour des parties de débauche et qu'elle a ensuite tenté de les poignarder, comme on dit que faisait jadis Marguerite de Bourgogne pour ses amants d'une nuit... Ces dignes jeunes gens n'ont pas voulu dénoncer une femme. Mais puisqu'elle est prise, puisqu'elle a tué un pauvre gentilhomme, ils n'hésitent plus... La d'Étioles est condamnée, exécutée... et vous demeurez seule maîtresse de la situation... Est-ce beau !...

– Horrible ! horrible ! murmura en elle-même Juliette Bécu qui, à haute voix, ajouta :

– C'est charmant... Et c'est vous qui avez combiné tout ce superbe plan ?

– En partie, répondit du Barry d'une voix sombre. Dans la partie qui concerne l'honnête homme insulté, j'ai en effet donné quelques idées...

Un lourd silence pesa pendant de longues minutes dans l'élégant salon-boudoir.

Juliette frissonnait et contemplait avec épouvante son compagnon.

Du Barry, pensif, fixait ses yeux durs sur le feu, tandis qu'un sourire livide crispait ses lèvres.

– Oui, répondit le comte, tout cela se fera. Tout est prévu, combiné. Ni le roi... ni elle... ni lui ! lui surtout ! ne peuvent nous échapper.

– Et quand la chose doit-elle se faire ?...

– Cela dépend maintenant de Bernis...

– Bernis ?... Ce petit poète ?...

– Ce grand homme, fit du Barry sans qu'on pût savoir positivement si sa parole exprimait de l'admiration ou du mépris.

– Et que vient faire en tout ceci Bernis ? demanda Juliette. Je ne lui ai parlé que deux fois ; il me fait l'effet d'un écervelé... Je voudrais bien savoir...

– Hum ! fit du Barry en jetant un regard aigu sur la fille galante. Vous en voulez trop savoir, ma chère...

Juliette tressaillit, mais déguisa son émotion sous un geste d'indifférence.

– Nous jouons ici la tragédie, reprit du Barry. Bernis a son rôle, j'ai le mien, vous avez le vôtre. Croyez-moi, vous serez une détestable comédienne si vous cherchez à connaître la réplique de vos partenaires au lieu de songer à la vôtre...

– C'est vrai... cependant, mon cher, puisque nous sommes associés, je serais bien aise de connaître votre sentiment sur l'homme qui nous mène, ou, pour continuer votre comparaison, sur le metteur en scène qui nous indique nos gestes.

– M. Jacques ?...

– Oui ! Qui est-il ? Où va-t-il ? Que veut-il ? Comment s'appelle-t-il ?

– M. Jacques s'appelle M. Jacques, dit du Barry d'une voix qui fit frissonner Juliette. Qui il est ? Je l'ignore. Ce qu'il veut ? Je ne le sais pas plus que vous. Je sais seulement qu'il paie royalement, je sais qu'il m'inspire une admiration et une terreur sans bornes ; je sais que j'aimerais mieux braver en face le roi, au milieu de sa cour, plutôt que de me heurter à un pareil homme. Il sait tout. Il voit tout. Il entend tout. Il a ses agents jusque dans les antichambres du Louvre. Rien ne lui échappe. Voilà tout ce que je sais. Et pour une fortune, je ne voudrais pas entreprendre de deviner ce qu'il lui plaît de nous cacher... Si vous êtes intelligente, vous ferez comme moi.

Cette fois, du Barry parlait avec une évidente sincérité.

Juliette Bécu, profondément troublée de cette terreur qu'elle voyait chez son redoutable compagnon, n'osa pas insister.

– Quoi qu'il en soit, reprit-elle pour détourner les soupçons qu'elle craignait d'avoir éveillés dans l'esprit de du Barry, M. Jacques se conduit avec moi en vrai galant homme... Cette demeure... cette prison qu'il m'assigne, est une véritable bonbonnière. Tout y est d'un goût charmant. Et que me faut-il de plus à moi, pauvre fille...

– Pauvre fille ? Vous ? ricana du Barry ; mais vous êtes comtesse, ma chère, ne l'oubliez jamais.

– Oh ! sur la scène, je n'aurai garde de l'oublier ; mais ici, dans la coulisse...

– Vous avez tort, mon enfant, fit brusquement une voix.

Juliette et du Barry tressaillirent, et, se retournant, aperçurent M. Jacques.

Ils pâlirent.

Par où était-il entré ?...

Comment se trouvait-il là, à deux pas, au milieu du salon, souriant et paternel ?...

Une sorte de superstitieuse épouvante s'empara d'eux.

Toutes les portes étaient fermées...

Ils n'étaient pas éloignés de croire que le mystérieux personnage était armé d'une surhumaine puissance.

– Il sait tout ! Il voit tout ! Il entend tout ! se dit Juliette palpitante en répétant les paroles que le comte venait de prononcer.

– Vous avez tort, continuait M. Jacques avec son paisible sourire, de supposer que vous êtes comtesse du Barry en certaines circonstances et que vous ne l'êtes pas en d'autres. Toujours et partout, vous êtes la comtesse du Barry. Et en voici la preuve que je vous apportais, et que je vous laisse...

À ces mots, il étala sur un guéridon un parchemin que Juliette et le comte parcoururent ensemble avec la même avidité et le même étonnement.

C'était un acte en règle signé par le curé de Saint-Eustache, avec signatures de témoins à l'appui, qui certifiait véritable et valable le mariage du comte du Barry et de Juliette Bécu. La date remontait à trois années en arrière.

– À bientôt, mon enfant, reprit M. Jacques. Comte, voulez-vous m'accompagner ? J'ai besoin de vos infatigables bons offices. Il faut que je traverse les champs qui entourent Versailles, et figurez-vous que la nuit, seul, j'ai peur !

Du Barry suivit M. Jacques. Il chancelait presque.

Juliette, demeurée seule, tint longtemps son regard fixé sur le parchemin.

Elle méditait.

– Eh bien ! soit, murmura-t-elle enfin avec un frisson. Je suis dans les mains de cet homme. J'irai jusqu'au bout... J'empêcherai Mme d'Étioles de devenir la favorite du roi... mais...

Elle s'arrêta, haletante, regardant autour d'elle, comme si elle eût craint que sa pensée même ne fût surprise. Puis, elle acheva :

– Mais je ne veux pas qu'on tue ce pauvre petit chevalier d'Assas, moi !...

XXX

La petite Suzon

La Maison où Jeanne avait consenti à entrer sur la promesse formelle que le roi n'y entrerait lui-même qu'en plein jour et qu'elle y pourrait recevoir qui bon lui semblerait était disposée de la façon suivante :

L'entrée d'abord. Une pièce à droite, une à gauche ; celle de droite était occupée par l'office et la cuisine ; celle de gauche par la cuisinière et deux filles de service. Au fond de l'entrée s'ouvrait l'antichambre ; à droite de l'antichambre, la salle à manger ; à gauche, un petit salon.

Salles à manger, antichambre et salon donnaient par des portes-fenêtres sur un jardin assez vaste et parfaitement entretenu, entouré de hautes murailles difficiles à escalader ; il n'y avait à ces murs qu'une petite porte bâtarde par où entrait tous les matins un jardinier qui ne pénétrait jamais dans la maison et qui, une fois son ouvrage fait, se retirait.

Dans l'entrée, un petit escalier tournant permettait d'accéder au premier étage qui comprenait cinq pièces dont la plus petite était occupée par la femme de chambre et dont les quatre autres, assez vastes, constituaient l'appartement privé de la maîtresse.

Chambre à coucher d'une royale élégance, grand salon-atelier comme c'était la mode à cette époque où toutes les grandes dames faisaient de la peinture, de la musique et même de la gravure ; boudoir encombré de bibelots, et enfin magnifique cabinet de toilette.

La femme de chambre était cette fille même qui avait ouvert au roi et que Bernis avait signalée à M. Jacques.

Elle était pour ainsi dire l'intendante de cette maison, qu'elle menait au doigt et à l'œil. Elle régnait despotiquement sur les trois domestiques, c'est-à-dire sur la cuisinière et les deux filles de service, qui ne devaient jamais franchir l'entrée ou monter en haut que sous sa surveillance et qui, leur besogne achevée, disparaissaient dans leur coin, Suzon seule demeurant en relations avec la maîtresse de céans.

C'était une fille de vingt-deux ans, très fine, très exercée à tout comprendre à demi-mot, d'une discrétion à toute épreuve, et enfin très apte aux fonctions qui lui étaient dévolues.

Bernis l'avait peinte d'un mot : une fine mouche.

Suzon, comme tout être vivant au monde, avait son idéal.

C'était une rusée commère à demi-Normande, à demi-Picarde, – le grand La Fontaine eût dit : Normande à demi.

Elle avait un bon sens pratique et une façon d'envisager la vie qui lui faisait un peu mépriser et pas du tout envier ce qui l'entourait. Elle avait résolu de vivre heureuse, à sa guise, et n'avait pas tardé à comprendre tout ce que la vie des grands cache de misère morale et de servitude.

Qu'on n'aille pas en conclure à une certaine fierté de caractère.

Suzon était une jolie matoise, voilà tout.

Et quant à son idéal que nous avons promis d'exposer, nous allons l'entendre développer par elle-même.

Dès le lendemain du jour où Jeanne était entrée dans la maison, Bernis, comme on l'a vu, s'était mis en campagne en allant trouver le chevalier d'Assas à l'auberge des *Trois-Dauphins*.

– Voilà la première partie de mon œuvre, se dit-il quand il fut rentré au château. Reste la deuxième, la plus difficile, qui est de pénétrer dans la maison et de séduire la jolie Suzon.

Bernis, qui était surtout homme de comédie et d'intrigue, était prodigieusement intéressé par ce qu'il allait entreprendre.

En somme, il avait mission de se mettre au mieux avec Suzon et de lui faire certaines propositions que lui avait fort clairement exposées M. Jacques : il fallait tout simplement amener Suzon à trahir le roi et Berryer.

– Le roi ? passe encore ! songeait le poète-abbé ; mais le lieutenant de police ? Hum ! Ce sera difficile.

Le lendemain, donc, il s'en vint rôder autour de la maison, en plein jour.

Pendant deux heures, il ne vit rien.

Les volets étaient clos.

La maison paraissait abandonnée.

Mais la grande qualité de Bernis était la patience.

Il patienta comme le chasseur à l'affût.

Et sa constance fut enfin récompensée : sans doute, s'il n'avait rien vu, on l'avait vu, lui, de l'intérieur. Car à un moment donné, l'une des fenêtres du premier étage s'ouvrit, comme si on eût voulu aérer une pièce, et Suzon parut, mais elle ne sembla nullement avoir aperçu Bernis.

Celui-ci n'hésita pas. Il fit rapidement quelques pas en avant, et de son bras valide (il avait toujours le gauche en écharpe), il fit un signe, puis envoya un baiser.

Suzon eut un éclat de rire et referma la fenêtre.

Mais elle avait vu Bernis ! Elle avait vu qu'il était blessé ! Et bien qu'elle ne fût pas d'une sensibilité excessive, elle ne put s'empêcher de tressaillir... Peut-être Bernis avait-il compté un peu sur l'impression que produirait sa blessure : un bras en écharpe étant toujours une chose intéressante pour les femmes, ces douces créatures qui, au fond, ne rêvent que plaies et bosses et sont toujours enchantées d'un récit de bataille. Bien entendu, c'est l'opinion de Bernis que nous donnons là. Quant à la nôtre, nous supposons que nos lectrices n'en ont que faire.

Bernis, donc, une fois son baiser décoché, continua à errer d'un air très malheureux autour de la maison.

– Peste soit de la donzelle ! maugréait-il. Je lui envoie un baiser que la spirituelle Mme de Rohan eût trouvé admirablement coquet, et elle me rit au nez ! Est-ce que je serais moins avancé dans ses bonnes grâces que je ne le supposais ?...

Le soir vint. Les ombres enveloppèrent peu à peu le quinconce sous lequel errait le triste Bernis.

Il faisait froid. Un âpre vent du Nord faisait grelotter les branches dépouillées. Et Bernis grelottait lui-même.

Il jeta un dernier regard à la maison, en murmurant :

– Demain, je lancerai un billet. J'ai pris contact avec l'ennemi. C'est suffisant pour une première journée.

Et il allait se retirer, lorsque, tout à coup, la porte s'entrouvrit et se referma aussitôt, après avoir livré passage à une femme encapuchonnée jusqu'au nez. Peut-être, cependant, cette femme ne prenait-elle pas toutes les précautions nécessaires, car Bernis la reconnut aussitôt : c'était Suzon.

Elle passa à trois pas de lui sans paraître le remarquer.

Bernis, alors, s'approcha, et salua avec autant de galanterie raffinée que s'il se fût agi de Mme de Rohan en personne.

– Je ne permettrai pas, murmura-t-il, qu'une aussi charmante demoiselle s'aventure la nuit sans cavalier...

Suzon poussa un petit cri effrayé...

– Ah ! vous m'avez fait peur, monsieur !...

– Eh quoi ! j'aurais eu le malheur d'effrayer la plus jolie fille que je connaisse, celle pour qui je donnerais mon cœur et ma vie, la toute belle et charmante Suzon !

– Comment, monsieur, vous me connaissez ? s'écria Suzon avec une surprise très bien jouée.

– Cruelle ! répondit Bernis avec une passion non moins bien jouée, pouvez-vous parler ainsi, alors que vous savez très bien que je vous aime, et que vous m'avez vu soupirer...

– Ma foi, monsieur, dit Suzon en riant, – et cette fois elle ne mentait pas, – je vous avoue que je ne vous ai jamais vu soupirer.

En effet, c'était elle, au contraire, qui avait lancé force œillades auxquelles Bernis était demeuré indifférent.

– Ô ciel ! s'écria le petit poète. Est-il possible que vous n'ayez jamais remarqué... Mais je vous arrête là, dans ce courant d'air glacial... pardonnez-moi et prenez mon bras, je vous en supplie. Je veux, comme je vous l'ai dit, vous servir de cavalier... Dites-moi seulement où vous allez...

– Vous êtes bien honnête, monsieur, fit la soubrette en esquissant une révérence. Je vais chercher... des gants pour madame.

Bernis tressaillit. Il n'y avait pas de marchands de gants à Versailles, qui n'était encore qu'un village, – ou plutôt un château avec quelques rares ruelles autour.

Donc Suzon mentait.

Donc Suzon était sortie pour lui.

– Des gants ! s'écria-t-il. Je ne souffrirai pas que vous vous exposiez à la bise et aux mauvaises rencontres pour si peu. Je vous en apporterai une boîte...

Suzon parut réfléchir quelques instants.

– Vraiment ? fit-elle.

– D'honneur, les dames de la Cour me chargent toujours de ces commissions là.

Suzon fut extrêmement flattée de se trouver tout à coup sur le même pied que les dames de la Cour.

– Donc, continua gravement Bernis, je vous en apporterai une boîte.

– Et quand cela ?...

– Dès ce soir, charmante Suzon, si vous voulez bien me dire où je dois vous les remettre.

– Mais... ici même !...

– Ici ! vous n'y songez pas !... J'ai tant de choses à vous dire ! Et puis, pensez que je suis blessé, et que le grand air peut me faire du mal !...

– Oh ! mon Dieu, c'est vrai !... Écoutez, monsieur de Bernis...

– Ah ! s'écria Bernis, vous savez mon nom !...

Suzon parut très confuse de son étourderie et jeta un nouveau petit cri.

– Me promettez-vous, reprit-elle, d'être discret, prudent et silencieux ?...

– Discret comme une soubrette, prudent comme un aveugle, silencieux comme un muet... car les amoureux sont muets et aveugles tant qu'il ne s'agit pas de contempler leur idole et de chanter ses louanges...

– Eh bien ! dit alors Suzon, trouvez-vous ce soir à dix heures à la petite porte du jardin...

Sur ces mots elle se sauva, légère et gracieuse comme une vraie soubrette qu'elle était.

Bernis demeura tout étourdi de son prompt succès, et murmura :

– Hum ! j'eusse préféré un peu plus de résistance. Les choses vont trop bien. Il doit y avoir quelque anguille sous roche. La petite Suzon est peut-être plus fine encore que je ne croyais.

Tout en faisant ces réflexions qui prouvaient sa grande prudence, mais non son expérience du cœur des femmes en général et des soubrettes en particulier, Bernis se retira assez inquiet.

– Baste ! nous verrons bien, finit-il par se dire.

Vers neuf heures, il fit donc une toilette soignée, cacha un pistolet dans son manteau, assura un bon poignard à sa ceinture, et, ainsi armé en guerre, se rendit au rendez-vous.

À dix heures précises, il grattait à la petite porte du jardin qui s'ouvrit aussitôt.

Suzon parut, mit un doigt sur ses lèvres pour lui recommander le silence, et, le prenant par la main après avoir refermé la porte du jardin, l'entraîna jusqu'à la porte-fenêtre du petit salon du rez-de-chaussée.

Une fois qu'elle fut entrée, elle ferma soigneusement, tira les rideaux et alluma une lampe.

– Tout le monde dort dans la maison, dit-elle alors, mais il faudrait bien peu de chose pour réveiller madame qui a le sommeil très léger. Ainsi, monsieur, parlons à voix basse, s'il vous plaît... Vous m'apportez les gants ?

– Les gants ! fit Bernis.

Il ne songeait plus à la comédie des gants.

– Ma foi, je les ai oubliés !... J'ai tant pensé à vous...

– Ah ! monsieur, vous allez me faire gronder, chasser, peut être...

Bernis, pour détourner la conversation de cette pente, poussa à ce moment un soupir de souffrance et se tâta le bras gauche.

– Pauvre monsieur ! dit Suzon réellement émue, vous souffrez !... Vous avez donc été blessé ?...

– Oui, un duel ; une forte saignée au bras gauche. Mais l'insolent l'a payée sur-le-champ, vu que je l'ai traversé de part en part !...

– Ah ! mon Dieu ! s'écria Suzon en oubliant elle-même le prétexte qui légitimait la présence de Bernis, un duel ! Pour quelque dame, sans doute ?...

– Si je vous dis pour qui, me croirez-vous sur parole ?

– Oui. Car les gentilshommes comme vous ne donnent pas en vain leur parole...

– Eh bien ! fit Bernis avec un admirable aplomb, c'est pour vous !...

– Pour moi ! Vous vous moquez, monsieur !

– Non pas ! D'honneur, c'est pour vous que je me suis battu ! Et que voyez-vous là d'étrange... puisque je vous aime !

– Vous m'aimez ?...

Bernis vit que le sein de Suzon palpitait. La jolie soubrette rougissait. Quoi qu'elle en eût et si fine qu'elle fût, elle était flattée de s'entendre dire par un gentilhomme qu'elle était aimée, tout comme une dame de la Cour !

Le gentilhomme était jeune, bien fait de sa personne, et semblait sincère.

De plus, il parlait avec une sorte de respect qui, pour Suzon, était un enivrement de sa vanité.

– Comment pouvez-vous douter que je vous aime ! reprit Bernis. Ne l'avez-vous pas déjà compris ? Aurais-je rôdé autour de cette maison ? Serais-je ici... à vos genoux, charmante Suzon ?

Effectivement, Bernis tomba à genoux.

Suzon était ravie.

Elle prit Bernis par la main et, le relevant :

– Mais comment et pourquoi vous êtes-vous battu pour moi ? demanda-t-elle.

– Je vais vous le dire ! répondit Bernis qui, pris de court, chercha et trouva à l'instant dans sa fertile imagination le motif demandé.

« Vous connaissez M. Berryer, n'est-ce pas ? fit-il.

– C'est-à-dire... fit Suzon en tressaillant.

– Pas de secrets avec moi, Suzon ! Je suis moi-même, vous le savez sans doute, le secrétaire intime du lieutenant de police, et je sais que c'est lui qui vous a placée ici...

– Eh bien, oui !... Et alors ?...

– Alors, voici : il y a trois jours, devant moi, M. Berryer expliquait à un gentilhomme, que vous me permettrez de ne pas nommer, ce qu'il attendait de vous !

– Ah ! M. Berryer m'avait pourtant bien juré...

– Ne vous y fiez pas, Suzon, Berryer est un homme sans scrupule. Il expliquait donc à ce gentilhomme que, par vous, il était certain de connaître certains secrets de Sa Majesté... Alors le gentilhomme se mit à rire et prononça à votre égard quelques paroles que je jugeai malsonnantes... Je ne dis rien... Seulement, lorsque l'insolent sortit, je le suivis, je le rattrapai dans la rue et, le saluant de mon mieux, je lui fis remarquer que le nœud de son épée n'était plus à la mode, et qu'il était difficile d'en trouver de plus ridicule. Mon homme se fâcha. J'insistai. Tant et si bien que nous nous alignâmes dès le lendemain matin dans un coin du Luxembourg...

– Pour moi !... Vous avez fait cela pour moi !...

– Et pourquoi François de Bernis ne se serait-il pas battu pour celle qu'il aime ?...

En parlant ainsi, Bernis avait enlacé la taille de Suzon. La jolie fille, qui ne demandait d'ailleurs qu'à capituler, se défendit pour la forme et finit par accorder le baiser qui lui était demandé.

– Suzon, s'écria alors Bernis, comme s'il eût été transporté d'amour, Suzon, je t'aime ; il faut que tu m'accordes un rendez-vous !...

– Ne vous l'ai-je pas accordé, puisque vous êtes ici ?...

– Oui... mais je veux que tu viennes chez moi !...

– Chez vous ?...

– Oui, au château. Ne crains rien. C'est moi-même qui t'y introduirai. Et ce sera une charmante escapade. De plus, tu verras de près les magnificences du château et jusqu'à la chambre du roi... car j'ai mes entrées partout.

Suzon fut éblouie. Mais ce fut avec un soupir qu'elle répondit :

– C'est impossible !...

– Rien n'est impossible à l'amour, Suzon ! Puisque je t'aime, je me fais fort de...

– Oh ! l'impossibilité ne vient pas de vous, fit Suzon en souriant. Elle vient de moi. Je ne puis quitter mon poste. Non seulement je serais chassée, mais encore je risquerais la colère du roi et la vengeance de monsieur le lieutenant de police...

Et redevenant la fille sérieuse et la matoise calculatrice qu'elle était au fond, elle expliqua :

– Vous saurez une chose, monsieur de Bernis...

– D'abord, mon enfant, ne m'appelle pas ainsi. Appelle-moi François... Et puis, pour que je puisse mieux te comprendre, viens t'asseoir sur mes genoux...

Suzon ne se fit prier que juste ce qu'il fallait. Elle s'assit donc sur les genoux de Bernis et lui jeta gentiment un bras autour du cou. Ainsi posée, elle était vraiment jolie, et peut-être, en somme, le sentiment qu'elle éprouvait pour Bernis lui donnait-il cette beauté !...

– Eh bien ! reprit-elle, vous saurez, monsieur... François... que j'ai fait un rêve...

– Un rêve de jolie femme, j'en suis sûr...

– Non ; un rêve de paysanne, tout bonnement, répondit Suzon non sans esprit.

– Ceci est plus grave, pensa Bernis qui se prépara à écouter attentivement.

– Savez-vous, reprit Suzon, ce que me donne M. Lebel, le valet de chambre de Sa Majesté, pour le service que je fais ici ?

– Je ne m'en doute pas, ma mignonne : mille livres, peut-être ?...

– Deux mille cinq cents livres par an, monsieur !

– Oh ! oh ! mais je n'ai pas davantage pour mes fonctions de secrétaire de la lieutenance !...

– Bon. Maintenant, savez-vous ce que me donne M. Berryer pour un mot que je lui fais tenir de temps en temps ?... Deux mille cinq cents livres par an. Total, cinq mille livres...

– Mais sais-tu que tu chiffres comme si tu avais étudié le *Mémoire sur le calcul intégral* de M. d'Alembert !...

– Ajoutez que sur les menus frais de la maison, je puis mettre de côté bon an mal an un millier de livres. Ce qui fait six mille, monsieur. Or, j'ai calculé que si j'arrive seulement pendant six ans à me maintenir dans ce poste de confiance, je me trouverai posséder trente-six mille livres, soit une quarantaine de mille livres en chiffres ronds, ce qui est un beau denier.

Ici Bernis éclata de rire.

– Qu'avez-vous, monsieur ? fit Suzon.

– J'ai, pardieu, que voici un entretien d'amour qui ne manque pas de piquant. Au moins est-il original !...

– Eh ! monsieur, chacun cause d'amour comme il peut. Et puis, j'ai vu si souvent les chiffres et l'amour marcher de pair !...

– Continue, ma fille ; tu es pétrie d'esprit et je ne suis qu'un benêt !

– Je continue donc. Il y a deux ans que je suis ici. Il me reste quatre ans à demeurer sage et fidèle, à tenir à mon poste.

Dans quatre ans, j'aurai vingt-six ans ; c'est-à-dire que je ne serai pas encore laide. Avec mes quarante mille livres, je trouverai facilement un époux à mon goût...

– Et alors, tu t'établiras à Paris ?...

– Nenni, monsieur, à Paris, avec mes quarante mille livres, je serais pauvre, et si je montais un commerce, je risquerais de tout perdre. Tandis qu'à Morienval, près de Villers-Cotterêts, avec cette somme, je serai une dame. J'achèterai un moulin, des prés, une ferme, et un mari par-dessus le marché.

– Ah ! bravo, ma petite Suzon ! Je ferai un conte avec ton histoire, et il aura du succès.

– Vous voyez donc bien que je serais folle de risquer tout le bonheur de ma vie uniquement pour voir de près le lit du roi et sa robe de chambre. Eh !... je les vois d'ailleurs... d'ici !

Bernis était devenu très grave. Il suivait son idée fixe qui était d'amener Suzon à déserter son poste.

– Écoute, fit-il tout à coup. Tu raisonnes à merveille. Mais il faut absolument que tu contentes mon envie... je veux te voir chez moi, tant je t'aime... être bien sûr que tu es toute à moi...

Suzon secoua la tête...

– Viens chez moi, reprit brusquement Bernis, et tu y trouveras d'un coup ce qu'il te faut dix ans pour amasser ici... c'est-à-dire non pas quarante mille, mais soixante mille livres.

Suzon pâlit et jeta un profond regard sur Bernis.

– Parlez-vous sérieusement ? demanda-t-elle d'une voix rapide.

– Jamais je ne fus aussi sérieux que ce soir, dit Bernis froidement. J'ajouterai seulement qu'en ayant l'air de déserter, vous aurez peut-être rendu un immense service au roi et à d'autres personnages importants...

Suzon palpitait.

Soixante mille francs !...

Son rêve réalisé d'un coup et sans effort !

Elle eut l'intuition très nette que Bernis ne plaisantait pas et qu'il agissait pour le compte de gens redoutables et puissants.

Elle comprit que la fortune passait à sa portée et qu'il fallait la saisir au vol.

Et comme c'était une femme de beaucoup de tête et de volonté sous ses airs de soubrette gentille, elle se décida.

Mais ce ne fut qu'après de longs pourparlers qu'elle capitula ouvertement.

– Il faut vraiment que je vous aime, dit-elle ; vous m'avez ensorcelée, je crois... quand voulez-vous que je vienne ?

– Je ne sais, mon enfant... peut-être demain, peut-être dans huit jours : je viendrai te chercher moi-même.

– Et en attendant ?...

– En attendant, je viendrai ici tous les soirs, et tu m'expliqueras minutieusement en quoi consiste ton service.

– Voudriez-vous me remplacer ici ? s'écria Suzon en riant.

– Peut être ! répondit gravement Bernis.

Bernis, tout étourdi de son succès et presque inquiet d'avoir si rapidement mené à bien une si grave opération, se rendit tout courant à la ruelle aux Réservoirs, et bien qu'il fût très tard, fut mis aussitôt en présence de M. Jacques.

– Monseigneur, dit-il, la petite Suzon est à nous. Elle quittera la maison quand je lui ferai signe. J'avoue même que le prompt succès de cette affaire m'inquiète...

– Soupçonneriez-vous cette fille de jouer avec vous double jeu ? fit vivement M. Jacques.

– Je ne sais trop, Monseigneur. En tout cas, je dois vous prévenir que, si elle nous obéit, cela coûtera un peu cher.

– Combien ? demanda M. Jacques en se rassérénant.

– Soixante mille livres, Monseigneur. C'est énorme, mais...

– Vous avez promis soixante mille livres ?...

– J'ai promis qu'elle les trouverait chez moi le soir où elle quitterait la maison...

– Eh ! que ne disiez-vous cela plus tôt, mon enfant !... Elle viendra. Il est inutile d'y songer davantage. Vous m'aviez parlé d'amour... d'œillades... que sais-je ! Et j'étais quelque peu inquiet. Mais du moment qu'il est question d'argent, tout s'arrange...

– Ainsi, Monseigneur...

– Ainsi, mon enfant, demain les quatre-vingt mille livres seront chez vous. Allez...

– Mais, Monseigneur, j'ai dit soixante et non quatre-vingt...

– Vraiment ? Eh bien ! les vingt mille restant seront pour acheter le papier sur lequel vous écrivez de si jolis vers à Mᵐᵉ de Rohan.

Bernis se courba en deux et demanda :

– Vous n'avez pas d'autres ordres à me donner, Monseigneur ?

– Non. Attendre. Vous tenir prêt à faire sortir cette petite de la maison, et à y faire entrer à sa place la nouvelle femme de chambre que vous aurez à conduire... À propos, on me signale la présence à Versailles de M. d'Étioles et d'une façon de secrétaire qu'il traîne après lui... un sieur Damiens... Il faudrait voir ce que veut cet homme.

– M. le Normant d'Étioles ?... Il court après sa femme...

M. Jacques ne daigna pas sourire de cette innocente plaisanterie et demeura glacial.

– Je veux parler de ce Damiens, dit-il. Voyez-le et cherchez à savoir qui il est, ce qu'il veut, où il va...

Bernis salua profondément et se retira léger comme un gueux

dans la bourse duquel viennent de tomber 20 000 francs.

– Décidément, se dit-il, la fidélité et le dévouement ont du bon...

XXXI

Mystères

Quatre jours s'écoulèrent.

Pendant ces quatre journées, Louis XV mena une vie exemplaire, s'occupa des affaires du royaume, joua le soir avec ses courtisans, fut gracieux avec la pauvre reine Marie, gai causeur avec ses poètes, sérieux avec ses ministres, et fit enfin en conscience son métier de roi.

Le soir du quatrième jour, vers dix heures, il se retira dans sa chambre, et il était déjà à demi déshabillé lorsque ses yeux tombèrent sur un papier plié en quatre et jeté sur une table.

Il le prit machinalement, le déplia, le lut et pâlit.

Le billet contenait ces mots :

« Mme d'Étioles s'ennuie. Elle est décidée à regagner Paris dès demain. »

– Lebel ! fit le roi. Qui a apporté ce mot ?

– Moi, Sire ! répondit le valet de chambre.

– L'as-tu lu ?

– Non, Sire...

– Qui te l'a remis ?...

– La fille de chambre de la petite maison de Sa Majesté.

– Quand cela ?...

– Il y a une heure.

– Et ne t'a-t-elle rien dit ?...

– Rien, Sire... si ce n'est...

– Si ce n'est ?... Achève donc, imbécile !...

– Qu'elle se tiendrait à la porte d'entrée, à partir de minuit...

Louis XV étouffa un rugissement de joie.

– Lebel, dit-il, habille-moi à l'instant...

– Quoi ! Votre Majesté veut sortir à pareille heure !...

317/378

– Habille-moi, te dis-je !... D'ailleurs, tu m'accompagneras. Avec toi, je n'ai rien à craindre.

Lebel jeta un rapide coup d'œil sur la pendule. Elle marquait dix heures et demie. Il commença à habiller silencieusement le roi.

Louis XV, qu'on se figure volontiers comme une sorte de François Ier plus policé, plus raffiné, mais tout aussi entreprenant, Louis XV n'était ni un audacieux ni un oseur.

Il avait passé ces quatre journées à jouer la comédie de la réconciliation avec Marie Leszczynska, et il était en somme assez bourgeoisement effaré du coup d'audace qu'il avait fait en enlevant Mme d'Étioles.

Pendant ces quatre jours, il ne se passa pas une heure où il ne s'affirmât qu'il allait coûte que coûte se rendre à la petite maison.

Tout au moins irait-il en plein jour saluer celle qu'il aimait d'autant plus qu'il mettait plus de mystère à l'aimer.

Le billet reçu fut le feu mis aux poudres.

Comme tous les faibles qui foncent tête baissée sur l'obstacle de crainte d'en découvrir les dangers, Louis XV, une fois décidé, se mit à trépigner d'impatience.

Et s'il ne partit pas immédiatement, ce fut grâce à l'étrange lenteur que Lebel mit à l'habiller de pied en cap. Il était près de minuit lorsque Louis XV fut prêt. Et il fallait vingt minutes environ pour se rendre à la petite maison.

Le cœur battant, les tempes en feu, il descendit enfin les solennels escaliers du château, franchit les grilles, accompagné de Lebel qui donnait le mot de passe, et d'un pas rapide se dirigea vers la petite maison.

Pendant ces quatre journées, que devenait le chevalier d'Assas ?

Le lendemain matin de ce fin repas qu'il avait si bien arrosé de chambertin et à la suite duquel il s'était cru transporté dans le pays des *Mille et une Nuits,* d'Assas s'était réveillé un peu tard et assez étonné de se trouver là.

Il crut d'abord qu'il continuait à rêver.

Mais la vue de la fameuse bourse contenant deux mille francs et qu'il avait jetée sur la table lui prouva qu'il se trouvait bien en présence d'une réalité – mystérieuse et redoutable, peut-être, mais réalité dont, au demeurant, il n'avait pas à se plaindre jusque-là.

Il songea aussitôt qu'il y avait une deuxième bourse pareille dans le deuxième costume accroché dans l'armoire, et résolut de profiter jusqu'au bout de la princière hospitalière de M. Jacques.

Il sauta donc de son lit, qui était fort moelleux, fit sa toilette et revêtit l'un des deux costumes.

– On le dirait fait sur mesure, songea-t-il. Quoi qu'il en soit, cela tombe à merveille. Car avec une casaque d'officier, je n'aurais pu faire vingt pas sans être remarqué.

Une fois habillé, il se dirigea vers la porte dans l'intention de sortir. Derrière cette porte, il vit se dresser le valet jovial et loquace qui l'avait introduit.

– Monsieur le chevalier sort ? demanda cet homme.

– Oui, mon ami. Est-ce que par hasard ce serait défendu ? Ne te gêne pas pour me le dire, car cela ne m'empêcherait nullement de sortir.

– En aucune façon, monsieur. Et pourquoi serait-ce défendu ? Je voulais simplement demander à monsieur le chevalier ce qu'il désire manger à son dîner.

– Le rêve continue, pensa d'Assas. Ce que tu voudras, mon ami... comment ?

– Lubin, pour vous servir, mon officier. Et puis, je voulais recommander à monsieur le chevalier de ne pas trop se montrer en plein jour.

– Et pourquoi cela, Lubin ?

– Parce que je suppose que si mon maître a offert l'hospitalité à monsieur le chevalier, c'est qu'il le juge entouré de graves dangers...

– Ah ! ah ! fit d'Assas qui tressaillit et dressa l'oreille.

– Mon officier, reprit mystérieusement Lubin, nous avons eu un de vos prédécesseurs tout tranquillement tué...

– Tué !... Ah ça !...

– Oh ! mon Dieu, oui ! Il était jeune comme vous, beau comme vous, audacieux comme vous ; un jour, il voulut sortir comme vous allez faire... il nous revint vers la nuit avec deux bons coups d'épée au travers du corps, ce dont il trépassa une heure plus tard le plus chrétiennement du monde, au reste. Nous avons appris par la suite que ce digne gentilhomme avait rôdé de trop près autour d'une maison solitaire où demeurait la dame de ses pensées... et que quelque jaloux... le mari peut-être... vous comprenez ? Enfin, j'ai cru de mon devoir de prévenir monsieur le chevalier.

– Ton intention est bonne, mon ami. Aussi, pour le soin que tu veux bien prendre de ma santé, voici deux louis...

À la grande surprise du chevalier, le valet Lubin sourit et refusa poliment les deux louis, en disant qu'il se ferait chasser s'il acceptait et que c'était lui, au contraire, qui était chargé de remplir les fameuses bourses à mesure qu'elles se videraient.

D'Assas sortit, assez préoccupé de cet incident.

Les paroles de Lubin semblaient si bien s'appliquer à sa propre situation, il y avait, ou du moins il croyait comprendre une telle menace sous les avertissements de cet étrange valet qui refusait le pourboire, qu'il en eut un frisson.

Mais pour rien au monde d'Assas n'eût renoncé à ce qu'il allait faire.

Et puis, en mettant les choses au pis, s'il était attaqué, il ne se laisserait pas ainsi tout doucement égorger.

Et puis enfin, s'il était tué... eh bien ! il ne souffrirait plus, voilà tout !

D'Assas se rendit donc tout droit à la petite maison, résolu à y entrer, à voir Jeanne, à se jeter à ses pieds et à lui demander pardon des paroles qu'il avait prononcées lors de la rencontre du carrosse.

Car il ne mettait plus en doute que Jeanne n'eût été enlevée par violence.

Seulement, il se disait que la violence avait été morale, que la malheureuse jeune femme avait dû céder à quelque effrayante menace dans le genre de celles qui l'avaient décidée, elle si belle, à épouser d'Étioles, ce monstre.

Le chevalier partit presque en courant, résolu à frapper à la porte de la petite maison dès qu'il y arriverait.

Mais une fois qu'il fut en vue de la maison, il ralentit le pas, et finalement s'arrêta sous le quinconce où il avait rencontré du Barry.

Maintenant, il n'osait plus !...

Vingt fois il fit le mouvement de se diriger vers la porte, vingt fois il recula...

Enfin, après s'être vigoureusement morigéné soi-même sur sa lâcheté, il marcha droit à la porte et souleva le marteau... puis il attendit, palpitant...

La porte ne s'ouvrit pas.

Aucune réponse ne lui parvint.

La maison ne donnait pas signe de vie.

À diverses reprises, il frappa.

Toujours même silence.

Enfin, il aperçut une sorte de paysan qui, le voyant frapper, s'arrêta, souleva son bonnet et dit :

– Mais, mon gentilhomme, cette maison est inhabitée. Vous appelez en vain... Voici des mois que je passe devant tous les jours, et jamais je n'y ai vu âme qui vive...

D'Assas eut une sueur froide.

Est-ce que Jeanne était repartie, ou bien est-ce qu'on l'avait transportée ailleurs ?...

Non ! C'était impossible... Mais il fit cette réflexion qu'on ne lui ouvrirait certainement pas et qu'en s'obstinant à frapper, il risquait de donner l'éveil à ces jaloux dont avait parlé Lubin...

Il se retira donc, et rentra fort désespéré dans la mystérieuse maison de la ruelle aux Réservoirs.

Il passa le reste de la journée et la soirée à combiner des plans pour le lendemain.

Il avait fait le tour de la maison.

Il avait vu la petite porte du jardin et il se disait que par là il réussirait peut-être à entrer.

Lubin, comme la veille, lui servit un excellent souper arrosé de vins supérieurs. Comme la veille d'Assas finit par s'étourdir, et se coucha avec l'espoir de faire au moins de bons rêves puisque la réalité lui était si peu propice.

Malheureusement, il paraît que tout s'en mêlait, car il eut toutes les peines à s'endormir, et lorsqu'il fut enfin endormi, ce furent des cauchemars qui vinrent l'assaillir au lieu des rêves d'amour qu'il avait espérés.

Ces rêves prirent bientôt la consistance de la réalité vivante, visible et tangible.

Il y avait une veilleuse dans la chambre.

Et à son indécise clarté, d'Assas pouvait parfaitement distinguer tous les objets qui garnissaient cette pièce.

Rêvait-il ?... Était-il éveillé ?... Toujours est-il qu'il avait les yeux entrouverts lorsqu'il lui sembla tout à coup percevoir un bruit imperceptible et un mouvement plus imperceptible encore ; bruit et mouvement étaient ceux d'une porte qu'on ouvre avec d'infinies précautions, et cette porte, c'était précisément celle de sa chambre sur laquelle à ce moment son regard était vaguement fixé...

D'Assas sentit le frisson de l'épouvante glisser le long de ses reins.

Il était brave, pourtant, follement brave et téméraire.

Mais, dans l'état d'esprit où il se trouvait, entouré de tout ce mystère impénétrable, dans cette maison qui pouvait être un traquenard pour égorgements nocturnes, à peine éveillé des songes pénibles qui avaient agité son sommeil, il eut la sensation aiguë qu'il allait être tué sans défense possible.

Il jeta un regard vers les pistolets qui étaient restés sur la table... et il allait bondir, lorsque la porte acheva de s'ouvrir et une femme parut !...

D'Assas demeura immobile, les yeux à demi fermés, pris d'une irrésistible curiosité.

Qui était cette femme ? Que lui voulait-elle ?

Elle était enveloppée d'un long manteau noir, et un loup noir masquait son visage.

Elle était arrêtée dans l'encadrement de la porte, et d'Assas voyait briller ses yeux au fond des trous du masque.

Et maintenant, c'était une superstitieuse épouvante qui se glissait jusqu'à son âme !...

Qu'était-ce que cette statue noire ?... De quel enfer sortait-elle ?...

Il eut un long frisson lorsqu'il vit la femme... la statue noire s'avancer vers le lit.

Il voulut se redresser, appeler, crier, ouvrir tout à fait les yeux...

Il se sentit paralysé par l'horreur.

La femme s'avançait les yeux fixés sur lui. Parfois, lorsque le plancher criait, elle s'arrêtait soudain, attendait quelques secondes, puis se remettait en marche...

Enfin, elle atteignit le lit et se pencha doucement en murmurant :

– Pas un geste... pas un mot... ou je paierai de ma vie sans doute l'intérêt que je vous porte... Vous m'entendez, n'est-ce pas ?... faites-moi comprendre que vous m'entendez en ouvrant et en fermant les paupières... mais, au nom du ciel, taisez-vous !...

D'Assas obéit... Il ouvrit et ferma les paupières.

Alors, tandis qu'un prodigieux étonnement enchaînait sa pensée, il sentit que la femme se baissait davantage vers lui... Et d'une voix faible comme un souffle, elle murmura :

– Chevalier d'Assas, n'entrez jamais, ni le jour ni la nuit, sous quelque prétexte qu'on vous y invite, n'entrez jamais dans le petit pavillon qui est en face de celui-ci !... Avez-vous compris ?... Si oui, répétez le même signe...

Pour la deuxième fois d'Assas ouvrit et referma les paupières.

Alors, brusquement, il eut sur le front la sensation étrange d'un baiser à la fois brûlant et glacé...

Il ouvrit brusquement les yeux...

La femme mystérieuse, la statue noire se redressait...

Elle mit le doigt sur sa bouche comme pour lui faire une recommandation suprême... puis, avec la même lenteur, avec les mêmes infinies précautions, elle se retira, atteignit la porte... la ferma... disparut, s'évanouit dans la nuit comme un fantôme...

Pendant de longues heures, le chevalier demeura éveillé, doutant parfois de ses sons, se demandant s'il n'avait pas eu quelque hallucination... Mais non !...

Comme pour répondre par avance à cette question, la statue

noire avait laissé dans la chambre un pénétrant parfum de verveine...

Et d'Assas finissait par se demander même comment ce parfum pouvait persister aussi longtemps lorsque, s'étant à demi soulevé sur le coude, il aperçut tout près de lui, sur les couvertures, un mouchoir de fine batiste richement brodé que l'inconnue, en s'appuyant des deux mains, avait dû oublier là...

C'était ce mouchoir qui était imprégné de verveine. Il portait comme chiffre un J et un B entrelacés, surmontés d'une couronne comtale...

– Ne jamais pénétrer dans le pavillon d'en face ! murmura le chevalier. Pourquoi ?... Que s'y passe-t-il donc ?... Et que m'arriverait-il si jamais j'y pénétrais ?...

Il finit à la longue par s'assoupir...

À son réveil, il faisait grand jour.

Il allait sauter à bas de son lit, lorsque, sur la table de nuit, il aperçut un petit papier plié en quatre.

Il l'ouvrit aussitôt et lut ces lignes :

« On vous recommande la patience. Vous avez commis hier de grandes imprudences. Lorsqu'il en sera temps, vous serez prévenu. Tenez-vous prêt. Dès que l'heure en sera venue, vous n'aurez qu'à vous rendre à l'heure qu'on vous indiquera à la petite maison où se trouve celle que vous aimez. Vous vous présenterez à la petite porte bâtarde du jardin. Celle que vous aimez sortira par là. Vous serez prévenu du jour et de l'heure par un billet semblable à celui-ci... D'ici là, prenez patience. Ne sortez pas ou peu. N'allez plus rôder là-bas... »

– Cela se complique et se simplifie en même temps ! murmura d'Assas.

Il eut dès lors la sensation très nette qu'il était engrené dans quelque chose de formidable.

Mais le chevalier aimait. Il était ardemment et sincèrement épris. Il n'hésita pas. Il résolut de se fier au terrible organisateur de toute cette pièce où il jouait un rôle sans savoir si la pièce tournerait au drame ou à la tragédie...

Les jours suivants se passèrent sans incidents.

Lubin était aux petits soins et lui servait des dîners fins, lui tenait compagnie, l'étourdissait de son babil...

Cependant, le matin du quatrième jour, d'Assas, rouge d'impatience, était résolu à faire une nouvelle tentative du côté de la petite maison.

Or, ce matin-là, par la même voie, lui parvint un nouvel avertissement ; c'est-à-dire qu'en se réveillant, il trouva sur la table de nuit un billet ainsi libellé :

« Ce soir, à dix heures, rendez-vous à la porte bâtarde du jardin de la petite maison. Celle que vous aimez sortira. Le reste vous regarde... »

Le cœur de d'Assas battit à rompre et il eut la tentation de baiser ce billet !... Mais soudain il pâlit...

Il y avait un post-scriptum au billet !...

Et le post-scriptum disait :

« Si vous voulez continuer à accepter l'hospitalité qui vous est offerte dans cette maison, et si vous décidez celle que vous aimez à vous accompagner, vous entrerez dans le pavillon d'en face qui est mieux aménagé pour recevoir une femme. »

– Le pavillon d'en face ! murmura d'Assas en frissonnant Oh ! que médite-t-on ici ? Qu'y prépare-t-on ?... Et qui veut-on y tuer ?...

XXXII

La nouvelle femme de chambre

Le soir de ce jour, dans ce pavillon d'en face qui inspirait au chevalier de si terribles réflexions, dans ce charmant petit salon où nous avons déjà introduit nos lecteurs, trois personnages étaient réunis.

C'étaient M. Jacques, Juliette et le comte du Barry.

Juliette, debout, évoluait devant M. Jacques, assis, qui la regardait gravement.

Il était quatre heures.

Mais déjà les lampes étaient allumées, soit que la nuit commençât à tomber, soit que les rideaux épais eussent été soigneusement tirés.

– Eh bien ! dit M. Jacques. Ce costume de nuit vous sied à ravir. Il est d'ailleurs identiquement copié sur celui que porte votre rivale. Maintenant, mon enfant, je voudrais bien vous voir dans l'autre costume... Il vaut mieux ne rien laisser au hasard... et souvent un détail, insignifiant en apparence, a renversé de grands desseins...

Juliette, comme l'avait dit M. Jacques, portait un costume de nuit, c'est-à-dire un peignoir de soie d'une richesse et d'un goût merveilleux.

Sur les derniers mots de M. Jacques, elle fit un signe d'assentiment et se retira dans sa chambre.

Elle reparut dix minutes plus tard, vêtue en soubrette, exactement le même costume que Suzon...

M. Jacques l'examina soigneusement, en vérifiant l'identité des détails sur un papier qu'il tenait à la main...

– Très bien, dit-il enfin. Voulez-vous, mon enfant, me répéter ce que vous avez à dire ?

Juliette prononça quelques mots rapides qui résumaient sans doute la leçon qu'on lui avait apprise.

M. Jacques compulsa ses notes et demanda :

– Comment s'appelle la cuisinière ?...

– Dame Catherine, quarante ans, vaniteuse ; il y a une pièce de soie pour elle...

– Les deux filles de service ?...

– Pierrette et Nicole, vingt ans, toutes deux intelligentes et intéressées, ont été choisies par Suzon ; cinq mille livres à chacune...

– Et vous êtes, vous ?...

– La sœur aînée de Suzon...

M. Jacques parut très satisfait de cette sorte de répétition générale.

Il se leva, prit dans ses mains les deux mains de Juliette, et d'une voix qui semblait fort émue :

– Mon enfant, lui dit-il, songez que de votre habileté... de votre hardiesse, surtout, dépendent de graves intérêts... mon enfant, j'ai confiance en vous...

Il y eut alors un long silence.

Vers cinq heures et demie, la nuit était tout à fait venue.

M. Jacques, qui se promenait de long en large, s'arrêta tout à coup, et dit :

– Allons... il est temps !...

Ils sortirent tous les trois, M. Jacques impassible, du Barry sombre, et Juliette violemment émue.

Devant la maison, une voiture attendait. C'était une de ces solides berlines de voyage qui couraient les routes de porte en porte. Elle était attelée de deux vigoureux chevaux sur l'un desquels un postillon, déjà en selle, était prêt à fouetter ses bêtes.

Juliette monta dans la voiture. Du Barry se plaça près d'elle. M. Jacques s'approcha du postillon.

– Les soixante mille livres ? demanda-t-il.

– Dans le coffre, Monseigneur, répondit le postillon.

– Vous avez toutes vos instructions ?...

– Oui, Monseigneur : une jeune fille doit monter dans cette voiture et je dois la conduire hors Paris. Mais je n'ai pas encore l'endroit...

– Villers-Cotterêts, dit M. Jacques.

– Villers-Cotterêts, bien...

– Si la jeune fille vous demande de la conduire jusqu'à un village voisin qui s'appelle Morienval, vous la conduirez. Mais en cours de route elle ne doit communiquer avec personne... À votre retour, vous me rendrez compte des incidents, s'il y en a eu...

Cela dit, M. Jacques monta dans la voiture qui s'ébranla aussitôt et qui, dix minutes plus tard, s'arrêta à deux cents pas de la petite maison du roi.

Tous les trois descendirent, Juliette enveloppée d'un grand manteau noir qui cachait entièrement son costume de soubrette.

Ils firent le tour de la maison.

Devant la porte bâtarde du jardin, un homme attendait. Il s'avança vivement à la rencontre de M. Jacques...

C'était Bernis.

Au loin, six heures sonnèrent...

– Êtes-vous prêt ? demanda M. Jacques.

– Oui, Monseigneur, répondit Bernis en dissimulant son émotion.

M. Jacques se tourna alors vers du Barry et lui remit un papier plié en quatre.

– Ce billet dans la chambre du roi, dit-il. Il faut que Lebel fasse en sorte que le roi ne sorte pas avant minuit. Il faut tout prévoir. Le chevalier sera ici à dix heures. Rappelez-vous votre besogne à ce moment-là. Deux heures ne sont pas de trop pour les incidents imprévus...

– Minuit, bien !... Et moi, ici à dix heures, dit le comte qui, ayant pris le billet, s'éloigna aussitôt dans la direction du château.

– Le signal, Bernis, dit alors M. Jacques.

En même temps, il jeta un dernier regard autour de lui. Juliette, un petit portemanteau à la main, s'était approchée de la petite porte en même temps que Bernis.

M. Jacques se posta sous les quinconces.

Bernis frappa trois petits coups à la porte du jardin.

Elle s'ouvrit aussitôt, et Suzon parut, un peu pâle et tremblante.

À cette minute, elle eut une hésitation suprême et fit un mouvement comme pour se rejeter en arrière.

Mais déjà Bernis l'avait saisie par le bras et attirée au dehors.

Au même instant, Juliette se glissa, rapide comme une ombre, dans le jardin, et la porte se referma.

– Ah ! François ! murmura Suzon en s'appuyant au bras de Bernis, je n'oublierai jamais les émotions que je viens d'avoir. Vous me jurez bien, au moins, qu'on n'en veut ni au roi ni à Mme d'Étioles ?

– Je te jure sur ma part de paradis qu'il n'arrivera aucun mal ni à l'un ni à l'autre... Allons, viens... la voiture est là qui va t'emmener à Villers-Cotterêts. L'argent est dans le coffre... Le postillon est à tes ordres... Te voilà riche... ne m'oublie pas dans ton bonheur, ma petite Suzon... Quant à moi, je garderai toute la vie le charmant souvenir des quatre journées d'amour que je te dois...

Suzon, trop émue pour répondre, se contenta de presser contre elle le bras de son cavalier.

Ils atteignirent ainsi la voiture. Bernis, jouant jusqu'au bout son rôle d'amoureux, serra Suzon dans ses bras, puis la poussa dans la berline dont il ferma la portière à clef. Au même moment le postillon enleva ses deux chevaux, et quelques minutes plus tard, le grondement des roues s'éteignit dans le lointain...

Bernis revint alors à M. Jacques, et, s'inclinant :

– C'est fait, Monseigneur... Je n'ai plus qu'à attendre dix heures... devant la grande porte... celle-ci étant réservée au chevalier d'Assas...

– Bien, mon enfant, dit M. Jacques. Dès mon retour à Paris, venez me trouver rue du Foin. Et nous compterons. Vous avez ces jours-ci opéré avec une souplesse, une habileté, une rapidité qui vous donnent des droits.

Bernis se courba davantage. Quand il se redressa, il vit la sévère silhouette de M. Jacques qui s'enfonçait dans les ténèbres.

Juliette avait vivement traversé le jardin et était entrée dans le petit salon du rez-de-chaussée qu'éclairait une lampe. Il y avait trois jours qu'elle étudiait un plan de la maison fait par Bernis d'après les indications de Suzon ; tout avait été marqué sur ce plan, jusqu'à l'emplacement des moindres meubles.

Juliette connaissait donc la maison presque aussi bien que si elle l'eût habitée.

Elle se débarrassa du manteau qui la couvrait et le jeta au fond d'une armoire. Quant au petit portemanteau qu'elle tenait à la main, elle le plaça sous un canapé... Alors Juliette regarda autour d'elle.

Elle était émue au point qu'elle tremblait. De ses deux mains, elle comprima les palpitations de son cœur, et en quelques minutes, elle parvint à dompter cette émotion, ou tout au moins à la dissimuler complètement.

Alors elle se dirigea sans hésiter vers l'antichambre qu'elle traversa, gagna l'office et apparut tout à coup à la cuisinière, la digne Catherine.

– Voyons, Catherine, fit Juliette, voici que sept heures approchent et le souper de madame n'est pas prêt... Vous savez qu'elle n'aime pas attendre...

La cuisinière s'était retournée, stupéfaite, ébahie...

– Qu'avez-vous à me regarder ainsi ? Êtes-vous folle ? reprit Juliette. Quand ma sœur va rentrer...

– Votre sœur ! balbutia la cuisinière suffoquée.

– Suzon ! Mais vous tombez des nues ?...

– Ah ! Mlle Suzon est votre sœur ?...

– Oh ! a-t-elle la tête dure ! Suzon me l'avait bien dit en venant me demander de la remplacer ici pour deux jours !... Allons, allons, dame Catherine, à l'ouvrage !... Et songez que si je suis contente de vous pendant ces deux jours, j'ai une belle pièce de soie à votre service...

Ces paroles amenèrent un large sourire sur les lèvres de dame Catherine qui, revenant peu à peu de sa stupéfaction, murmura :

– Comme ça, vous remplacez Mlle Suzon ?... Si le maître le savait !...

– Ah ça !... interrompit Juliette en grondant, et Nicole ? Et

Pierrette ?... Où sont-elles, ces paresseuses !...

Elle sortit de la cuisine et gagna la chambre où couchaient les filles de service.

Pierrette témoigna la même stupéfaction que Catherine. Mais Nicole ne parut pas autrement étonnée, et, sur un signe que lui fit Juliette, suivit la nouvelle femme de chambre dans le petit salon.

– Suzon t'a prévenue ? fit-elle alors.

– Oui, madame...

– Il y a cinq mille livres pour Pierrette et autant pour toi, si vous êtes intelligentes et dévouées.

– Que faut-il faire ? demanda Nicole dans un empressement qui prouvait qu'elle ne demandait pas mieux que de gagner la somme.

– Tout simplement ouvrir à celui qui viendra heurter à la porte un peu après minuit. D'ici là, que l'on frappe, que l'on heurte, que l'on crie, que l'on menace, ne pas ouvrir.

– Ouvrir à minuit, bien ! dit Nicole. Et après ?...

– Après ? Éteindre toute lumière dans l'escalier, et conduire celui qui viendra jusqu'à la chambre de madame...

– C'est facile, dit Nicole. Mais si je suis chassée par madame ?

– Ne t'en inquiète pas : madame ne te chassera pas, au contraire ! Mais enfin, si cela arrivait, tu entrerais au service de Mme de Rohan, et le jour où tu sortirais d'ici, tu recevrais cinq mille autres livres, ce qui te ferait dix mille. Acceptes-tu ? Hâte-toi...

– J'accepte, dit Nicole résolument.

– Bien, ma fille. Va-t'en donc à l'office et empêche tout bavardage inutile. Tu peux dire que tu m'as souvent vue avec Suzon, ma sœur... Voici madame qui appelle...

Juliette s'élança dans l'escalier et pénétra aussitôt dans le grand salon où Jeanne, à demi étendue sur un canapé, rêvait, un livre à la main. Jeanne considéra attentivement Juliette qui supporta l'examen sans broncher.

– Vous êtes la nouvelle femme de chambre ? demanda-t-elle.

– Oui, madame. Et j'espère que vous n'aurez pas lieu de regretter ma sœur.

– Ah ! Suzon est votre sœur ?

– Oui, madame ; cela se voit d'ailleurs ; nous avons même taille, au point que j'ai pu mettre sa robe, comme madame peut voir... car Suzon m'avait prévenue que madame était difficile pour le costume de ses filles de chambre...

– Suzon m'a dit qu'elle serait absente trois ou quatre jours, reprit Jeanne.

– Oui, madame, c'est pour une affaire que nous avons dans notre pays, près de Chartres. Et comme elle est plus au fait que moi...

– C'est bien ce que Suzon m'a dit, murmura Jeanne. Et pourtant... où ai-je vu cette figure... ces yeux ?... J'éluciderai cela demain matin... Comment vous appelez-vous ? reprit-elle à haute voix.

– Julie, madame.

– Eh bien ! pour ne pas changer les habitudes de la maison, je vous appellerai comme votre sœur : Suzon.

– Si cela convient à madame...

– Oui. Donc, Suzon, ma fille, je me sens fatiguée. Je ne souperai pas. Dans une demi-heure, tu me monteras une tasse de lait, et puis, tu viendras me coucher...

Jeanne, dès cette époque, souffrait en effet de ce mal d'estomac dont elle devait être torturée toute la vie.

Devant l'ordre qu'elle venait de recevoir, Juliette demeura atterrée.

Si Mme d'Étioles se couchait tout de suite, le plan si méticuleusement élaboré s'écroulait...

Jeanne remarqua la pâleur soudaine qui avait envahi le visage de la nouvelle femme de chambre.

– Eh bien ! dit-elle, qu'as-tu donc, Suzon ?...

– Rien, madame, rien... fit Juliette qui se hâta de disparaître.

– Voilà qui est assez étrange, pensa Jeanne. Il me semble... que je pressens... je ne sais quelle trahison !... Et Louis qui ne vient pas !... Louis que j'attends en vain !... mortelles journées d'alarmes !... Que fait-il ?... Pense-t-il à moi ?...

Jeanne oubliait que le roi avait juré de n'entrer dans cette maison qu'appelé par elle !

Elle se trouvait dans un singulier état d'esprit.

Le billet qu'avait reçu le roi et qui, comme on l'a vu, lui avait été envoyé par M. Jacques, ce billet, en somme, ne mentait pas... Jeanne s'ennuyait !...

À se voir si bien obéie, elle éprouvait un dépit qui l'énervait ; et si Louis XV avait compté sur cet état de nervosité où l'attente jetait Jeanne, il avait à coup sûr agi en habile homme.

Mais le roi n'en avait pas pensé si long : tout simplement, il n'osait pas !

Et alors que Jeanne se plaisait à lui prêter les plus brillantes qualités de hardiesse, le roi n'était au fond qu'un bon bourgeois assez timide en amour, aimant de préférence les intrigues faciles, et redoutant pour sa paresse la nécessité d'un effort.

Jeanne, de cette tournure d'esprit, n'avait aucune idée.

– Je l'ai peut être trop durement traité ! songeait-elle cent fois par jour en pleurant. Lui qui m'aime tant !... J'ai été cruelle, injuste... Ô mon roi, mon beau roi, pardonne-moi... pardonne à ton amante !

Ce fut dans cette disposition d'esprit qu'elle reçut tout à coup de Suzon la demande de s'absenter.

Jeanne consentit facilement. Peut-être était-elle enchantée de voir un nouveau visage.

Suzon lui déplaisait ; elle la trouvait sournoise ; elle lui avait surpris des sourires qui l'avaient fait rougir...

Jeanne était donc favorablement disposée pour la nouvelle venue, quelle qu'elle fût.

Mais maintenant qu'elle avait vu Juliette, une vague inquiétude s'infiltrait peu à peu dans son esprit...

L'émotion manifestée par la nouvelle femme de chambre avait redoublé cette inquiétude.

Pourquoi cette émotion, cette pâleur ?

Et surtout, comment se faisait-il que cette femme ressemblât d'une façon si frappante à une personne déjà vue sûrement ?...

Où avait-elle vu cette personne qu'évoquait le visage de Juliette ?...

Elle ne savait. Et le souvenir de la fête de l'Hôtel de Ville ne se présenta pas à son imagination.

Jeanne finit par écarter ses pensées qu'elle jugeait importunes, et, de toutes ses forces, appela l'image du roi.

La pendule, en sonnant huit heures, l'arracha brusquement à ses rêveries.

À ce moment, Juliette entra... Elle semblait plus émue que tout à l'heure encore... plus qu'émue : bouleversée.

Elle déposa sur un guéridon la tasse de lait que Jeanne but d'un trait en l'examinant du coin de l'œil...

– Voyons, fit alors Jeanne en se levant, viens me déshabiller, Julie...

Juliette suivit Jeanne dans la chambre à coucher.

– Madame, fit-elle tout à coup d'une voix tremblante, vous voulez donc déjà vous mettre au lit ?

– Mais oui, ma fille, fit Jeanne étonnée de la question et surtout du ton de terreur avec lequel elle était faite.

– Madame, reprit Juliette... si j'osais...

– Quoi donc ?... Mais sais-tu que tu me fais peur ! Parle, voyons... Que veux-tu oser ?...

– Vous donner un conseil, madame !...

– Eh bien, donne-le, ton conseil ! Que de précautions ! Quelle fille extraordinaire !...

– Madame, si vous m'en croyez, vous ne vous coucherez pas, fit Juliette comme si elle venait de prendre une résolution soudaine.

– Deviens-tu folle ? fit Jeanne qui sentait son inquiétude grandir de minute en minute. Pourquoi ne me coucherais-je pas, si j'ai sommeil ?

– Et même, continua Juliette sans répondre, si j'étais à la place de madame, non seulement je ne me coucherais pas... mais encore... je m'habillerais comme pour sortir !...

Jeanne sentit son inquiétude se transformer en terreur.

Elle fixa un profond regard sur Juliette qui baissa la tête.

– Voyons, dit-elle, tu me caches quelque chose...

– Madame...

– Je ne sais quelles idées me pénètrent... mais il me semble que tu es ici... tiens... pour me trahir !... Ton trouble, tes étranges conseils...

Juliette poussa un cri, cacha son visage dans ses deux mains et tomba à genoux.

– Ah ! s'écria Jeanne au comble de l'épouvante, je ne me trompais donc pas !...

– Madame, sanglota Juliette, vous voyez bien que je ne vous trahis pas !... puisque je cherche à vous sauver !...

– Me sauver !... Suis-je donc menacée ?...

– Madame, fit Juliette en se relevant et en jetant un regard désespéré sur la pendule, par grâce, par pitié, laissez-moi vous habiller... Vous m'interrogerez après... je vous dirai tout !...

Jeanne, stupéfaite et terrifiée, vit alors Juliette se précipiter vers le cabinet de toilette et en revenir avec un costume de ville et un manteau.

Fébrilement, avec des maladresses de hâte mais non de science, la femme de chambre se mit à habiller Jeanne qui se laissa faire en silence.

– Neuf heures ! dit alors Juliette. Heureusement, nous avons encore une heure devant nous...

Jeanne, à ce moment, était complètement habillée, prête à sortir.

– Parle, maintenant, dit-elle avec une angoisse qu'elle ne parvint pas à dompter complètement.

– Pas ici, madame, pas ici !... En bas, je vous en supplie...

– Mais pourquoi...

– Pour que vous soyez sûre de pouvoir vous sauver !... Venez, venez, madame !... De grâce, ayez confiance en moi, puisque pour vous, je trahis ceux qui m'ont envoyée...

Jeanne, croyant rêver, se laissa entraîner par Juliette qui pénétra dans le petit salon du rez-de-chaussée.

Tremblante et sûre désormais que quelque guet-apens avait été organisé contre elle, Jeanne se laissa tomber dans un fauteuil.

Juliette, malgré le froid du dehors, ouvrit la porte-fenêtre.

– Que madame m'attende un instant, dit-elle en s'élançant dans le jardin.

Quelques minutes plus tard, elle reparut en disant :

– Maintenant, je respire !... J'ai été tirer les verrous de la petite porte ; j'ai mis la clef dans la serrure, et madame pourra fuir quand il lui plaira... dès maintenant, si elle veut...

– Je ne m'en irai pas sans savoir de quoi il s'agit, dit Jeanne avec une fermeté qui fit frissonner Juliette.

Celle-ci jeta un coup d'œil furtif à la pendule.

Son rôle, à ce moment, devenait excessivement difficile et périlleux :

Il s'agissait de décider Jeanne à fuir, mais il fallait en même temps que la fuite n'eût pas lieu avant dix heures...

Il fallait gagner du temps, et pourtant il ne fallait pas dépasser l'heure.

Juliette, en un instant, eut calculé son affaire et établi ses batteries...

– Madame, fit-elle tout à coup, je vous ai trompée : je ne suis pas la sœur de Suzon...

– Mais Suzon elle-même a dit...

– Suzon a menti comme moi, elle est complice comme moi, elle a été payée comme moi !... Ah ! les gens qui vous en veulent ont bien tout calculé, allez !...

– Qui sont ces gens qui m'en veulent ? demanda Jeanne en s'efforçant de garder tout son calme.

– Des ennemis du roi ! répondit Juliette.

Cette fois Jeanne ne put retenir un cri d'angoisse.

Qu'elle fût menacée elle-même, elle ne s'en inquiétait que juste assez pour se mettre en état de défense.

Elle était naturellement brave.

Son caractère entreprenant et romanesque ne répugnait pas aux aventures, même dangereuses.

Mais le roi ! le Bien-Aimé !...

Elle frémit de terreur à la pensée qu'il était menacé et que peut-être elle ne pouvait rien pour le sauver.

– Explique-toi ! dit-elle d'une voix altérée. Ou plutôt, réponds clairement à toutes les questions que je vais te poser. Et ne mens pas, surtout ! Sinon, dussé-je te tuer de mes mains...

– Madame, je ne mentirai pas, je le jure ! s'écria Juliette. D'ailleurs, pourquoi mentirais-je ?... Si j'avais voulu vous perdre, je n'avais qu'à jouer mon rôle jusqu'au bout et laisser faire !...

– C'est juste ! dit Jeanne.

Juliette eut un sourire de joie qu'elle dissimula en baissant la tête.

– Tu seras dignement récompensée, reprit Jeanne. Mais voyons. Tout d'abord, qui sont les gens dont tu parles ?

– Je ne les connais pas. Ce sont des gentilshommes. Voilà tout ce que je puis dire.

– Des félons !... Pourquoi est-ce toi et non Suzon qu'ils ont chargée de me perdre ?

– Parce que Suzon a eu peur. Elle a accepté de s'en aller, de laisser la place libre, mais elle n'a pu se décider au rôle qu'il fallait jouer, parce qu'elle a eu peur, je vous le répète...

– Peur de quoi ?

– Que le coup ne réussisse pas. Et alors, non seulement votre colère, mais encore la vengeance du roi étaient à redouter. Bref, moyennant une grosse somme d'argent, elle a simplement consenti à s'en aller, sous prétexte d'un congé qu'elle vous demanderait, et à laisser agir une autre plus hardie qu'elle...

– Et cette autre, c'est toi ?

– Oui, madame ! fit Juliette pourpre de confusion.

– Eh bien, que devais-tu faire ?...

– Je devais pousser madame à se coucher de bonne heure, afin que vers dix heures, elle fût endormie...

– Et alors ?...

– À dix heures, les gens en question doivent venir frapper à la porte... et je dois leur ouvrir.

– Ensuite ?...

– Je ne sais plus rien de précis, madame. Seulement j'ai cru comprendre à force d'écouter...

– Voyons... qu'as-tu compris ?... Hâte-toi !... Car voici dix heures qui approchent !...

– Eh bien ! voici : on devait s'emparer de madame.

On devait, par menaces et au besoin par violences, la forcer d'écrire à Sa Majesté...

Jeanne frissonna.

– Alors, le roi, sur la lettre de madame, serait accouru ici... et... je ne sais plus !...

– Oh ! mais je devine, moi ! murmura Jeanne atterrée. C'est un guet-apens contre Louis !... Oh !... comment le prévenir !...

À ce moment, on frappa à la porte extérieure de la maison, assez discrètement, en somme.

– Les voici ! fit Jeanne. Vite, préviens qu'on n'ouvre pas !

– C'est fait, madame ! Décidée à vous sauver, j'ai pris mes précautions en conséquence. J'ai fermé à l'intérieur à double tour... et voici la clef !...

En même temps, Juliette jeta sur la table la clef qu'elle venait de tirer de sa poche.

– Que faire ? murmura Jeanne ; que faire ?...

– Fuir, madame ! Fuir sans perdre un instant... Entendez-vous ?... On frappe plus fort... Ils s'étonnent que je n'ouvre pas !... Mon Dieu !... Peut-être vont-ils essayer de passer par le jardin... Fuyez, madame, fuyez... Dans un instant, il sera trop tard !...

– Eh bien, oui, fuir !... et prévenir le roi !...

– Venez ! venez !...

Juliette, comme dans un moment d'égarement, saisit Jeanne par le bras, au moment où on frappait encore au dehors, et l'entraîna dans le jardin.

Devant la petite porte, elle s'arrêta toute tremblante...

– Attendez, madame... je vais m'assurer que vous n'avez rien à craindre de ce côté-ci.

– Tu seras royalement récompensée, dit Jeanne.

Juliette avait entrouvert la petite porte et jeté un rapide regard sous les quinconces.

– Personne, murmura-t-elle. Fuyez, madame...

Jeanne franchit la porte.

– Et toi ? fit-elle alors tout à coup. Viens avec moi !...

– Fuyez ! fuyez donc ! dit Juliette pour toute réponse.

Et aussitôt, rentrant dans le jardin, elle repoussa la petite porte, la ferma à double tour et mit les verrous...

Alors, haletante d'une émotion qui cette fois n'était pas simulée, elle attendit un instant, jusqu'à ce qu'elle eut entendu sur le gravier les pas de Jeanne qui s'éloignait, légère et rapide...

Puis, elle rentra dans la maison et appela Nicole.

– Dans cinq minutes, toutes lumières éteintes...

– J'entends...

– Et à minuit... lorsqu'on frappera...

– J'ouvre...

– Et tu conduis par la main jusque dans la chambre de madame celui qui se présentera !...

Sur ces mots, Juliette monta lestement dans la chambre et commença à revêtir un costume de nuit entièrement semblable à ceux que portait madame d'Étioles...

XXXIII

La maison des réservoirs

Jeanne, en voyant se refermer si brusquement la porte du jardin, eut la sensation qu'elle avait été jouée par celle qui avait prétendu vouloir la sauver. La pensée lui vint d'appeler, de rentrer coûte que coûte dans la maison. Mais si cette Julie avait dit vrai, pourtant !...

Elle entendait les coups que l'on frappait à la porte d'entrée...

La pensée du danger que courait le roi la fit frissonner.

– Oh ! murmura-t-elle, lui d'abord ! Il faut le prévenir ! le sauver !...

Et elle s'élança, s'écartant le plus possible de la porte d'entrée, quitte à faire ensuite un crochet pour revenir sur Versailles.

Car sa résolution était arrêtée.

Aller tout droit au château, et faire prévenir le roi qu'un grave danger le menaçait s'il allait à la petite maison.

Comme elle s'engageait sous les quinconces, une ombre, un homme se détacha soudain de la nuit.

Elle étouffa un cri.

Mais, nous l'avons dit, Jeanne était brave.

Elle sortit de son sein un petit poignard à manche d'or ciselé, et, d'une voix ferme :

– Qui que vous soyez, dit-elle, place ! Laissez-moi passer ! Gentilhomme ou manant, ce que vous faites est indigne ! Mais je vous préviens que je suis décidée à me défendre !... Regardez ceci !

L'homme se recula d'un pas, s'inclina profondément, et, d'une voix où tremblait un sanglot :

– Mon malheur est grand, madame, d'avoir pu, ne fût-ce qu'un instant, vous effrayer et passer peut-être à vos yeux pour quelque larron d'honneur...

– Le chevalier d'Assas ! s'écria Jeanne.

– Oui, madame !... Le chevalier d'Assas qui vient déposer son amour à vos pieds et mettre son épée à votre service...

Jeanne poussa un cri de joie, et tendit ses deux mains.

– Ah ! chevalier, fit-elle, dans les circonstances où je me trouve, nulle rencontre ne pouvait m'inspirer la confiance que vous m'inspirez, vous...

Le cri, le geste et la parole transportèrent le chevalier.

C'était plus qu'il n'eût osé rêver.

Son cœur se dilata et se mit à battre la diane de l'amour.

– Éloignons-nous tout d'abord, dit Jeanne.

– Prenez mon bras, madame, fit d'Assas, et soyez convaincue que, sous la sauvegarde de ce bras, vous n'avez rien à craindre !...

– Je le sais, chevalier, répondit Jeanne en prenant le bras que lui offrait d'Assas et en s'y suspendant, pleine de confiance.

Ils se mirent en marche.

D'Assas croyait faire un beau rêve.

Jeanne à son bras ! sous sa protection ! Ce fut pour lui un instant plein de délices, une de ces minutes qu'on n'oublie jamais...

Il marchait dans une sorte de ravissement, n'osant prononcer un mot.

Et, de son côté, elle se taisait...

Cependant, pour elle beaucoup plus que pour d'Assas, le silence devint bientôt plein d'embarras.

– Chevalier, demanda-t-elle alors, comment vous êtes-vous trouvé devant ce jardin juste au moment où j'en sortais ?...

– Pouvez-vous le demander ?... Dès que j'ai connu la maison où vous vous étiez réfugiée, j'ai erré sous ces quinconces comme une âme en peine...

– Mais comment avez-vous pu savoir que j'étais dans cette maison ?

– J'ai suivi le carrosse qui vous a amenée, fit le chevalier en pâlissant à ce souvenir.

Le chevalier venait de faire un double mensonge.

C'est par Bernis qu'il avait été conduit jusqu'à la petite maison.

C'est par le mystérieux billet qu'il avait reçu le matin qu'il avait su que Jeanne en sortirait à dix heures.

Mais quel est l'amoureux qui n'a pas quelque faute de ce genre à se reprocher !

Jeanne réfléchissait. Elle voulait prévenir le roi du danger qui le menaçait. Et elle ne pouvait pourtant pas demander à d'Assas, rival de Louis XV en amour, de l'aider en une pareille œuvre !

Une chose la rassurait : c'est que les inconnus qui voulaient pénétrer dans la maison n'avaient d'autre projet que de la forcer à écrire au roi. C'est donc sur une lettre d'elle que ces gens comptaient pour attirer le roi dans leur guet-apens.

La lettre n'ayant pu être envoyée, puisqu'elle n'était pas écrite, le danger n'était pas immédiat.

Elle résolut donc d'attendre pour prévenir Louis XV.

Mais, en même temps, elle résolut de ne pas s'éloigner de Versailles.

– Où me conduisez-vous, chevalier ? reprit-elle.

– Où vous me donnerez l'ordre de vous conduire, madame ! Si vous désirez retourner à Paris, je puis, avec mon cheval...

– Non, non, fit-elle vivement. Il faut que je reste à Versailles...

Un nuage passa sur le front de d'Assas qui poussa un profond soupir.

Versailles !... C'est-à-dire le roi !...

Mais il était trop heureux de la sentir si près de lui pour s'appesantir longtemps sur ses idées de jalousie.

– Puisque vous ne voulez pas retourner à Paris, dit-il en hésitant, je ne vois qu'un moyen...

– Et c'est... ? Parlez hardiment, chevalier...

– C'est de vous conduire chez moi ! fit d'Assas en rougissant comme s'il eût dit une énormité.

– C'est le mieux, dit-elle simplement. Chez vous, sous la garde d'un homme comme vous, je n'aurai plus rien à craindre...

Cette simplicité avec laquelle Jeanne acceptait sa proposition navra le pauvre d'Assas.

Il s'était attendu à une résistance... Jeanne consentait tout naturellement à venir chez lui... comme elle se fût rendue chez un frère. Et il eut alors la sensation aiguë et douloureuse que celle qu'il adorait lui témoignait par trop de confiance, qu'elle l'aimait vraiment comme un frère... et que jamais elle ne l'aimerait autrement.

Et pourtant, de cette confiance, il éprouvait malgré tout une sorte de fierté.

Il se mit donc à marcher résolument vers les Réservoirs et s'arrêta devant la porte de la mystérieuse maison où M. Jacques lui avait offert une si étrange hospitalité.

Mais alors, le souvenir de ces étrangetés mêmes lui revint tout à coup et le fit frissonner.

Il se rappela la visite de ce fantôme, de cette femme tout en noir qui lui avait dit de ne jamais entrer dans le pavillon d'en face, sous quelque prétexte que ce fût !

Il se rappela que le billet reçu le matin lui disait justement que c'était ce pavillon d'en face qu'on mettait à sa disposition au cas où il rentrerait dans la maison avec Jeanne...

Il pressentit quelque terrible danger...

Il voulut reculer... trop tard ! La porte s'ouvrait déjà ! Et Lubin – le valet attaché à son service – apparaissait.

D'Assas prit aussitôt son parti de l'aventure.

Il se sentait plein de force et de courage.

– Quoi qu'il arrive, pensa-t-il, je suis là pour la protéger... Dès demain matin, je chercherai un autre refuge pour Jeanne.

Et il entra !... Elle le suivit, trop préoccupée de ses propres pensées pour s'étonner des dispositions bizarres de cette maison.

Dans la cour, Lubin, qui marchait en avant un flambeau à la main, inclina à droite.

C'était dans le pavillon de gauche que logeait d'Assas !

Il fut sur le point de demander à Lubin les raisons de ce changement de logis. Mais il était trop tard maintenant. En parlant, il risquait non seulement d'épouvanter Jeanne, mais de donner l'éveil à ceux qui pouvaient le guetter !

Il entra donc, la main sur la garde de son épée, dans ce pavillon où, selon le mystérieux avis de la femme en noir, il n'eût jamais dû pénétrer.

– Mes pistolets ? demanda-t-il rudement à Lubin.

– Les voici, monsieur, dit le valet en souriant.

Le chevalier aperçut alors sur une table ses pistolets que lui montrait Lubin.

Cette vue le rassura.

– Pour cette nuit, du moins, pensa-t-il, on ne veut rien tenter contre moi ou contre Jeanne. Sans quoi, on ne m'eût pas apporté ces armes de défense... à moins...

Une pensée soudaine traversa son esprit, et il examina les pistolets : ils étaient bien chargés...

Dès lors, d'Assas fut entièrement rassuré et commença à croire que le fantôme noir avec son avis n'était qu'un mythe de son imagination.

D'ailleurs, il faut avouer que l'aspect du petit salon où il venait de pénétrer n'avait en soi rien de bien alarmant.

C'était un coquet et élégant boudoir où la plus difficile des petites-maîtresses n'eût rien trouvé à redire.

Cette élégance et cette coquetterie, Jeanne les avait remarquées non sans un certain trouble.

Comment le chevalier d'Assas, pauvre officier, plus habitué aux camps qu'aux salons, avait-il pu songer à tous ces raffinements ?... Et comment avait-il pu, surtout, faire la dépense que nécessitait un pareil ameublement ?

Elle finit par se dire que le chevalier avait dû y engager plusieurs années de sa solde.

– Pauvre garçon ! songea-t-elle en le regardant avec attendrissement.

D'ailleurs, elle était à l'aise dans cette situation qui eût semblé scabreuse à une femme d'esprit moins alerte...

Elle considérait ces tentures précieuses, ces meubles délicats, ces bibelots coûteux, avec une sorte de reconnaissance attendrie.

– Il a voulu que je retrouve ici toutes mes habitudes...

Le chevalier, de son côté, s'étant assuré que ses pistolets chargés étaient à sa portée, examinait attentivement l'endroit où il se trouvait et, n'y découvrant rien de suspect, s'abandonnait au charme et au bonheur de se trouver si près de son idole.

– Madame est servie ! fit tout à coup Lubin en apparaissant au fond d'une pièce voisine.

– La magie continue, se dit le chevalier.

Jeanne ne se sentait aucun appétit. Mais elle eût cru froisser cruellement le chevalier en lui refusant de s'asseoir à sa table et de faire honneur à ce repas qu'il avait dû prendre une joie d'enfant à ordonner...

Elle passa donc dans la salle à manger qui était digne en tout du petit boudoir...

– Chevalier, dit-elle en se mettant à table, vous avez fait des folies... Ce salon, cette salle à manger... ce souper luxueusement ordonné...

D'Assas demeura stupéfait.

Il n'avait pas songé à cela, lui ?...

Et comment faire pour détromper Jeanne ? Comment lui dire qu'il n'était pas chez lui ?...

– Madame... balbutia-t-il.

– Mais vous m'attendiez donc ? reprit Jeanne tout à coup.

– Eh bien, oui ! s'écria le chevalier en devenant pourpre. Je vous attendais ! Est-ce que je ne vous attends pas toujours ?

Il se détestait de mentir ainsi...

Mais il avait si bien compris la question qui allait surgir sur les lèvres de Jeanne s'il ne répondait pas ainsi :

– Alors, vous attendiez une femme ?

– Je vous en supplie, continua-t-il d'une voix ardente et à la fois tremblante, ne m'interrogez pas, ne me demandez rien... Supposez... tenez... supposez que vous êtes transportée dans une maison enchantée... que tout ce qui nous entoure n'est que pure magie et fantasmagorie...

– Oh ! mais vous allez m'effrayer ! s'écria-t-elle gaiement, ou du moins en s'efforçant de paraître gaie pour récompenser un peu le pauvre chevalier.

– Ne craignez rien, dit-il tout heureux en effet de cette gaieté ; je suis capable de m'écrier comme dans le *Cid* : Paraissez, Maures et Castillans, c'est-à-dire fantômes ou enchanteurs !... Nul de vous ne m'enlèverait en ce moment le cher trésor que j'ai l'insigne bonheur de posséder pour quelques instants...

– Pauvre garçon ! répéta Jeanne en elle-même, tout attendrie. Le chevalier avait prononcé ces paroles avec une véritable exaltation. Dans son esprit, il s'adressait à ses ennemis supposés qui pouvaient être cachés dans la maison...

Et il jetait autour de lui un flamboyant regard...

Mais ce regard étant revenu à Jeanne, si belle, si resplendissante de son exquise jeunesse, et la voyant si paisible, et si calme, si loin d'elle... oh ! si loin... des larmes emplirent tout à coup ses yeux...

Le comte du Barry, comme on l'avait vu, avait accompagné M. Jacques et Juliette jusqu'à la petite maison des quinconces.

Là, M. Jacques lui avait remis un billet, et le comte s'était élancé, tandis que Bernis faisait le signal convenu à Suzon qui devait ouvrir la porte du petit jardin.

Pendant que se passait entre Juliette, entrée dans la maison, et Jeanne la scène que nous avons racontée, et à la suite de laquelle Jeanne devait fuir la maison, le comte du Barry courait vers le château de Versailles.

Il était à ce moment environ sept heures.

Le château était en pleine animation. C'était l'heure du dîner du roi.

Du Barry pénétra dans les vastes et somptueux appartements qui constituaient, vers l'aile droite, le logis privé de Louis XV. Il rencontra en chemin une procession de marmitons qu'escortaient des Suisses en grande tenue de parade commandés par un officier.

L'officier venait en tête, l'épée à la main.

Derrière lui marchait un grave personnage qui était l'officier de la bouche du roi.

Puis venaient les marmitons, portant deux à deux des paniers où étaient symétriquement rangés des plats couverts de leurs cloches d'argent.

C'était la viande du roi qui passait !...

C'est à dire son dîner.

Du Barry, de même que tous les gentilshommes qui se heurtaient à ce singulier cortège, se découvrit et suivit.

Par une porte largement ouverte il vit la salle à manger.

Louis XV y entrait à ce moment, d'un air indolent, se mettait à table et commençait à manger, choisissant soigneusement les plats, se plaignant que l'art de la cuisine tombât en décadence, et n'en perdant pas pour cela une bouchée. Bien que ce ne fût pas un royal mangeur comme Louis XIV, qui étonnait ses invités par sa prodigieuse voracité, Louis XV était encore une très bonne fourchette.

Les courtisans admis à l'honneur de le voir manger s'étaient massés dans un coin de la salle, silencieux attentifs au moindre geste du maître...

Louis XV ayant laissé tomber sa serviette, il y eut une ruée de tous ces ducs, comtes et marquis... ce fut du Barry qui arriva premier et eut l'honneur de la ramasser.

Le roi sourit, et du Barry, qui depuis quelque temps se trouvait assez mal en cour, se trouva amplement récompensé. Mais une joie d'un tout autre ordre lui était réservée.

– Comment va la comtesse ? lui demanda tout à coup Louis XV avec cette familiarité de bon bourgeois qui faisait le vrai fond de son caractère... Comment ne la voit-on jamais à Versailles ?...

– Sire, dit du Barry qui tressaillit profondément, Mme la comtesse du Barry sera trop heureuse et trop flattée que Votre Majesté ait pris souci d'elle... Quant à venir à Versailles, la comtesse y doit être arrivée à cette heure et, puisque le roi l'ordonne, elle viendra lui faire sa révérence.

Le roi approuva d'un signe de tête.

Et le bruit de ces paroles se répandit aussitôt parmi les courtisans qui jetèrent des regards d'envie à du Barry.

Cependant celui-ci s'était reculé, et bientôt il ne tarda pas à se confondre avec la foule.

Il regardait autour de lui, et semblait chercher quelqu'un...

Son dîner fini, le roi passa dans la grande salle où il se mit à jouer et se montra fort gai.

Du Barry s'était éclipsé.

Il monta deux étages, passa rapidement devant la chambre où Bernis avait eu avec M. Jacques cette conférence dont nous avons parlé, et parvint enfin à une porte. Un laquais ouvrit au coup qu'il frappa.

– Est-ce que M. Lebel est visible ? demanda le comte.

– Je puis le lui demander, fit le laquais.

Lebel était le valet de chambre du roi ; et ce laquais, c'était son valet de chambre, à lui !

L'appartement, composé de cinq pièces bien meublées, eût fait envie à plus d'un riche bourgeois.

– M. Lebel est visible, fit le laquais en revenant. Si monsieur le comte veut me suivre...

Quelques instants plus tard, le comte entrait dans le salon de Lebel, dont le service ne commençait que vers neuf heures du soir pour se terminer après le grand lever.

– Sommes-nous seuls ? fit du Barry à voix basse.

– Vous pouvez parler, répondit Lebel. Dans tout le château, les murs ont des oreilles. Mais ici je me suis arrangé pour que ces oreilles demeurent bouchées... Ainsi, ne craignez rien.

Du Barry tira d'une poche de sa poitrine le billet que lui avait remis M. Jacques.

C'était, comme on l'avait vu, un papier simplement plié en quatre.

– Pour le roi ! dit le comte.

Lebel prit le papier, le lut, hocha la tête, et dit simplement :

– Enfin !...

– Lebel, reprit le comte, il faut faire en sorte que le roi ne lise pas ce billet avant minuit.

– C'est-à-dire qu'on l'attend un peu après minuit. Soyez tranquille. Et dites à celui qui vous envoie que ses ordres seront exécutés à la lettre...

Lebel, alors, reconduisit lui-même du Barry jusqu'à sa porte, honneur qu'il n'accordait pas à tout le monde.

Du Barry descendit, se montra ostensiblement parmi les courtisans, trouva moyen d'être encore aperçu du roi, puis, par une manœuvre lente et savante, il sortit sans que personne l'eût remarqué.

Il était alors neuf heures.

Il courut à la ruelle des Réservoirs...

– Le chevalier d'Assas ? demanda-t-il.

– Parti depuis une heure.

– On t'avait recommandé de le garder jusqu'à neuf heures et demie.

– Le diable ne l'eût pas retenu, monsieur le comte !

Au surplus, que le chevalier d'Assas fût déjà à son poste, cela n'en valait que mieux, en cas d'imprévu.

Du Barry se dirigea donc alors vers la petite maison des quinconces.

À vingt pas devant la porte d'entrée, dans l'ombre épaisse des arbres serrés, il trouva Bernis qui attendait immobile, les yeux fixés sur la porte, sa montre à la main.

– Où est le chevalier ? demanda le comte à voix basse.

– Devant la porte bâtarde du jardin : je viens de m'en assurer.

– Bon. L'heure approche...

– Dans un quart d'heure.

– Et lui ?... reprit du Barry.

– Je ne sais. Mais tenez pour certain que lui ou son ombre est là quelque part, qui nous guette...

– Pourvu que Juliette réussisse !...

– Elle réussira ! dit Bernis.

Les deux personnages demeurèrent alors silencieux, entièrement enveloppés dans leurs manteaux, collés contre le tronc d'un arbre... Ils n'étaient émus ni l'un ni l'autre. Ce qu'ils faisaient là leur semblait tout naturel...

Le quart d'heure se passa.

– Dix heures ! murmura Bernis qui, malgré la profonde obscurité, parvint à déchiffrer la marche des aiguilles sur sa montre. Allons, comte, il est temps d'agir...

– Faites le tour de la maison, et assurez-vous que les choses se passent en règle. Moi, je me charge de la besogne devant la porte d'entrée.

Bernis se glissa, se faufila d'arbre en arbre...

Du Barry s'approcha de la porte et se mit à frapper, doucement d'abord, puis plus rudement.

C'étaient ces coups qu'avait entendus Jeanne et qui avaient déterminé sa fuite !...

Dix minutes plus tard, Bernis le rejoignait...

– C'est fait ? demanda ardemment du Barry.

– Venez ! fit Bernis pour toute réponse.

Du Barry suivit Bernis qui bientôt lui montra un groupe confus dans l'ombre, marchant devant eux.

– Le chevalier d'Assas et Mme d'Étioles ! murmura-t-il sourdement.

Une joie furieuse gronda en lui.

Enfin ! Il tenait d'Assas ! Il le tenait bien, cette fois !...

– Adieu ! fit Bernis. Mon rôle se termine en ce qui vous concerne.

– Vous rentrez au château ? demanda du Barry.

– Oui ; pour suivre de près les évolutions auxquelles va se livrer Sa Majesté...

– Et moi, fit le comte, je vais suivre celles de M. d'Assas !... Bernis obliqua dans la direction du château, et du Barry continua à suivre le chevalier et Jeanne.

– Pourvu qu'ils aillent là-bas ! grondait-il.

Il se sentit pâlir à la pensée que d'Assas pourrait peut-être ne pas aller à la ruelle des Réservoirs... que Jeanne refuserait peut-être de le suivre là...

Il se fouilla et tira de son fourreau un fort poignard qu'il garda à la main.

– Tant pis ! mâchonna-t-il dans un mouvement de rage. Je le tiens. Je ne veux pas qu'il m'échappe !... S'il ne va pas là-bas... je le tue !...

Au bout de cinq cents pas, il se rassura : d'Assas, évidemment, se dirigeait vers les Réservoirs !...

Du Barry le vit entrer dans la ruelle qui débouchait juste en face...

Il eut un grognement de joie, comme peut en avoir le tigre qui est sûr de sa proie.

D'Assas et Jeanne s'arrêtaient devant la mystérieuse maison !...

Ils y entrèrent !...

– Enfin ! Enfin ! rugit en lui-même du Barry.

Et, certes, à ce moment il oubliait Juliette, monsieur Jacques, le rôle qu'il avait à jouer, il oubliait tout pour ne penser qu'à cette vengeance qu'il tenait enfin.

Il attendit une demi-heure devant la porte, – peut-être pour se calmer.

Enfin, il frappa doucement d'une façon spéciale. La porte s'ouvrit aussitôt sans que personne parût.

Il entra, referma sans bruit, et se dirigea vers le pavillon de gauche – celui qu'avait occupé d'Assas !

Alors, il s'assit, s'accouda à une table, mit sa tête dans sa main et s'enfonça dans une sombre rêverie...

De longues heures s'écoulèrent.

Il était peut-être quatre ou cinq heures du matin.

Du Barry n'avait pas bougé de sa place.

À ce moment, il parut s'éveiller comme d'un long rêve qu'il eût fait là sur ce coin de table.

Il jeta autour de lui des yeux sanglants. Les criminels qui préparent le meurtre ont de ces regards suprêmes.

Ils semblent craindre qu'on ne les ait guettés... que quelqu'un d'invisible n'ait lu dans leur conscience...

Du Barry éprouvait peut-être cette crainte mystérieuse.

Mais il avait la crainte plus matérielle et plus positive de voir apparaître M. Jacques. Il était décidé à tout. Et il savait que M. Jacques lui défendrait de tuer... lui ordonnerait d'attendre...

Il ne voulait plus... il ne pouvait plus attendre !...

Il saisit un pistolet qu'il avait déposé sur la table en entrant, et le contempla quelques minutes.

Puis, d'un lent mouvement, il le replaça sur la table.

– Non ! murmura-t-il... cela fait trop de bruit... et puis une balle même à deux pas peut s'égarer... peut frapper à faux... et puis... la balle... on ne la sent pas entrer... Non !... ceci vaut mieux !...

Ceci !... C'était le poignard.

Il le saisit, et l'emmancha pour ainsi dire dans sa main.

Alors, doucement, sans bruit, il sortit dans la petite cour... et lentement se glissa vers le pavillon d'en face... le pavillon où se trouvaient Jeanne et le chevalier d'Assas !...

XXXIV

Le magnétiseur

La situation ainsi posée, – le chevalier et Jeanne dans le pavillon de droite, du Barry attendant le moment d'agir, le roi se dirigeant en toute hâte à minuit vers la petite maison des quinconces, où se trouve Juliette, et l'ombre de M. Jacques dominant cet ensemble d'intrigues bien de ce temps, – nous prierons le lecteur de vouloir bien revenir un instant à Paris, dans la matinée même de ce jour où ces divers événements s'accomplissaient à Versailles.

Vers dix heures du matin, donc, un gentilhomme arrêta son carrosse devant l'hôtellerie des *Trois-Dauphins*.

Étant descendu de voiture, ce gentilhomme pénétra dans l'hôtellerie et demanda à parler à M. le chevalier d'Assas.

Au nom du chevalier qu'elle entendit, la belle Claudine accourut pour répondre elle-même.

– M. le chevalier n'est pas ici, dit-elle au gentilhomme, non sans quelque tristesse.

– C'est-à-dire qu'il est absent ?... et qu'il va rentrer ?...

– Absent, oui !... quant à rentrer, je ne le crois pas !

Et la belle Claudine poussa un soupir.

Le gentilhomme avait tressailli. Il interrogea l'hôtesse du regard.

– Voilà, fit Claudine : il y a quelques jours un jeune seigneur est venu et est resté longtemps enfermé avec M. le chevalier. Puis ils sont montés à cheval tous les deux et sont partis. Depuis, je ne l'ai pas revu. Le lendemain, une sorte de valet est arrivé ici, a payé les dépenses du chevalier de sa part, a pris son portemanteau et a disparu sans rien dire...

Le gentilhomme ne témoigna ni surprise ni ennui de cette absence du chevalier. Il remercia, salua, sortit et remonta dans son carrosse en disant :

– À l'hôtel !...

La voiture partit au grand trot d'un magnifique attelage qui, sur son passage, excitait l'admiration générale. Et le carrosse lui-même avait seigneuriale allure, avec ses glaces à travers lesquelles on voyait les coussins et le capitonnage de soie mordoré, avec son gigantesque cocher et ses deux valets de pied à somptueuse livrée.

Le gentilhomme portait un fastueux costume. Les plumes de son chapeau, l'étoffe de son habit, le satin broché du gilet à grandes basques, la garde de son épée, précieusement sculptée, les boucles d'or de ses souliers à hauts talons rouges, les dentelles de son jabot et de ses manches, tout cet ensemble donnait l'impression d'une élégance extraordinaire.

Et pourtant, il n'avait nullement la tournure d'un petit-maître.

Mais ce qui, surtout, frappait la vue des passants dans ce magnifique seigneur, c'étaient les pierreries qui flamboyaient sur lui, les trois rubis énormes qui fixaient son jabot, les diamants fabuleux de ses bagues...

C'était une étincelante vision qui laissait derrière elle un long sillage d'admiration presque inquiète de gens qui, à voix basse, avec une sorte de crainte, murmuraient :

– Le comte de Saint-Germain !...

En effet cet homme qui venait de s'enquérir du chevalier d'Assas, c'était le comte de Saint-Germain.

Nul n'eût pu dire s'il s'intéressait vraiment au pauvre officier, et de quel genre était cet intérêt, s'il existait.

Car nul ne lisait dans la pensée de cet homme qui lisait dans celle de tout le monde.

En quelques instants, le carrosse atteignit la place Louis XV et s'arrêta à l'angle nord de cette place, devant un hôtel de grand style. Les valets sautèrent de leur place et ouvrirent la portière.

Deux minutes plus tard, le comte de Saint-Germain pénétrait dans un salon d'un luxe étrange par les meubles, par les tentures et par les œuvres d'art, mais dont le principal ornement, aux yeux des curieux bien rares qui étaient admis à y pénétrer, était une vitrine renfermant une collection de monstrueuses émeraudes, de perles phénoménales, de diamants, de saphirs, d'opales et de rubis à faire rêver que l'on se trouvait transporté dans quelque palais oriental, aux portes du Guzarate...

Pour un observateur attentif, le comte eût alors perdu ce masque d'impassibilité qu'il avait gardé jusque-là.

Un pli soucieux, pour un instant, barra son large front plein d'audace et de volonté...

Il appuya deux fois sur un timbre d'or dont le bouton était constitué par une perle grosse comme une noisette.

Une jeune femme de chambre parut bientôt.

– Madame est-elle chez elle ? demanda le comte.

– Oui, Monseigneur.

– Allez lui demander si elle veut bien me recevoir...

Quelques minutes se passèrent pendant lesquelles Saint-Germain demeura immobile à la même place.

– Madame attend Monseigneur, fit la soubrette en reparaissant.

Le comte, alors, traversa une série de pièces d'une rare somptuosité, dont chacune constituait un musée spécial.

Dans l'une, des statues à profusion ; dans une galerie, des tableaux de maîtres anciens, de toutes les écoles ; dans une autre, des pièces d'orfèvrerie précieuses par le travail plus encore que par la matière...

Il parvint à une sorte de salon oriental où, à demi couchée sur des divans, une femme d'une merveilleuse beauté, âgée au plus de vingt-deux ans, se leva vivement dès qu'il entra...

– Je ne vous dérange pas, ma chère Eva ? fit le comte avec une profonde tendresse.

– Vous, me déranger, mon cher seigneur !... Vous qui êtes mon rayon de lumière, vous dont la présence me fait vivre et palpiter, vous dont l'absence me plonge dans un morne ennui, comme la fleur qui se penche et se dessèche lorsque le soleil se cache !... Pourquoi me dites-vous de ces choses ?...

– Chère enfant !... Oui, j'ai tort... J'ai éprouvé votre amour, et je devrais savoir qu'ici du moins, je suis toujours le bien venu...

– Ô Georges ! Georges ! murmura la jeune femme. Oui, je vous aime, et je ne serai vraiment heureuse que lorsque nous quitterons ce pays où vous êtes si peu à moi... Me restez-vous au moins pour quelques heures aujourd'hui ?

– Hélas ! chère Eva... je venais au contraire vous prévenir que, selon toutes mes prévisions, je vais être obligé de m'absenter toute la journée et peut-être deux ou trois jours... peut-être plus...

Eva baissa la tête et deux larmes plus belles et plus précieuses que les diamants du comte perlèrent à ses grands cils.

Le comte la saisit dans ses bras.

– Console-toi, mon enfant, dit-il, je m'arrangerai pour que tu ne souffres pas de mon absence...

Il la tint ainsi étroitement enlacée pendant quelques minutes.

La jeune femme palpitait.

Presque soudainement, ces violentes palpitations de son cœur cessèrent et furent remplacées par un mouvement rythmique à peine sensible.

Puis ses yeux se fermèrent, se rouvrirent, parurent lutter contre le sommeil, et se refermèrent tout à fait.

En même temps, cette pose de charmant abandon qu'elle avait dans les bras de Saint-Germain se transformait en une pose raidie ; ses bras, son cou, sa tête, sa taille parurent se pétrifier et s'immobiliser dans une attitude de statue.

Le comte, alors, desserra lentement ses bras.

Eva demeura exactement dans la position où elle se trouvait.

Saint-Germain exécuta devant son visage quelques mouvements lents des deux mains.

Alors ce mouvement léger et rythmique du sein de la jeune femme s'arrêta lui-même, les paupières s'entrouvrirent, et les yeux apparurent convulsés... elle ne bougeait plus...

– Dormez-vous ? demanda Saint-Germain d'une voix changée, non pas dure, mais cette fois dépourvue de tendresse et pleine de forte autorité.

– Oui, maître, répondit la jeune femme.

– Bien. Faites attention. Écoutez-moi et tendez toutes les forces de votre vision... Connaissez-vous le chevalier d'Assas ?...

– Non, maître... je ne l'ai jamais vu...

– Peu importe. Suivez-moi... je sors de l'hôtel, je suis dans la rue

Saint-Honoré... je m'arrête devant le couvent des Jacobins, vous me suivez, n'est-ce pas ?

– Oui... nous avons déjà fait ce chemin une fois...

– Très bien. Devant le couvent, il y a une hôtellerie... J'y entre... Suivez-moi toujours... je monte l'escalier qui commence dans la salle commune... j'entre dans la troisième chambre du corridor à droite... êtes-vous dans la chambre ?

– Oui, maître !...

– C'est la chambre du chevalier d'Assas. Il n'y est pas. La chambre est vide. Remontez jusqu'à ce matin ; vous me comprenez, n'est-ce pas ? Remontez le cours du temps... Que voyez-vous ce matin ?...

– L'hôtesse qui va et vient dans la chambre et la range...

– Bien, mon enfant... Remontez plus haut encore... à la nuit dernière...

– Personne dans la chambre... fit Eva sans effort.

– Plus haut... hier... rien ?... avant-hier... rien ?... remontez toujours jusqu'à ce que vous aperceviez dans la chambre deux jeunes seigneurs...

Eva, cette fois, parut faire un violent effort.

Les yeux se convulsèrent davantage, son front se plissa, mais le reste du corps demeura dans son immobilité cataleptique.

– Je les vois ! fit-elle tout à coup.

– Pouvez-vous deviner lequel des deux est le chevalier d'Assas ?...

– Oui, répondit sans effort la dormeuse ; l'autre vient de le nommer ainsi...

– Donc, vous voyez maintenant le chevalier d'Assas ? Vous le connaissez ?

– Oui, maître... Je le vois et je l'entends... je les vois tous deux... ils boivent du vin d'Espagne... l'autre cherche à entraîner le chevalier à Versailles... d'Assas est triste et joyeux... il remercie... il croit que cet homme est son ami... ils descendent tous deux... ils montent à cheval... voici Versailles... ils arrivent à une petite maison située sous les quinconces à droite du grand château... l'ami s'en va... le chevalier reste...

– Arrêtez-vous, dit Saint-Germain avec une visible satisfaction. Vous tâcherez de savoir qui est dans cette maison... mais d'abord reposez-vous... asseyez-vous sur ces divans...

La jeune femme obéit, c'est-à-dire qu'elle se laissa tomber sur le divan.

Alors une abondante sueur coula sur son front que Saint-Germain essuya doucement avec son mouchoir.

Sa raideur cataleptique persistait.

Saint-Germain détourna son regard, demeura quelques instants pensif, puis alla se jeter lui-même sur un canapé à l'autre extrémité de la pièce.

Le repos dura une grande heure au bout de laquelle Saint-Germain revint à Eva et lui prit les mains.

Un frémissement agita la jeune femme.

– Êtes-vous prête à entrer dans la maison ? dit alors le magnétiseur. Entrez, mon enfant, il le faut...

– J'y suis, dit Eva. Il y a des femmes, des servantes... une seule maîtresse...

– La connaissez-vous ?...

– Oui, maître. Vous me l'avez montrée en m'ordonnant de ne pas l'oublier : c'est Mme d'Étioles.

– J'en étais sûr ! fit sourdement Saint-Germain. Et je comprends tout, maintenant... Mon enfant, continua-t-il, suivez le chevalier pendant les jours qui suivent, et dites-moi s'il entre dans cette maison...

Il y eut un long silence pendant lequel la dormeuse chercha à répondre à cette question.

– Il n'est pas entré, dit-elle enfin.

– Bien. Où est-il, maintenant ?

– Dans une petite maison, non loin des Réservoirs...

– Indiquez-moi cette maison plus précisément.

– Dans la ruelle qui débouche en face des Réservoirs, une des premières maisons, il y a une porte en chêne plein, avec des clous de fer... un judas... attendez, au-dessus du judas, il y a une petite croix, et au milieu de la croix un J creusé dans le bois.

– Cela suffit, dit Saint-Germain en tressaillant. Je sais maintenant à qui est cette maison. Et vous dites que le chevalier est là dans cette maison ?...

– Il y a une cour derrière ; au fond un pavillon ; le chevalier est dans celui de gauche ; il est joyeux et inquiet, il est triste et gai ; il relit un billet... Oui, je vous entends... ce qu'il y a sur ce billet ?... attendez... je ne peux pas lire... j'y suis !... Il y a que le chevalier doit se rendre à dix heures ce soir à la maison du quinconce, et qu'il la verra sortir... et qu'il doit la conduire dans le pavillon à droite...

– Y a-t-il d'autres personnes, dans le pavillon de droite ? demanda Saint-Germain.

– Un valet seulement.

– Et dans les autres pavillons ? regardez bien...

– Dans celui du fond, personne !... Dans celui de droite, un homme et une femme... vous me les avez désignés sous le nom de comte et comtesse du Barry.

– Ah ! ah ! fit Saint-Germain en tressaillant. Cela devient limpide. Entendez-vous ce qu'ils disent ?...

– Ils ne se disent rien...

– Alors, mon enfant, je suis obligé de vous demander un gros effort...

La dormeuse se raidit encore davantage.

Saint-Germain étreignit ses mains dans les siennes et reprit :

– Écoutez ce que chacun d'eux se raconte à lui-même...

Eva, pendant près d'une demi-heure, parut faire un prodigieux effort. Haletant, la sueur au front, penché sur elle, Saint-Germain ne la perdait pas de vue et continuait à serrer ses mains.

– Je ne peux pas ! murmura la dormeuse en râlant.

– Il le faut ! ordonna durement Saint-Germain. Allons ! Encore un effort... écoutez... entendez-vous ?...

– J'entends ! fit Eva dans un souffle.

– Bien, mon enfant, très bien... Vous êtes admirable...

Une expression de fierté et d'indicible bonheur se répandit sur le visage convulsé de la dormeuse.

– Maître ! dit-elle, j'entends ! J'entends très bien...

– Écoutez ce que la femme se dit...

– Elle se dit qu'elle sera souveraine à la cour de France... et que dès qu'elle pourra... elle fera arrêter un M. Jacques... et le comte du Barry... elle les voit à la Bastille... elle sourit... Maintenant, elle voit le roi... maintenant, elle voit le chevalier d'Assas... elle ne veut pas qu'il meure, elle veut le sauver... maintenant, elle voit Mme d'Étioles...

– Assez, mon enfant... Écoutez du Barry... que se dit-il ?...

– Des choses remplies de désespoir et de haine surtout...

– De la haine ?... Contre qui ?...

– Contre le roi... contre Jacques, contre vous, mon cher seigneur !... Oh ! le misérable !... prenez garde !...

– Ensuite, mon enfant !...

– De la haine, toujours ! Contre la femme qui est près de lui... contre Mme d'Étioles... contre le chevalier... il va le tuer, il prépare le meurtre, il cherche l'heure favorable... il le tuera dans l'entrée du pavillon lorsque le chevalier sortira... il ne sait pas encore comment il le tuera...

– Assez, mon enfant ! dit Saint-Germain à bout de forces lui-même. Ne regardez plus, n'écoutez plus. Revenez à moi...

Un sourire radieux transfigura le visage de la dormeuse.

– Écoutez-moi, reprit le magnétiseur. Pendant toute mon absence, je vous défends la tristesse, vous m'entendez bien ? Vous songerez que je vais bientôt revenir, que je pense à vous, et vous serez heureuse... je le veux... Maintenant, dormez en paix, mon enfant... Vous vous réveillerez dans deux heures...

La raideur cataleptique disparut alors presque soudainement.

Saint-Germain fit quelques passes sur le front d'Eva qui, allongée sur le divan, prostrée par une extrême fatigue, parut passer sans secousse du sommeil magnétique à un souriant et heureux sommeil naturel.

Alors le comte de Saint-Germain déposa un long baiser sur le front de la jeune femme qui, sous ce baiser, tressaillit...

Puis il passa dans sa chambre, se défit rapidement du costume qu'il portait, se dépouilla de tous ses bijoux et revêtit un vêtement de bourgeois modeste, d'une couleur neutre.

Seulement, sous ce vêtement, il avait revêtu une cotte de mailles, – un de ces chefs-d'œuvre des armuriers de Milan dont les mailles légères, serrées comme celles d'un tissu de lin, pouvaient arrêter une balle et émoussaient la pointe des poignards. Alors, il appela un domestique et lui dit quelques mots.

Moins de cinq minutes plus tard, le valet revint en disant :

– La voiture de monsieur le comte est prête.

Saint-Germain descendit et, dans la cour de l'hôtel même, monta dans une berline d'aspect très modeste, mais attelée à un cheval qui avait toutes les qualités apparentes d'un trotteur de premier ordre.

– Vous arrêterez aux premières maisons de Versailles, dit-il au cocher. Et vous me réveillerez.

La voiture s'ébranla aussitôt.

Le comte de Saint-Germain s'étendit sur les coussins et murmura :

– Je vais dormir jusqu'à Versailles. C'est plus qu'il ne m'en faut pour me reposer de cette rude séance...

Dix secondes plus tard, il dormait profondément, tandis que la berline roulait dans la section de la route de Versailles au grand trot de son cheval...

XXXV

La comtesse du Barry

On a vu que Louis XV avait lu le billet que M. Jacques avait fait parvenir à Lebel par le comte du Barry. Le roi, qui s'apprêtait à se coucher, s'était aussitôt fait habiller et était secrètement sorti du château, accompagné de son valet de chambre.

Minuit sonnait au moment où Louis XV et Lebel franchirent la grille du château et s'élancèrent.

Vingt minutes plus tard, ils arrivaient à la petite maison.

– Tu m'attendras ici ! dit Louis XV sans se soucier du froid très vif auquel il condamnait son valet de chambre pour de longues heures peut-être.

– Oui, Sire ! dit Lebel qui en lui-même songea :

« Égoïste !... Voilà le roi tout entier. Que je meure de froid dans ce brouillard d'enfer, que lui importe ! Il prendra un autre valet, et tout sera dit. Mais patience !... »

Pendant que Lebel pestait ainsi, le roi s'était dirigé droit à la porte de la maison.

Il frappa comme il avait l'habitude de faire... La porte s'ouvrit à l'instant même...

Le cœur du roi lui battait fort dans la poitrine. Les termes du laconique billet qu'il avait lu flamboyaient devant ses yeux.

« Mme d'Étioles s'ennuie. Elle est décidée de regagner Paris dès demain. »

C'était cette dernière phrase qui l'avait bouleversé... Celui qui avait dicté le billet connaissait bien l'âme de Louis XV.

– Regagner Paris !... S'en aller !... Fuir !... Morbleu ! songeait le roi, c'est donc en vain que j'aurai exécuté ce hardi enlèvement qui eût fait pâlir de dépit jusqu'à Lauzun et à Richelieu !... Nous allons bien voir !...

La porte s'était ouverte au premier appel du roi. Louis XV vit que l'entrée et l'escalier étaient obscurs : aucune lumière !... Il eut un instant d'hésitation...

Nicole, qui en cette circonstance jouait le rôle de Suzon, saisit le roi par la main... Car tout le personnel de cette maison ignorait ou était censé ignorer la qualité de l'homme qui venait y chercher ses plaisirs...

– Est-ce toi, Suzon ? fit Louis XV.

– Oui, monsieur ! répondit Nicole de sa voix la plus flûtée.

Le roi avait rarement parlé à cette Suzon. Il n'avait guère le souvenir de sa voix. Il se laissa entraîner. Nicole referma la porte derrière lui.

– Pourquoi cette obscurité ? demanda Louis XV.

– Ordre de madame, fit Nicole aussi laconiquement que possible.

– Ô charmante pudeur ! songea Louis XV. Quelle exquise enfant !... Je respecterai ton désir, ma chère Jeanne, et je ne te forcerai pas à rougir devant ton vainqueur... Dis-moi, Suzon, c'est toi qui as écrit ?

– Oui, monsieur, et j'ai fait parvenir le billet par la voie ordinaire...

– Et tu dis que madame s'ennuie ?

– À mourir. Elle pleure nuit et jour.

– Parle-t-elle de moi ?

– Elle ne fait que cela...

– Conduis-moi, Suzon, conduis-moi... Il fait ici une nuit à se rompre le cou... Heureusement je connais l'escalier.

Le roi monta doucement, toujours conduit par Nicole qui le tenait par la main. En haut, elle ouvrit une porte, et Louis XV vit la faible et douce lumière d'une veilleuse qui, suffisante pour guider ses pas, ne l'était pas assez pour lui permettre de distinguer nettement les objets... C'était la chambre de Jeanne !...

Louis entra. Nicole s'éclipsa lestement.

Le roi, un peu pâle, un sourd battement aux tempes, fit trois pas dans la chambre. Une femme debout contre la cheminée jeta un léger cri et se jeta dans une bergère en se couvrant le visage de ses mains et de son mouchoir.

– Jeanne ! murmura ardemment le roi. Jeanne ! est-ce que vraiment je vous fais peur ?...

Elle secoua la tête. Louis vit son sein qui palpitait.

Il s'approcha, fit le tour de la bergère, s'appuya au dossier.

– Voyez, dit-il, voyez si je suis soumis... Vous me cachez votre visage, cruelle, et je ne cherche pas à le voir... Ô Jeanne ! Jeanne ! Est-il vrai que vous vous êtes ennuyée loin de moi ? Est-il vrai que vous avez désiré ma présence ?...

Elle ne répondait rien. Mais le roi, penché sur elle, voyait sa chair palpiter à travers le tissu léger de son costume de nuit.

D'une voix plus ardente, la tête embrasée, il reprit :

– Jeanne, répondez-moi... Pourquoi détournez-vous la tête ?... Pourquoi ne me regardez-vous pas ? Oh ! j'ai tant désiré vous voir, ma Jeanne adorée !... J'ai si passionnément souhaité ce moment !... Par pitié, regardez-moi...

– Je n'ose... répondit-elle dans un souffle.

Louis, rapidement, fit le tour de la bergère, et se trouva alors placé devant celle qu'il croyait être Jeanne.

– Vous n'osez, balbutia-t-il... cher ange... me voici à vos genoux... Oh ! ma tête se perd... ce parfum de toi, cette main adorée que je serre... cette taille charmante que je tiens dans mes bras...

Elle se courba, se rejeta en arrière, cacha son visage dans les coussins de la bergère...

– Pauvre chère bien-aimée ! soupira le roi. Oh ! je comprends !... C'est cette lumière !... Tu as peur que je ne voie la confusion de ton front...

Rapidement il se releva, courut à la veilleuse et l'éteignit...

Alors, à tâtons, il revint vers la bergère, et saisit Juliette dans ses bras.

– Eh bien ! fit-il d'une voix étranglée par l'émotion, ne me dis rien, si tu veux... tais-toi...

– Ô mon roi ! balbutia Juliette d'une voix si faible qu'il eût été impossible d'en distinguer le son.

– Jeanne, par grâce ! murmura Louis XV, ne m'appelle pas ainsi... il n'y a ici que ton amant passionné qui t'adore, qui veut jurer à tes genoux de t'adorer toujours...

– Mon Louis bien-aimé ! soupira Juliette en livrant ses lèvres aux baisers du roi...

Il n'entre pas dans notre pensée d'insister sur les roueries déployées par la fille galante pour tromper Louis XV. Le roi, aux genoux de Juliette, continuait ses protestations d'amour. Juliette parlait le moins possible, et toujours d'une voix si basse, à l'oreille de Louis, que même si le roi eût été de sang-froid, il n'eut pu reconnaître la supercherie.

Quelques heures s'écoulèrent ainsi, pleines de charme pour le roi, pleines d'alarmes pour Juliette.

La pendule, tout à coup, sonna quatre heures du matin.

Comme nous croyons l'avoir dit, ce n'était pas absolument une vulgaire fille que cette Juliette Bécu. Par son attitude avec le chevalier d'Assas, on a vu qu'elle avait du cœur. Elle avait aussi de l'esprit ; et comme, par-dessus tout, elle ne manquait pas d'audace, il vint un moment où ce cœur, cet esprit, cette audace eurent une révolte contre l'anormale situation où elle se trouvait.

En un mot, et sans vouloir entreprendre de psychologie, elle fut jalouse de ces baisers qui ne s'adressaient pas à elle, de ces serments qui allaient à une autre, de tout cet amour où elle ne jouait en somme qu'un rôle plutôt vilain, tandis que tout ce qu'il y avait de joli, de passionné, de tendre dans les paroles du roi passait au-dessus d'elle et allait à Jeanne.

Sentiment à la fois bizarre et naturel, – bien féminin en tout cas.

Juliette, venue pour jouer un rôle, fut prise à son rôle, comme on dit que l'illustre tragédienne Clairon s'y laissait prendre et versait des larmes brûlantes en jouant *Phèdre*.

Juliette, venue pour incarner Jeanne, s'indigna que Jeanne fut aimée en Juliette.

Juliette voulut être aimée pour elle-même.

Juliette enfin, sûre de ses charmes, sûre d'avoir soulevé les passions du roi qui avait frémi dans ses bras se dit, non sans un orgueil assez justifié :

– Est-ce que je ne la vaux pas, après tout ?... Est-ce que je ne suis pas aussi belle... plus belle ?...

Et ce fut ainsi que tout à coup, palpitante dans cette minute où elle éprouva l'une des plus violentes émotions de sa vie, elle courut à la cheminée, et alluma coup sur coup les six flambeaux de cire rose qui s'y trouvaient.

Pour employer un mot vulgaire, mais dont la trivialité se relève d'on ne sait quelle grâce parisienne, c'était là un « fier toupet ». De cette hardiesse, elle eut soudain conscience. Dès que les flambeaux furent allumés, elle comprit soudain le danger de sa situation ; elle eut peur !...

Vivement, elle se cacha le visage dans ses deux mains, et, tournée vers la cheminée, attendit ; ce fut un instant de terrible angoisse. Qu'allait dire cet homme qu'elle venait de jouer, de bafouer, alors que cet homme – le roi ! – pouvait d'un signe l'envoyer à la Bastille !...

Louis, d'abord étonné de voir Jeanne s'échapper de ses bras pour courir à la cheminée, charmé de l'intention qu'il lui supposa, s'approcha de la jeune femme, et, doucement, l'obligea à se tourner vers lui.

– Merci, Jeanne, murmura-t-il, merci, mon cher ange aimé... vous avez toutes les délicatesses... vous avez compris que je souffrais de cette nuit qui me cachait votre beauté... et me faisait ressembler à quelque larron... vous avez compris que notre amour peut... maintenant... supporter la pleine lumière... Voyons... écartez vos chères mains... puisque vous avez allumé... c'est pour que je vous voie...

Il avait saisi les mains de Juliette et cherchait à les détacher de son visage.

Tout à coup, Juliette céda... elle apparut à Louis...

En même temps, elle se laissa glisser à genoux, et murmura :

– Grâce !...

– Jeanne !... Vous !... Qui êtes-vous ?...

Ces mots, le roi les prononça d'une voix rauque, presque dure, dont l'accent fut à peine tempéré par cette politesse dont jamais il ne se départissait vis-à-vis des femmes.

Il eut un instant de stupeur et de honte. Il se mordit les lèvres. Son visage s'empourpra comme lorsque sa colère était sur le point d'éclater. Ils demeuraient ainsi, elle à genoux, pantelante de terreur maintenant qu'elle voyait l'énormité de sa supercherie ; lui, debout, tout étourdi, en proie à cette honte spéciale de l'homme qui s'aperçoit qu'on l'a joué comme un enfant. Cela dura quelques secondes à peine, et cela leur parut une heure.

Enfin, le roi recula de quelques pas.

Il eut un geste de mépris que Juliette ne vit pas.

Sa seule idée, à ce moment, était qu'il ne pouvait se commettre une explication avec cette femme.

S'en aller sans un mot, l'écraser de son mépris, sortir, laisser son valet en sentinelle, courir au château et faire arrêter cette inconnue, voilà ce qu'il se disait.

Il serait sans pitié pour celle qui l'avait froissé dans son orgueil d'homme et de roi !...

Juliette, toujours à genoux, incapable de prononcer un mot, la tête perdue, le vit faire ses préparatifs de départ.

Et cela même, ce silence, cette tranquillité apparente, ce dédain foudroyant étaient plus terribles que tout ce qu'elle avait pu imaginer. Le roi lui avait tourné le dos, il ne la regardait même pas ; elle n'existait pas pour lui : elle était une chose qui n'eût pas dû être là, moins que cela – rien !...

Elle eût voulu faire un geste, implorer, balbutier au moins quelques mots, et elle était comme paralysée.

Le roi, ayant achevé ses préparatifs, jeté son manteau sur ses épaules et mis son chapeau sur la tête, se dirigea vers la porte.

Mais, au moment de la franchir, il s'arrêta court, soudain tout pâle.

– Et Jeanne !... Jeanne !... qu'est-elle devenue ?...

Dans le premier moment de la vanité blessée, il l'avait oubliée !... Une seconde, la pensée traversa son cerveau comme un éclair que Jeanne était complice de cette comédie.

Disons à sa louange qu'il la repoussa aussitôt.

La terreur lui vint tout à coup qu'elle n'eût été victime de quelque guet-apens.

Dès lors il s'oublia lui-même pour ne songer qu'à elle.

Rapidement, il revint à Juliette, la saisit par les deux poignets, la releva, et les yeux dans les yeux, durement :

– Mme d'Étioles ?... qu'en avez-vous fait ? gronda-t-il.

Ces mots dissipèrent l'impression de terreur qui avait jusque-là paralysé Juliette. Toute sa jalousie lui revint. Elle leva vers le roi un visage que les passions rendaient plus beau, avec ses yeux brillants de larmes, ses lèvres fiévreuses...

– Rassurez-vous, dit-elle amèrement, celle que vous aimez est en parfaite sûreté... plus en sûreté, Sire, que la malheureuse qui est devant vous... et que vous n'aimez pas !

Le roi, à ces mots prononcés d'une voix tremblante, mélancolique et pleine d'une douleur contenue, le roi examina plus attentivement cette inconnue.

Le ressouvenir de ces quelques heures d'amour lui revint tout entier.

La sincérité de cette femme lui parut évidente : Jeanne ne courait aucun danger...

Alors, la curiosité le prit...

Qui était cette femme ?

Pourquoi et comment se trouvait-elle là ?

Que signifiait enfin toute cette supercherie dont il avait été victime ?

Il voulut le savoir à tout prix.

D'une voix sévère encore, mais où cependant il n'y avait plus ce mépris qui avait écrasé Juliette, il posa alors la question qui était venue tout d'abord sur ses lèvres et qui était demeurée sans réponse :

– Qui êtes-vous, madame ?

– Hélas, Sire ! répondit Juliette, il faut que mon visage ait produit bien peu d'impression sur Votre Majesté... Tout mon malheur vient de m'être imaginé... follement... que dans cette fête de l'Hôtel de Ville... le roi avait pu abaisser un regard sur moi... Je vois que je m'étais trompée !...

– La comtesse du Barry ! s'écria le roi en reconnaissant alors tout à fait Juliette.

Et, retirant le chapeau qu'il avait mis sur sa tête, il salua galamment.

Louis XV n'aimait pas le comte du Barry.

Cette figure sombre lui semblait faire tache dans sa cour d'élégants seigneurs légers et spirituels.

En outre, Louis XV était au fond passablement bourgeois.

Cette idée très bourgeoise qu'il venait de tromper du Barry, et que c'était une plaisante aventure que d'avoir trompé l'un des plus fidèles (bien que des moins aimables) serviteurs de sa cour, le fit sourire.

Que cette figure sombre devint une triste figure, cela amena un éclair de gaieté dans ses yeux.

Et, par contre coup, il fut disposé à moins de malveillance pour Juliette.

Peut-être Juliette eut-elle l'intuition de ce qui se passait en ce moment dans l'esprit du roi.

Car un sourire furtif détendit ses lèvres jusqu'ici crispées par la crainte.

Et puis, Juliette se savait très belle...

Une jolie femme qui a une juste idée de sa beauté et, par conséquent, de sa puissance, se sent toujours forte devant l'homme – cet homme fût-il un roi.

Royauté... beauté... deux puissances qui se valent. Et encore il serait difficile de dire laquelle des deux est la plus redoutable et si une femme belle et méchante n'est pas plus à craindre qu'un roi méchant.

À cela le lecteur pourra nous répondre peut-être que beauté et méchanceté sont rarement unies ; et nous pourrions philosopher là-dessus à perte d'haleine.

Revenant donc à Juliette, nous dirons simplement que si elle n'était pas foncièrement méchante, elle était au moins très rusée. Au regard moins sévère du roi, à sa parole moins dure, elle comprit que le plus gros du danger était passé pour elle.

– La comtesse du Barry ! s'était écrié Louis XV.

– Oui, Sire, répondit Juliette en accentuant les palpitations de son sein à mesure qu'elle se calmait ; la comtesse du Barry qui vous supplie de lui pardonner un subterfuge uniquement inspiré par...

– Par qui, madame ? Achevez, je vous prie...

– Par personne, Sire... ou plutôt par un dieu tyrannique auquel une pauvre femme comme moi ne pouvait longtemps résister, puisque c'est vers vous qu'il me conduisait... Ce dieu, vous savez comment il se nomme...

En adoptant tout à coup le style précieux et maniéré de l'époque où le grand Watteau lui-même n'a pas craint de déshonorer ses adorables paysages par la présence des petits Amours joufflus ; où l'amour, cette grande et noble pensée de l'humanité, s'appelait Cupidon... en se mettant à parler comme les petits-maîtres, Juliette se rapprochait de l'esprit du roi.

Louis XV, qui n'avait pas osé venir trouver Jeanne sans y être expressément poussé ; Louis XV qui, au fond, s'effarait de cette grande passion débordante et sincère ; Louis XV qui demeurait timide, étonné, saisi d'une sorte de respect devant l'amour de Jeanne, fut tout de suite à son aise avec le petit dieu malin, le Cupidon de Juliette.

Aimer profondément, être aimé par une âme embrasée, cela le terrifiait.

Marivauder, coqueter, mettre des fanfreluches à l'aventure, et se passionner en style rocaille, cela était selon son tempérament – le tempérament d'une époque légère, gracieuse, d'une société raffinée dont toute la morale peut se résumer dans ce mot de l'un de ses poètes :

Glissez, mortels, n'appuyez pas.

Mot très joli, après tout, mais qui devait engendrer celui-ci qui est terrible :

« Après nous le déluge ! »

Louis XV se dépouilla de son manteau, le jeta sur le pied du lit, s'assit dans un fauteuil, et, impertinent après avoir été sévère :

– Ainsi, dit-il, vous n'avez pu résister au dieu qui vous a prise par la main pour vous conduire ici ?

– Hélas ! ses traits ont vite trouvé le chemin de mon cœur, dit sérieusement Juliette.

– Pardieu, madame, l'aventure est plaisante, je l'avoue, et vous devriez bien me raconter cela...

– Sire... un mot tout d'abord : cette aventure... la regrettez-vous, maintenant ?

– Non ! répondit franchement Louis XV.

Et, en effet, une flamme brilla dans ses yeux.

Cette magnifique statue qu'il avait tenue dans ses bras, qui palpitait devant lui, qui s'offrait encore avec un singulier mélange de crainte et d'impudeur, oui, cela lui tournait la tête !

Une bouffée d'orgueil monta au front de Juliette.

Cette fois, elle tenait le roi !... Elle entrevit des prodiges réalisés, sa présentation à la cour, son triomphe, sa domination sur toutes ces élégances que, dans ses rêves de jadis, elle n'avait jamais espéré pouvoir approcher !...

– Eh bien, Sire, dit-elle d'une voix qu'une véritable émotion faisait trembler, puisque vous ne regrettez rien... puisque vous me pardonnez, je veux donc vous dire que si j'ai poussé le courage jusqu'à la témérité, si je n'ai pas craint d'encourir votre colère et votre vengeance, la faute en est à Votre Majesté...

– Comment cela ? fit Louis XV étonné.

– Rappelez-vous. Sire, cette fête de l'Hôtel de Ville... rappelez-vous cette minute enivrante pour moi où vous avez daigné me reconduire jusqu'à ma place... croyez-vous donc que de tels événements ne puissent produire une ineffaçable impression sur le cœur d'une femme ?... Je vous aimais, Sire... depuis longtemps... Ah ! je sens qu'à parler avec tant de franchise, je risque de me perdre dans l'esprit de Votre Majesté...

– Non pas, madame !... je prise fort, au contraire, la franchise partout où je la trouve... et surtout quand la franchise sort d'une bouche vermeille et est appuyée par l'éloquence de deux beaux yeux !...

C'en était fait !...

Louis XV se livrait !...

– Sire, Sire ! balbutia Juliette frémissante, si vous me dites de ces choses, vous allez me faire mourir de bonheur après avoir failli me faire mourir de terreur...

– Mourir !... Et pourquoi cela ?...

– Oui, Sire ! s'écria Juliette dans un beau mouvement, si vous m'aviez méprisée, si vous m'aviez accablée de votre courroux, je serais morte !... Vous parti, j'allais...

– Qu'alliez-vous faire, madame ?

Juliette se leva vivement, courut à un petit meuble qu'elle ouvrit, et en tira un minuscule flacon.

– J'eusse payé de ma vie, dit-elle gravement, cette heure de bonheur que je volais à la destinée !... Vous parti, Sire, je me serais empoisonnée : j'avais là le remède tout prêt contre mon désespoir et ma honte !

Louis XV, d'un geste rapide et effrayé, s'empara du flacon.

Juliette poussa un cri de terreur :

– N'ouvrez pas, Sire ! L'émanation seule de ce poison suffit pour tuer !...

Et sa pâleur, son tremblement, sa visible épouvante, achevèrent ce que ses paroles avaient commencé.

Le roi alla ouvrir la porte-fenêtre et jeta violemment le flacon qui se brisa contre le mur du jardin...

Juliette jeta une exclamation de dépit... Car elle n'avait pu aller jusqu'au bout de sa démonstration dramatique.

On aurait, en effet, une faible idée de Juliette et de ceux qui la poussaient, si on supposait que le flacon contenait simplement de l'eau ou un liquide inoffensif...

Non, non : c'était bien du poison qu'il y avait là, – un redoutable poison !

Il y avait dans la maison un petit chien.

Le plan de Juliette était de foudroyer la pauvre bête sous les yeux du roi et de porter ainsi à son plus haut degré l'impression qu'elle avait voulu produire.

Mais, en somme, puisque le roi était parfaitement convaincu, tout marchait à souhait.

Le petit chien l'échappa belle !...

– Vous le voyez, dit le roi en revenant prendre sa place, je ne veux pas que vous mouriez !

– Sire, murmura Juliette, je voulais garder ce poison pour le jour où le roi m'eût délaissée...

Cette fois, elle allait peut-être un peu loin dans l'audace.

Il fut évident que Louis ne voulait pas engager l'avenir, et qu'il entendait s'en tenir à l'aventure présente. Car il ne répondit pas. Et Juliette se hâta de reprendre :

– Vous m'avez demandé, Sire, l'histoire de mon cœur. Elle est bien simple... J'ai été mariée malgré moi à un homme que je n'aime pas, que je n'ai jamais aimé...

– Ce pauvre comte ! fit Louis XV en souriant.

– Jaloux, sournois, violent... voilà le comte du Barry, Sire !

– Portrait peu flatteur, mais dont je reconnais volontiers l'exactitude.

– Ah ! Sire, si vous saviez tout ce que j'ai souffert ! Constamment enfermée dans ce château de province dont je ne pouvais sortir, où j'étais presque gardée à vue, je ne venais à Paris qu'en de rares occasions. Et encore le comte m'y surveillait-il étroitement...

– Au fait ! s'écria le roi, mais il va s'apercevoir...

– Non, Sire... pour le comte, je suis à Paris, en notre hôtel de l'île Saint-Louis. Et je ne dois venir à Versailles que demain ou après-demain...

Le roi se rappela alors ce que du Barry lui avait dit pendant son dîner.

Les paroles du comte concordaient parfaitement avec celles de Juliette.

– Ce fut donc, reprit celle-ci, dans une de ces rares occasions où je pouvais venir à Paris, que j'eus la plus grande émotion de ma vie... Un jour, je vis un groupe de gentilshommes qui rentraient de la chasse ; à leur tête marchait un seigneur qui les éclipsait tous en noblesse, en élégance, en beauté... Je demandai au comte le nom de ce gentilhomme... il ne voulut pas me le dire... Mais moi, je compris que ce jeune seigneur avait emporté mon âme... Une deuxième fois, je le revis... Cette fois, il était dans un carrosse doré, entouré d'épées étincelantes, et sur son passage, un peuple délirant d'amour criait : « Vive le roi !... »

Juliette s'arrêta un instant.

Il est facile d'imaginer l'effet que ces paroles, où se mêlaient l'amour et la flatterie, produisaient sur l'esprit de Louis.

– Sire, continua Juliette, il m'est impossible de vous dire tout ce que j'ai souffert quand j'ai su que l'homme que j'adorais, c'était le roi de France !

– Et pourquoi cela, madame ? Le roi passe-t-il donc pour si sévère ?...

– Oh ! non, Sire... mais je comprenais si bien la distance qui me séparait de vous !... Jamais, jamais, me disais-je, le roi ne daignerait abaisser son regard jusque sur moi ! Un moment, après la fête de l'Hôtel de Ville, l'espoir se glissa dans mon cœur... mais je compris bientôt que ces paroles que vous m'y aviez adressées n'étaient que l'effet de cette charmante et haute politesse dont seul vous avez le secret... Le comte du Barry parlait de m'emmener en province... Alors je perdis la tête, je résolus de tout risquer, même la mort, pour appartenir à mon roi, ne fût-ce qu'une heure !... Oui, Sire, une heure d'amour et, après... la mort !...

– Ne parlez pas de mort, madame, fit doucement Louis ; jeune et belle comme vous l'êtes, vous ne pouvez parler que d'amour...

Dès lors, Juliette se sentit forte comme autrefois Dalila.

– Cette résolution, dit-elle en palpitant, je voulus l'exécuter au plus tôt... Et pour cela, je m'adressai à Mme d'Étioles...

En parlant ainsi, elle étudia avidement l'effet de ce nom brusquement jeté dans cet entretien.

Le roi tressaillit. Un nuage passa sur son front...

Jeanne !... Il l'oubliait !...

Cet amour si pur qui lui donnait de si profondes impressions de sincérité, il l'oubliait !

Un soupir gonfla sa poitrine.

– Je comprends, Sire, dit amèrement Juliette, Mme d'Étioles vous aime comme je vous aime... et sans doute vous l'aimez aussi...

– Madame, interrompit le roi presque avec froideur, je vous en prie, ne vous occupez pas du sentiment que Mme d'Étioles peut avoir pour moi, ni de celui que je puis avoir pour elle...

Ce fut le seul mot sincère et pur que Louis eut dans cette conversation où l'amour sensuel jouait le grand rôle.

La douce image de Jeanne lui paraissait au-dessus de ce qu'il entendait et de ce qu'il éprouvait !

Il lui semblait qu'il la ternissait, cette noble image !...

– Dites-moi simplement, acheva-t-il, comment vous avez pu avoir l'idée de vous adresser à madame d'Étioles...

– C'est mon amie, Sire, dit audacieusement Juliette.

– Votre amie ! s'écria le roi en tressaillant.

Juliette sentit que le moment dangereux, la période aiguë était arrivée. Comme le duelliste au moment où, ayant battu le fer de son adversaire, il va se fendre à fond, elle prépara tout ce qu'elle avait de force, de sang-froid et de hardiesse dans sa pensée, dans ses attitudes, dans son regard, dans le son de sa voix.

– C'est mon amie, dit-elle sourdement, et voyez s'il faut que je vous aime pour avoir trahi une amie aussi parfaite que Mme d'Étioles... une amie pour qui je donnerais mon sang avec joie... car si bonne, si douce, si intelligente et spirituelle, je ne connais pas de plus noble cœur que le sien !...

Ces éloges de la comtesse du Barry à Mme d'Étioles étaient un prodige d'habileté.

Le roi fut doucement ému.

Juliette pleurait maintenant... Et ses larmes la rendaient plus belle encore...

– Je l'ai trahie, reprit-elle, puisque je connaissais son amour pour vous, tandis que moi, je n'ai jamais osé lui révéler le mien... J'étais sa confidente... elle n'était pas la mienne... et, depuis qu'elle est dans cette maison, où je suis venue la voir ?...

– Vous êtes venue la voir ?...

– Oui, Sire !...

– Ici ?... Dans cette maison ?...

– Oui, Sire !... Elle m'a fait prévenir de l'endroit où elle se trouvait. Je suis accourue. J'ai su l'histoire du carrosse devant la porte de la cartomancienne, j'ai connu le voyage de Paris à Versailles... Jeanne m'a tout dit !

Et le roi éprouva un vague malaise, un mécontentement contre Jeanne !...

– Alors, continua Juliette, quand j'ai su que le roi devait venir ici tôt ou tard, je me suis décidée... mais, je l'avoue à Votre Majesté, jamais je n'eusse osé aller jusqu'au bout, si Jeanne ne m'avait dit elle-même...

Elle s'arrêta, palpitante...

– Eh bien ! que vous a-t-elle dit ? fit le roi avec une sorte d'impatience, mais en notant toutefois tout ce qu'il y avait de logique, de naturel et de vraisemblable dans le récit de Juliette.

– Elle m'a dit, Sire, que jamais elle ne consentirait à être à Votre Majesté !

Le roi eut un mauvais rire sous lequel il dissimula son dépit.

– Son amour, ajouta Juliette, est trop idéal. Elle veut aimer le roi, mais non lui appartenir... Et puis... peut-être son amour est-il balancé par un sentiment... oh ! de simple pitié... qu'elle a pour un pauvre officier... que je ne connais pas... dont elle n'a pas voulu dire le nom...

– Mais je le connais, fit le roi en froissant nerveusement son jabot. Et cela suffit !... Ah ! elle parle ouvertement de son amour pour moi, et n'ose parler de ce... chevalier... C'est lui qu'elle aime !...

– Sire ! je n'ai pas dit cela !...

– Oui, mais moi, je le devine !... Passez, madame... continuez... votre récit est plein de charme et d'attrait...

– Que vous dirai-je, Sire ! Peut-être mon amour, à moi, est-il moins idéal !... mais je voulais connaître l'immense bonheur de vous serrer dans mes bras... dussé-je en mourir !...

– Vous ne mourrez pas ! C'est moi qui vous le jure !

Juliette contint la joie furieuse qui montait en elle : ce cri du roi, elle le comprit, c'était la condamnation de Jeanne !...

– Sire, reprit-elle alors, Mᵐᵉ d'Étioles m'a dit hier qu'elle comptait retourner à Paris pour quelques jours... En vain lui ai-je objecté – et je faisais un dur sacrifice en lui parlant ainsi – que Votre Majesté viendrait peut-être !... Elle m'a répondu que le roi ne viendrait pas tant qu'elle ne l'appellerait pas !...

– C'est, pardieu, vrai ! J'étais un niais !

– Oh ! Sire !... Ce n'est pas là ce que pensait ma pauvre amie, je vous le jure !

– Votre amie !... Une intrigante !...

– Non, Sire ! non ! Une femme qui a sa manière d'aimer, voilà tout !... Et puis, elle a ajouté qu'elle devait absolument voir quelques personnes à Paris...

– Quelques personnes !... Une seule !... cet officier... ce chevalier!...

– Je ne sais, Sire !... Toujours est-il que la folie s'est emparé de moi ! J'ai guetté le départ de Jeanne ! j'ai fait écrire par Suzon le mot que vous avez reçu sans doute...

Nouvelle circonstance qui prouvait au roi la rigoureuse véracité de ce récit !

– Suzon ne voulait pas, mais je lui ai dit que Mᵐᵉ d'Étioles lui en donnait l'ordre. Elle a obéi... Et alors, tremblante, à demi morte d'effroi... et d'amour... j'ai attendu !... Mais je le jure à Votre Majesté, j'avais bien l'intention de ne pas me révéler, de m'en aller... et de mourir !... Vous êtes venu, Sire... vous savez le reste... Et maintenant, si mon roi conserve contre moi la moindre colère... eh bien... je mourrai... voilà tout !...

À ces mots, Juliette éclata en sanglots...

– Ne pleurez pas, murmura le roi.

– Hélas ! Sire... comment ne pas pleurer !... Ah ! je vous jure... ce n'est pas la vie que je regrette.

– Et que regrettez-vous donc ? fit Louis en enlaçant Juliette de son bras.

– Votre amour !...

– Eh bien... ne regrettez rien... car...

– Sire !... oh ! mon Dieu... Louis !... prenez garde !...

– Car je vous aime !... acheva Louis XV.

Juliette se renversa dans ses bras, comme si elle eût été presque mourante... comme si elle n'eût pu supporter l'excès de son bonheur...

Milton Keynes UK
Ingram Content Group UK Ltd.
UKHW050624250923
429338UK00012B/613

9 791041 836956